Paolo E. Balboni

il BALBONI B-UNO

Corso comunicativo di italiano per stranieri

anatra (duck) bosco (forest). fare fatica a

P46 - imperfetto congiu: piovesse (essi), piacesse, pensassi, vincessi
• avesse /

- condizionale: rimarrei (= permarrei)
(ei, esti, ebbe,

condurre, guidare. l'inquinamento.

Bonacci editore

Ristampe

7	6	5	4	3	2	1	N
2022	2021	2020	2019	2018	2017	2016	

ISBN 9788820128388

Nonostante la passione e la competenza delle persone coinvolte nella realizzazione di quest'opera, è possibile che in essa siano riscontrabili errori o imprecisioni. Ce ne scusiamo fin d'ora con i lettori e ringraziamo coloro che, contribuendo al miglioramento dell'opera stessa, vorranno segnalarceli al seguente indirizzo:

Loescher Editore
Via Vittorio Amedeo II, 18
10121 Torino
Fax 011 5654200
clienti@loescher.it

Loescher Editore Divisione di Zanichelli Editore S.p.A. opera con sistema qualità certificato KIWA-CERMET n. 11469-A secondo la norma UNI EN ISO 9001:2008

Coordinamento editoriale: Chiara Romerio
Coordinamento redazionale: Francesca Asnaghi
Progetto grafico e impaginazione: Laura Rozzoni
Redazione: Marta Falco e Giovanna Lombardo
Illustrazioni: Filippo Pietrobon
Ricerca iconografica: Maurizio Dondi
Cartine: Studio Aguilar s.a.s.

Redazione materiali online: Simona Ricci
Impaginazione materiali online: Giulia Giuliani

Stampa: Vincenzo Bona S.p.A.
Strada Settimo, 370/30
10156 Torino

Indice

1 Un nuovo viaggio per conoscere gli italiani

2 Gli italiani al lavoro

3 Come si esprimono le emozioni

4 I problemi della vita quotidiana

5 Alcuni punti di forza dell'Italia

Come è fatto *il Balboni B-Uno* e perché

Il principio base: innovazione innestata sulla tradizione

L'ipotesi fondante è che le "mode" glottodidattiche, che contrappongono "vecchio" a "nuovo", siano un danno per la didattica. Questo manuale è:

a. ***innovativo***
- nella *preminenza data alla comprensione orale*, pur temperata dalla volontà di non costringere lo studente adulto a parlare troppo precocemente; questa circostanza rischia, infatti, di innescare filtri affettivi, paura di perdere la faccia e di sbagliare, emozioni che producono danni permanenti nel percorso acquisitivo;
- nell'*approccio induttivo*, per cui una regola grammaticale viene prima intuita e poi, con l'aiuto del manuale e sotto la guida sapiente del docente, solo successivamente sistematizzata, senza trovarla quasi mai pronta all'uso: se non si usa la testa autonomamente, non si acquisisce stabilmente;
- nello *sviluppo lessicale*, anche questo ottenuto secondo un principio intuitivo prima e sistematico poi, con 30 momenti di autovalutazione della propria memorizzazione lessicale.

b. ***tradizionale*** in quanto:
- dopo i percorsi induttivi, i materiali diventano oggetto di sistematizzazione grammaticale e poi di esercitazione, di fissazione anche meccanica;
- accanto alla strutturazione per *atti comunicativi*, che realizzano le varie funzioni, ci sono i corrispondenti aspetti grammaticali;
- sul piano dello sviluppo delle abilità prevalgono quelle ricettive (ascolto e lettura) per evitare, come si è detto precedentemente, una richiesta troppo precoce di "buttarsi e nuotare", che è bella come idea, ma spesso blocca gli studenti, soprattutto quelli adulti;
- online si trovano materiali supplementari da scaricare e stampare, ma non ci sono attività da svolgere direttamente in rete.

I 10 principi metodologici di base sono descritti nella *Guida* online, accessibile gratuitamente a docenti e studenti.

La struttura del manuale

Un diagramma può facilmente illustrare lo schema costruttivo, l'architettura dei quattro manuali del corso (*A-Uno*, *A-Due*, *B-Uno* e *B-Due*):

Ogni **Passo**:

a. è un'***unità di acquisizione***, cioè un blocco minimo di contenuti che può essere affrontato in 2-3 ore più lavoro domestico;

b. è organizzato secondo il ***percorso naturale di acquisizione***:

- si apre con una fase di ***comprensione globale***, intuitiva e generale, che fa molto ricorso alla memoria visiva;
- lentamente la **percezione** da globale si fa ***analitica***, focalizzandosi su alcuni punti; molto spesso l'analisi riguarda elementi che sono stati introdotti *intuitivamente* nei Passi precedenti, in modo che questi facciano il loro percorso psicolinguistico in autonomia e vengano in qualche modo pre-acquisiti;
- in conclusione si procede a una ***sintesi***, uno spazio di riflessione e sistematizzazione;

c. è costituito da ***tre tipi di attività***:

- esercizi di carattere ***induttivo***, in cui lo studente viene portato a *scoprire* la "grammatica" (nel senso più ampio), secondo i principi naturali del meccanismo di acquisizione linguistica;
- esercizi di carattere ***applicativo***, cioè esercizi tradizionali che aiutano a fissare e a riutilizzare quanto scoperto; molti di questi esercizi sono nella Palestra alla fine dell'Unità e soprattutto negli Esercizi supplementari scaricabili e stampabili, che costituiscono un quaderno di esercizi parallelo al volume - e gratuito;
- esercizi di ***ricapitolazione***, costituiti sia da sintesi grammaticali sia da esercizi conclusivi (presenti alla fine di ogni Unità didattica) sia da una sintesi lessicale.

d. include molti ***audio***, non solo quello d'apertura: alla base dell'approccio comunicativo naturale che sorregge questo manuale sta il **principio di Krashen** secondo il quale si acquisisce una lingua attraverso un ***input reso comprensibile*** dal manuale e dall'insegnante. Inoltre il ruolo della scrittura aumenta Passo dopo Passo, in attesa di diventare sistematico nel livello B. Gli audio (e le rispettive trascrizioni) sono disponibili gratuitamente online, perché lo studente deve riutilizzarli a casa, per ri-ascolto, auto-dettatura e approfondimenti;

e. propone, sparsi qua e là, dei **post-it**, mini appunti con un elemento linguistico che non vale la pena trattare analiticamente, ma che può essere utile.

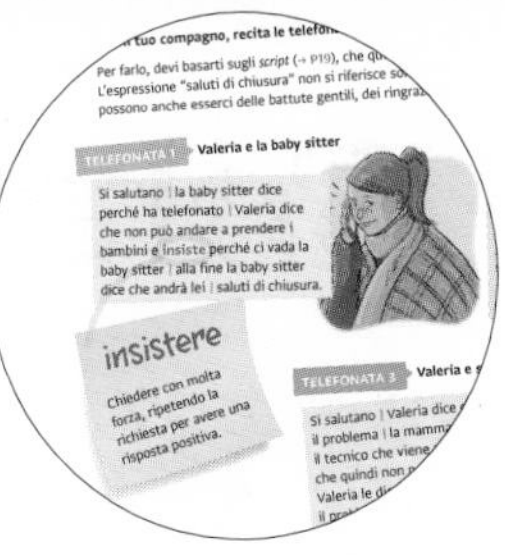

f. le sezioni **Guardiamoci intorno** sono pagine di civiltà, che alla fine di ogni Passo approfondiscono i temi culturali e sociali che sono stati oggetto degli audio e delle letture del Passo. In queste sezioni non ci sono attività grammaticali ma solo lessicali.

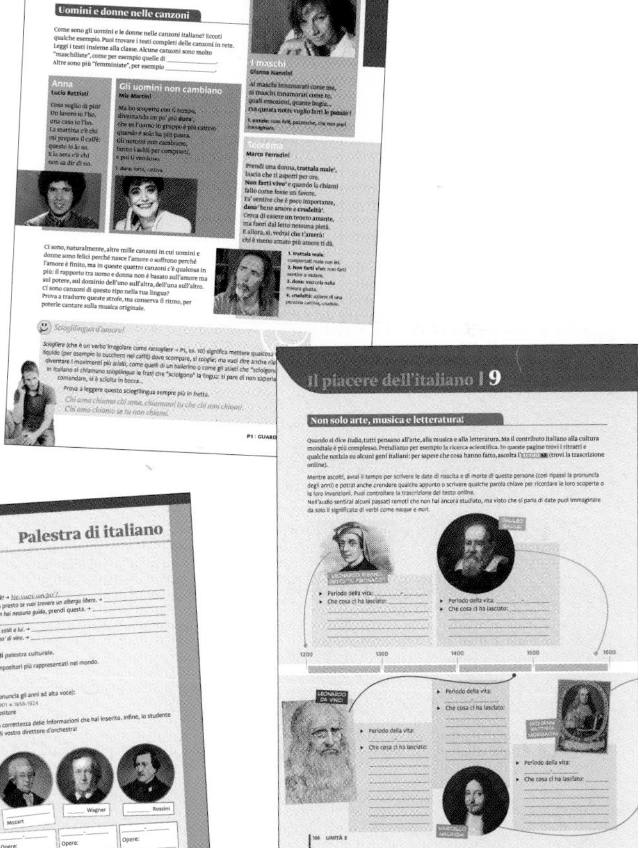

g. ogni 3 Passi, in media, c'è una doppia pagina intitolata *Il piacere dell'italiano*: è una novità rispetto ai primi due volumi, e si spiega con il fatto che ormai gli studenti hanno una padronanza della lingua che consente loro di affrontare testi più complessi, letterari, artistici, storici ecc., con maggiore agio, traendone piacere. Non serve che capiscano ogni parola, almeno in classe: se le attività sono condotte bene, con discussione e coinvolgimento, si può essere certi che a casa rileggeranno e cercheranno una comprensione più analitica.

Sillabo *B-Uno*

Unità didattica 1 (Passi 1-6)

FUNZIONI

Funzione personale
- parlare dello stato fisico
- esprimere giudizi e pareri
- esprimere sensazioni e impressioni

Funzione interpersonale
- esprimere giudizi e opinioni in modo gentile
- dare ordini o consigli in modo gentile

Funzione regolativa
- esprimere volontà e desiderio dire quello che serve, che bisogna, che è necessario

Funzione referenziale
- confrontare, paragonare
- descrivere dati e grafici statistici
- parlare di quantità

Strategie comunicative
- anticipare i contenuti
- ascoltare o leggere cercando informazioni specifiche (*scanning*)
- inferire il significato dal contesto o per associazione di idee
- essere attenti all'uso simbolico, e non solo concreto, di molte parole
- l'inferenza
- scrittura creativa

Strategie di memorizzazione
- ascolto, ripetizione, dettato, registrazione, confronto
- ricordare i verbi con la preposizione

GRAMMATICA

Nome, aggettivo, pronome
- sintesi del femminile
- sintesi del plurale
- sintesi di comparativi e superlativi regolari e irregolari
- i numerali
- *un / una, l'altro / l'altra; l'un l'altro*

Verbo
- avere da + infinito
- *scegliere, raccogliere, sciogliere, svolgere*
- il congiuntivo presente: forme e usi
- verbi di opinione, di volontà, di necessità

Testualità
- segnali discorsivi

Ambiti lessicali
- caratteristiche culturali
- demografia, popolazione
- mezzi di trasporto

Cultura e civiltà italiana
- uomini e donne in Italia
- la popolazione italiana, la natalità
- i mezzi di trasporto, i segnali stradali, la stazione, le autostrade
- stereotipi sugli italiani

Testi di
- Lucio Battisti
- Andrea Camilleri
- Fabio Caon
- Marco Ferrandini
- Wolfgang Goethe
- Mia Martini
- Domenico Modugno
- Gianna Nannini
- Pier Paolo Pasolini

Unità didattica 2 (Passi 7-12)

FUNZIONI

Funzione personale
- fare ipotesi su dati veri, su cose possibili e su cose impossibili
- esprimere emozioni: gioia, tristezza, soddisfazione
- esprimere il disagio esistenziale
- esprimere il desiderio di cambiare vita
- esprimere capacità con *essere in grado di*

Funzione interpersonale
- incoraggiare una persona in difficoltà
- esprimere affetto, amore
- complimentarsi
- interagire in una situazione formale e delicata (colloquio di lavoro)

Funzione regolativa
- dare consigli su come compilare moduli e bandi di concorso

Funzione referenziale
- riferire una situazione sociale
- riferire eventi, colloqui di lavoro

Strategie comunicative
- comprendere usando la logica

Strategie di comprensione
- usare la logica per intuire i significati

GRAMMATICA

Nome, aggettivo, pronome
- il genere dei nomi di animali non differenziati
- il plurale degli aggettivi generici dopo *essere* e *stare*: *stare fermi, stare zitti, essere tristi*
- *stesso* con i riflessivi

Verbo
- congiuntivo imperfetto regolare e irregolare
- congiuntivo passato
- congiuntivo trapassato
- verbi che reggono il congiuntivo
- periodo ipotetico della realtà (ripresa), della possibilità, dell'irrealtà; il periodo ipotetico nella lingua parlata
- il femminile in espressioni come *com'è andata, me la sono vista brutta, me la sono cavata*
- formazione di verbi partendo da nomi e aggettivi con i prefissi *a-* e *in-* (ripresa)

Preposizioni, congiunzioni, avverbi
- *entro* (tempo)
- congiunzioni che reggono il congiuntivo
- *non solo... ma anche*
- vari usi della preposizione *da*

Testualità
- indicatori di successione logica: *anzitutto, in secondo luogo, inoltre, alla fine*
- testi burocratici

Ambiti lessicali
- il lavoro, le professioni
- la burocrazia e l'italiano burocratico
- i bandi di concorso, i colloqui di lavoro

Cultura e civiltà italiana
- il mondo del lavoro, i sindacati, i concorsi, il lavoro nero, la disoccupazione
- gli italiani e il cambiamento

Testi di
- Cecco Angiolieri
- Maurizio Costanzo
- Carlo Innocenzi e Alessandro Sopranzi
- Eros Ramazzotti
- Giorgio Calabrese e Carlo Alberto Rossi

Unità didattica 3 (Passi 13-18)

FUNZIONI

Funzione personale
- esprimere affetto, amicizia, amore, astio, odio
- esprimere paura
- esprimere l'incapacità di comprendere il senso delle cose
- esprimere rabbia in maniera diretta, dura

Funzione interpersonale
- esprimere esasperazione
- esprimere desiderio
- fare congratulazioni e condoglianze

Funzione regolativa
- esprimere volontà in maniera diretta e gentile

Funzione referenziale
- descrivere emozioni

GRAMMATICA

Nome, aggettivo, pronome
- superlativi che richiedono il congiuntivo
- uso di parolacce, in particolare di c***o e derivati
- plurale di *urlo, grido*
- *dio, dea, dei, dee*
- sinonimi e connotazione
- pronomi che richiedono il congiuntivo
- *sé, se stesso* (ripresa)

Verbo
- uso del congiuntivo con alcuni verbi, pronomi, connettori
- il condizionale (sintesi)
- futuro nel passato e futuro anteriore
- verbi che reggono l'infinito
- *conoscere, sapere*
- plurale dei participi passati nelle frasi impersonali generiche
- verbi in *-care* e *-gare*, *-ciare* e *-giare*

Preposizioni, congiunzioni, avverbi
- congiunzioni che richiedono il congiuntivo

Tipologie testuali
- la lettera d'addio
- il diario

Ambiti lessicali
- l'amore, l'affetto, l'amicizia
- divorzi e separazioni
- congratulazioni e condoglianze
- paura, rabbia, impotenza
- la lingua letteraria

Cultura e civiltà italiana
- Emergency
- Gian Luigi Bernini: *Apollo e Dafne*
- Lampedusa e l'immigrazione
- quadro generale del Romanticismo

Testi di
- Andrea Camilleri
- Illica e Giacosa per Puccini
- Giacomo Leopardi
- Alda Merini
- Cesare Pavese
- Gianfranco Rosi

Unità didattica 4 (Passi 19-24)

FUNZIONI

Funzione personale
- esprimere frustrazione per inconvenienti

Funzione interpersonale
- discutere animatamente, litigare
- fare la pace, scusarsi

Funzione regolativa
- acquistare qualcosa e organizzare la consegna a domicilio

Funzione referenziale
- riportare un discorso diretto
- dare misure di ingombro
- riferire fenomeni generali usando l'impersonale

Strategie comunicative
- uso degli script situazionali
- comprensione inferenziale
- comprensione attraverso transfer da altri linguaggi

GRAMMATICA

Nome, aggettivo, pronome
- plurali in *-co* / *-go*, *-ca* / *-ga*,
- *-cia* / *-gia*
- *si* impersonale, passivizzante, riflessivo

Verbo
- il gerundio
- la forma passiva, il *si* passivante
- la forma impersonale
- l'infinito
- *mi, ti... tocca*, nel senso di *dovere*; *trovarsi* nel senso di *esserci*; *sentirsela, prendersela*

Preposizioni, congiunzioni, avverbi
- *a meraviglia*
- *dopo, prima, in modo, senza* con *di* + infinito o *che* + congiuntivo
- *a forza di, invece di* con l'infinito
- *senza* con il congiuntivo
- *di, a, per* + infinito

Testualità
- manuali di istruzioni
- discorso diretto e indiretto

Ambiti lessicali
- guasti, rotture, guai
- le forme geometriche
- difficoltà economiche

Cultura e civiltà italiana
- il movimento "anti usa-e-getta"
- il design e l'export
- il rapporto con le malattie mentali

Testi di
- Nico Casagrande
- Matthieu Mantanus
- Sebastiano Vassalli
- Eleonora Voltolina

Unità didattica 5 (Passi 25-30)

FUNZIONI

Funzione personale
- esprimere ipotesi
- modi informali, colloquiali, volgari per esprimere dubbio, convinzione ecc.

Funzione referenziale
- descrivere un luogo
- fornire dati su un fenomeno
- descrivere processi produttivi
- raccontare una biografia

Strategie comunicative
- pianificazione dei testi
- strategie basate su scopi e destinatari
- la creazione di mappe lessicali
- la creazione di mappe di verbi irregolari analoghi
- la creazione di una mappa dei punti critici nella comunicazione interculturale

GRAMMATICA

Nome, aggettivo, pronome
- sintesi dei suffissi per l'alterazione dei nomi e per la creazione di nomi, aggettivi, avverbi
- i vari usi di *ne*
- forme colloquiali con *a me mi*, con l'uso pleonastico di *che*

Verbo
- il futuro per esprimere ipotesi
- *non poterne più, andarsene, tornarsene, farsene*
- passivo con *chi?*
- introduzione implicita del passato remoto
- *bisogna, serve, è necessario, occorre, sembra, pare* usati come impersonali

Preposizioni, congiunzioni, avverbi
- *affinché, nonostante, a meno che* + congiuntivo
- i connettori della relazione causa / effetto
- le congiunzioni correlate (ripresa)
- *tra, fra* (sintesi)

Ambiti lessicali
- siti artistici
- produzione artigianale
- turismo
- made in Italy: cibo, auto di lusso, tessuti ecc.
- italiano parlato, popolare e volgare

Cultura e civiltà italiana
- il ruolo del turismo nell'economia
- i siti Unesco in Italia
- il cibo e il vino italiano nel mondo, Eataly, Vinitaly, Slow Food
- la piccola e media industria, l'artigianato di qualità
- il contributo dell'Italia alla storia della scienza
- immigrazione ricca in Italia
- Erasmus, fuga dei cervelli e emigrazione giovanile
- comunicazione interculturale
- Leonardo da Vinci

1

Un nuovo viaggio per conoscere gli italiani

Nel livello A abbiamo parlato molto dell'Italia. Nel livello B cercheremo di farti conoscere gli italiani, incominciando in questa Unità con molti dati, numeri e statistiche. Nella sezione online ci sono vari video che ti possono mostrare altre cose sugli italiani.
Nei livelli B1 e B2 avrai meno grammatica di base, ma entrerai di più nei dettagli e nelle conoscenze che danno il piacere dell'italiano: A1+2 ti ha dato *uno strumento* per comunicare in italiano, B1+2 vuole darti *il piacere* di parlare italiano in maniera sempre più completa.

In B1 la forma dei *Passi* cambia: le trascrizioni dei dialoghi sono quasi tutte online insieme agli audio. Inoltre trovi molti più materiali da leggere (giornali, poesie, statistiche, racconti, canzoni...) per arricchire il tuo lessico, con l'aiuto di *parole chiave* per la comprensione.

Sei pronto a iniziare un nuovo viaggio nell'italiano e con gli italiani?

Imparo l'italiano per:

- esprimere necessità e bisogno
- esprimere opinioni
- esprimere volontà e desideri
- fare confronti

So come funzionano:

- comparativo e superlativo
- congiuntivo presente
- femminile e plurale

Conosco alcune cose dell'Italia:

- le grandi differenze tra gli italiani
- la natura degli stereotipi
- le statistiche sugli italiani
- gli stereotipi sugli italiani (e anche molte cose vere!)

Ricorda che il libro continua online

P1/ Uno | Uomini e donne in Italia

Comprensione & produzione

1 Leggi l'articolo *Uomini e donne al lavoro*, che si basa su dati dell'ISTAT (Istituto Nazionale di Statistica) e di EUROSTAT (Centro Europeo di Statistica) e osserva i grafici.

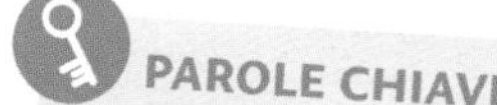

PAROLE CHIAVE

- **inferiore, peggiore**: sono i comparativi di *basso* e *cattivo* e corrispondo a *più basso* e *più cattivo*
- **pessimo**: è il superlativo di *cattivo*
- **istruita**: è una persona che ha ricevuto *istruzione*
- **abbiano**: è il congiuntivo del verbo *avere*; corrisponde ad *hanno*

a. Guarda i grafici e fai queste ipotesi.
1. In quale area dell'Italia la situazione è migliore, più vicina a quella europea?
   ....
2. Dov'è la situazione peggiore? Perché può essere definita *pessima*?
   ....

b. Leggi l'articolo per verificare le tue ipotesi e trova queste informazioni.
1. Dopo la crisi, le donne trovano più o meno lavoro degli uomini?
   ....
2. Che cosa pensano i giovani, soprattutto quelli più istruiti?
   ....

c. L'ultima frase dell'articolo pone una domanda. Secondo te, è cambiata l'idea sui compiti dell'uomo e della donna in casa e in famiglia? Com'è la situazione nel tuo Paese? Discuti l'argomento con la classe, poi rileggi l'articolo per essere certo di aver capito tutto.

Uomini e donne al lavoro

I dati ISTAT sono chiari: in Italia il lavoro femminile è inferiore a quello maschile.
Se al Nord la differenza è vicina a quella europea, al Sud la situazione è peggiore, e il pessimo rapporto tra lavoro maschile e lavoro femminile si aggiunge alla pessima situazione generale del Sud, dove un maschio su due è senza lavoro.
Come si vede nel grafico di EUROSTAT, quello in inglese, la differenza tra uomini e donne al lavoro in Italia è tra le più alte d'Europa.

L'Europa e l'Italia però stanno uscendo dalla grande crisi iniziata nel 2008, e in questi anni sono le donne che trovano lavoro più velocemente, quindi tra qualche anno la situazione potrebbe essere diversa.
I giovani, soprattutto quelli più istruiti, pensano che nel lavoro gli uomini e le donne abbiano le stesse capacità. Ma quando sono a casa, in famiglia, gli uomini e le donne hanno gli stessi compiti?

72,1 | 56,9

67,9 | 54,7

53,7 | 30,6

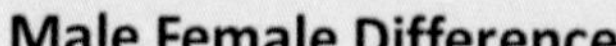

Male Female Difference

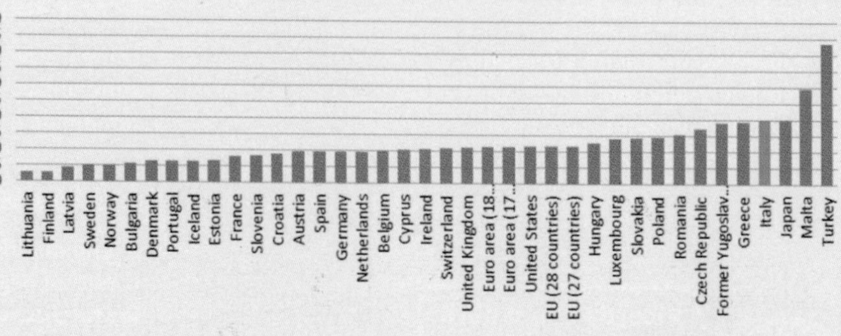

Fonte: dati EUROSTAT.

2 Impara a prevedere.

Leggi i titoli degli ES. 3-4 e cerca di prevedere con i compagni che tipo di dialoghi stai per ascoltare.
In realtà i due dialoghi raccontano la stessa storia, ma vista da lui e da lei. Anna è incinta, al nono mese di gravidanza, e fa fatica a portare il primo figlio all'asilo nido, quindi deve portarlo suo marito Alberto.

Impara a immaginare i significati.

a. La *gravidanza* di una donna dura 9 mesi. Una donna *in gravidanza* è una donna .... (trovi la parola nelle righe qui sopra).

b. Che cosa è l'*asilo nido*, detto anche *nido*, dove va Mattia, il figlio di due anni di Anna e Alberto?

....

Confronta con i compagni il modo in cui hai intuito il significato di queste parole.

3 Oggi ho litigato con mio marito perché...

a. Anna è incinta e sua sorella Monica passa a salutarla. Immagina la situazione e fai queste ipotesi.

1. Nella conversazione ci sono due argomenti.
   - Nella prima parte si parla della fatica di Anna ad andare in giro con il pancione al nono mese di gravidanza. Secondo te, se potesse, che cosa cambierebbe Anna della frase "ci vogliono nove mesi per fare un figlio"?

   ....

   ....

   - Nella seconda parte si parla della litigata tra Anna e suo marito Alberto. Anna fa fatica a guidare, ma bisogna portare Mattia all'asilo nido e... Che cosa può essere successo?

   ....

2. Secondo Anna, che cosa non capisce il marito dei problemi di una donna incinta? Discutine con i compagni: vedrai che sapete qual è il problema anche prima di ascoltare il dialogo!
3. Oggi anche gli uomini aiutano in casa, ma, secondo Anna e Monica, dopo aver fatto qualcosa si aspettano che la moglie dica "....................".

PAROLE CHIAVE

- **sali**: non è il plurale di *sale* ma l'imperativo del verbo *salire*
- **fare fatica**: un'attività che stanca molto
- **andare in giro**: muoversi
- **litigare**: discutere duramente con qualcuno alzando la voce
- **raccogliere**: se una cosa cade per terra, bisogna *raccoglierla*, tirarla su
- **non è poi così male**: è abbastanza buono, va abbastanza bene
- **dare una mano**: aiutare
- **peggio che scalare il Monte Bianco**: è un modo di dire per indicare una cosa difficile e faticosa

b. Ascolta l'**AUDIO 1** (trovi la trascrizione online) e controlla se le tue ipotesi sono corrette e se hai capito le principali informazioni della conversazione. Poi rispondi a queste domande.

1. Alberto è un buon marito, secondo Monica?

   ....

2. Come era il padre di Anna e Monica?

   ....

c. Adesso ascolta l'**AUDIO 1 CON PAUSE** e ripeti il dialogo, dopo aver letto il riquadro qui sotto.

STRATEGIE
Come e perché usare gli *audio con pause*

Ascoltare e ripetere non è un esercizio per bambini o per principianti. È fondamentale per prendere il ritmo giusto di un madrelingua italiano.
A casa puoi usare gli *audio con pause* per fare un dettato (scrivere serve per memorizzare le parole) e poi confrontarlo con la trascrizione del dialogo, che trovi online.
Puoi anche ascoltare e ripetere tenendo acceso il registratore del tuo cellulare, così puoi riascoltare la tua pronuncia e confrontarla con quella dei madrelingua italiani.

4 Oggi ho litigato con mia moglie perché...

a. Alberto, il marito di Anna, chiacchiera con il suo amico Carlo, dopo che hanno lasciato i loro figli all'asilo. Immagina la situazione e fai queste ipotesi.

1. Quale aggettivo useresti per definire il lavoro di una maestra? *Bello, dolce, stressante, faticoso* o altri aggettivi? ....
2. Perché, secondo te, all'asilo le maestre sono quasi tutte donne? Discutine con la classe.
   ....

b. Ascolta l'**AUDIO 2** (trovi la trascrizione online) e trova queste informazioni. Non preoccuparti se non capisci bene tutto: è una conversazione difficile e ci lavoreremo ancora un po' dopo il primo ascolto.

1. La salute di Anna è ○ pessima ○ ottima ma il suo umore è ○ pessimo ○ ottimo.
2. Alla fine dei tre mesi di aspettativa, Anna ○ tornerà al lavoro ○ chiederà altri sei mesi.
3. Alberto deve correre molto per il suo lavoro, ma ○ sa già ○ non sa ancora che dopo la nascita della bambina sarà lui a portare il figlio all'asilo.
4. La moglie di Carlo è ○ in vacanza ○ al lavoro e la baby sitter è ○ ottima ○ pessima.

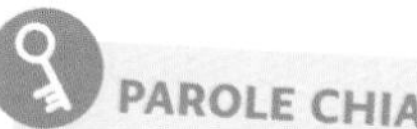

PAROLE CHIAVE

Oltre alla parola *maestra*, che hai visto nelle righe sopra e che l'insegnante ti ha certamente spiegato, per capire il dialogo ti sono utili queste parole chiave.

- **saperci fare**: è uno dei verbi con *ci* (come *volerci, esserci, metterci*); significa "sapere come fare una cosa"
- **a proposito**: introduce un nuovo discorso che viene in mente per associazione di idee con qualcosa che è appena stato detto
- **ottimo**: significa "molto buono"; è l'opposto di *pessimo*, che significa "molto cattivo"
- **umore**: stato d'animo
- **aspettativa**: periodo di tempo in cui non si va al lavoro: in Italia l'aspettativa è pagata e obbligatoria due mesi prima e tre mesi dopo il *parto*, cioè la nascita di un figlio; si possono prendere altri mesi di aspettativa, non pagata, fino a un anno

c. Ascolta ancora l'**AUDIO 2** e trova queste informazioni.

1. Perché Alberto trova stressante portare il bambino all'asilo?
   ....
   ....
2. Perché Anna non vuole restare a casa con i bambini per altri sei mesi dopo l'aspettativa?
   ....
3. Quando le donne non lavoravano e restavano a casa era tutto più comodo ma era anche un fatto negativo. Perché? ....
4. Perché Carlo è contento di passare tante ore con la sua bambina?
   ....

d. Adesso ascolta l'**AUDIO 2 CON PAUSE** e ripeti il dialogo, ricordando quello che hai letto nel riquadro alla pagina precedente (→ COME E PERCHÉ USARE GLI *AUDIO CON PAUSE*).

5 Perche la prima sezione del *Passo* si chiama *Comprensione & produzione*?

Perché, a differenza dei livelli A1+2, in B1 ti invitiamo anche a *produrre* lingua subito dopo l'ascolto e la comprensione.

a. Dividetevi in gruppi: alcuni gruppi scrivono le ragioni per difendere l'idea che gli uomini vanno al lavoro e le donne stanno a casa con i bambini; altri gruppi lavorano all'idea contraria.

b. Dividete la lavagna in due parti e fate un elenco delle idee *pro* e *contro* (cioè "favorevoli" e "contrarie").

c. Sotto la guida dell'insegnante, fate un dibattito. Non è importante quello che pensate veramente: siete degli attori e dovete difendere la vostra parte, cioè recitare il vostro ruolo. Fate anche un confronto tra la situazione italiana e quella del vostro Paese.

d. Adesso dividetevi sulla base delle vostre idee reali e continuate la discussione a piccoli gruppi.

e. A casa, scrivete una breve composizione sull'argomento *Donne al lavoro o donne a casa?* e l'insegnante ne correggerà alcune.

Analisi & sintesi

6 Fare confronti.

Quando parliamo facciamo spesso dei confronti, e nel *Passo* ne hai trovati molti.

a. Completa questi confronti che hai trovato nell'articolo (→ ES. 1).
I dati ISTAT sono chiari: in Italia il lavoro femminile è ...inferiore... a quello maschile. Se al Nord la differenza è vicina a quella europea, al Sud la situazione è ...., e il .... rapporto tra lavoro maschile e lavoro femminile si aggiunge alla .... situazione generale del Sud, dove un maschio su due è senza lavoro.

b. Completa questi confronti che hai trovato negli AUDIO 1-2.
1. È ...più... facile della gravidanza di Mattia, no?
2. Andare in giro con questa pancia è .... difficile che guidare un camion.
3. La salute è .... È l'umore che è ....
4. Deve essere .... di quanto immaginiamo noi uomini...

c. Monica considera Alberto ○ il migliore ○ il peggiore dei mariti. E le due sorelle considerano i loro mariti ○ meglio ○ peggio del loro papà.

Hai visto quanti confronti si fanno, chiacchierando? A casa, mentre rileggi le trascrizioni online per ascoltare i dialoghi e per fare il dettato, nota anche un altro confronto: «Sto imparando a conoscerla meglio », cioè "meglio di prima"; i confronti si possono fare non solo tra persone e cose, ma anche tra *prima / dopo*, *qui / là* ecc.

Comparativo e superlativo

▸ Il **comparativo** può essere:
- **di maggioranza**: *è **più** facile **di** / **che**...*
- **di uguaglianza**: *è facile **come**...*
- **di minoranza**: *è **meno** facile **di** / **che**...*

Di solito si usa ***di*** davanti ai **nomi** e ai **pronomi** (*È più ricco **di** Paolo / **di** lui*), ***che*** davanti ai **verbi** (*Mi piace più bere **che** mangiare*).
Puoi usare anche ***di + quanto*** seguito dal **congiuntivo**, che studieremo tra poco.
Sottolinea *di, che, di quanto* negli esempi dell'ES. 6, b.

▸ Il **superlativo** può essere:
- **relativo**, cioè un confronto fatto all'interno di un gruppo: *È **il più buono** / **cattivo dei** mariti*; per introdurre il gruppo si usa ***di***, ma con i luoghi si può usare anche ***in*** (*È **la più importante** città **di** / **in** Italia*);
- **assoluto**, cioè un confronto fatto con tutti: *È un **buonissimo** / **cattivissimo** marito.*

▸ Alcuni aggettivi e avverbi di grande uso hanno anche delle **forme irregolari**.

	comparativo di maggioranza	superlativo
buono	migliore	ottimo
bene	meglio	
cattivo	peggiore	pessimo
male	peggio	
grande	maggiore	massimo
piccolo	minore	minimo

Da *migliore / peggiore* derivano i verbi *migliorare / peggiorare*.

7 Descrivete la foto insieme ai compagni, dicendo *chi è sorella di chi, chi è cognato/a di chi*, come nell'esempio.

Monica è la sorella di Anna
....
....
....
....

8 Uomo e donna, maschile e femminile.

a. Nella foto dell'**ES. 7** ci sono *un cognat**o** / una cognat**a**, dei cognat**i** / delle cognat**e***. Il passaggio di genere, cioè **maschile / femminile**, è semplice: ***-o / -a, -i / -e***.

b. Ma parlando delle **persone** ci sono anche delle coppie strane di maschili e femminili.

marito / moglie maschio / .... padre / ....
.... / sorella .... / donna .... / mamma

c. E se in famiglia ci sono anche degli **animali**, c'è un'altra coppia strana: .... / cagna

9 Altri femminili.

a. Da A1+2 sai che:

1. le parole in ***-ù*** (come *virtù*, *gioventù*) e quelle in ***-i*** (come *analisi*, *sintesi*) sono quasi sempre ....;
2. le parole in ***-a*** sono quasi sempre ...., ma non alcune che finiscono in *-eta*, *-ema*, *-ota*, *-oma* (come *atleta*, *problema*, *pilota*, *coma*) o in *-ista* (come *musicista*);
3. le parole in ***-o*** sono quasi sempre ...., ma non se sono parole "tagliate" come *foto(grafia)*, *moto(cicletta)* ecc.; anche *mano* è femminile, ma il plurale è ....

b. Spesso un problema è dato dalle parole che finiscono in ***-e***, ma ci sono alcune osservazioni che ti possono aiutare. Scrivi l'articolo prima di queste parole.

1.	il fi*ore*	...... am*ore*	...... cu*ore*
2.	...... anim*ale*	...... giorn*ale*	...... carnev*ale*
3.	...... campan*ile*	...... mob*ile*	...... vig*ile*
4.	...... marr*one*	...... sap*one*	...... balc*one*
5.	...... sta*zione*	...... sta*gione*	...... pens*ione*

In genere, le parole che finiscono in ***-ore***, ***-ale***, ***-ile*** sono ....; quelle in ***-one*** sono ...., ma quelle in ***-ione*** sono ....

c. Di che genere sono queste categorie di parole? Per scoprirlo basta pensare a una parola per ogni gruppo aggiungendo l'articolo: *stati → Francia → la Francia*.

1. i continenti, gli stati (quasi tutti), le città e le isole sono ....
2. i mari, i monti, i fiumi e i laghi sono ....
3. i colori sono ....
4. i mesi e i giorni della settimana (tranne la ....) sono ....

d. Quando parlano le due sorelle, Anna e Monica, cioè due femmine, hai sentito queste espressioni.

1. Sei stata fortunat......: è al femminile perché c'è l'ausiliare ...., che richiede l'accordo tra soggetto e participio.
2. Ho pensat......: è al maschile perché c'è l'ausiliare ....

10 Nei dialoghi hai trovato questi verbi irregolari.

- *Raccogliere*: *io raccolgo, tu raccogli, lui / lei raccoglie, noi raccogliamo, voi raccogliete, loro raccolgono*. Non hai mai trovato questo verbo, ma ne conosci uno simile, *scegliere*, che, come *raccogliere*, usa *lg* e non *gl* (come nell'infinito) nella 1ª persona singolare e nella 3ª persona plurale. In entrambi il participio è simile: *raccolto*, *scelto*.
- *Correre, mettere, morire, nascere, prendere, sedere, vedere, venire*: con i compagni, cerca di ricordare quali forme di questi verbi sono irregolari.

MA COME, CUORE E AMORE SONO SOLO MASCHILI?!?

P1 | Guardiamoci intorno

Uomini e donne nelle canzoni

Come sono gli uomini e le donne nelle canzoni italiane? Eccoti qualche esempio. Puoi trovare i testi completi delle canzoni in rete. Leggi i testi insieme alla classe. Alcune canzoni sono molto "maschiliste", come per esempio quelle di .... Altre sono più "femministe", per esempio ....

Anna
Lucio Battisti

Cosa voglio di più?
Un lavoro io l'ho,
una casa io l'ho.
La mattina c'è chi
mi prepara il caffè:
questo io lo so.
E la sera c'è chi
non sa dir di no.

Gli uomini non cambiano
Mia Martini

Ma ho scoperto con il tempo,
diventando un po' più **dura**[1],
che se l'uomo in gruppo è più cattivo
quando è solo ha più paura.
Gli uomini non cambiano,
fanno i soldi per comprarti,
e poi ti vendono.

1. dura: forte, cattiva.

I maschi
Gianna Nannini

Ai maschi innamorati come me,
ai maschi innamorati come te,
quali emozioni, quante bugie...
ma questa notte voglio farti le **pazzie**[1]!

1. pazzie: cose folli, pazzesche, che non puoi immaginare.

Teorema
Marco Ferradini

Prendi una donna, **trattala male**[1],
lascia che ti aspetti per ore.
Non farti vivo[2] e quando la chiami
fallo come fosse un favore.
Fa' sentire che è poco importante,
dosa[3] bene amore e **crudeltà**[4].
Cerca di essere un tenero amante,
ma fuori dal letto nessuna pietà.
E allora, sì, vedrai che t'amerà:
chi è meno amato più amore ti dà.

1. trattala male: comportati male con lei.
2. Non farti vivo: non farti sentire o vedere.
3. dosa: mescola nella misura giusta.
4. crudeltà: azione di una persona cattiva, crudele.

Ci sono, naturalmente, altre mille canzoni in cui uomini e donne sono felici perché nasce l'amore o soffrono perché l'amore è finito, ma in queste quattro canzoni c'è qualcosa in più: il rapporto tra uomo e donna non è basato sull'amore ma sul potere, sul dominio dell'uno sull'altra, dell'una sull'altro. Ci sono canzoni di questo tipo nella tua lingua? Prova a tradurre queste strofe, ma conserva il ritmo, per poterle cantare sulla musica originale.

Scioglilingua d'amore!

Sciogliere (che è un verbo irregolare come *raccogliere* → P1, ES. 10) significa mettere qualcosa in un liquido (per esempio lo zucchero nel caffè) dove scompare, si *scioglie*; ma vuol dire anche *rilassare*, far diventare i movimenti più *sciolti*, come quelli di un ballerino o come gli atleti che "sciolgono i muscoli". In italiano si chiamano *scioglilingua* le frasi che "sciolgono" la lingua: ti pare di non saperla più comandare, si è sciolta in bocca...

Prova a leggere questo scioglilingua sempre più in fretta.

Chi ama chiama chi ama, chiamami tu che chi ami chiami.
Chi amo chiamo se tu non chiami.

P2 / Due | 60 milioni di italiani

Comprensione & produzione

1 Che cosa ti dicono questi grafici?

Qui a fianco trovi tre grafici sulla popolazione italiana e il suo andamento, cioè il modo in cui si conserva e si trasforma. Come puoi capire dalle parole chiave, entriamo in un mondo di coppie di parole in opposizione, in contrasto tra loro.

PAROLE CHIAVE

- **conservare, -zione** *vs* **trasformare, -zione**: la realtà rimane come è oppure cambia
- **aumentare, aumento** *vs* **diminuire, diminuzione**: una cosa diventa più grande o più piccola; spesso si dice *calare*, *calo*, anziché *diminuire*
- **invecchiare, -mento** *vs* **ringiovanire, -mento**: diventare più vecchio o più giovane
- **superare**: se pensi a *super*, capisci da solo il significato: una cosa che ne supera un'altra diventa più ....
- **rischio** *vs* **opportunità**: un cambiamento può essere visto come un *pericolo* che ci porta verso una situazione peggiore, che ci fa un *danno* (qualcosa di male), oppure come una *possibilità* di migliorare le cose

Leggi il testo e poi, con i compagni, cerca di capire i grafici, facendo anche un confronto con la realtà del tuo Paese, anche se non hai dati precisi.

2 Ascolta due persone che discutono i dati dei grafici e trova le informazioni richieste.

Ecco alcune parole chiave che ti servono per comprendere meglio il testo.

PAROLE CHIAVE

- **dare da + infinito**: portare qualcuno a fare qualcosa; qui "far pensare"
- **avere / fare / partorire / mettere al mondo**: sono sinonimi; il *parto* è il momento in cui una donna *incinta* (come Anna → **P1**) mette al mondo il suo bambino
- **prima o poi**: è un'espressione particolare, indica la certezza che qualcosa avverrà, ma non si sa se presto o tardi

Ogni nazione si muove, nel tempo, tra stabilità e cambiamento. Fin dall'Unità, nel 1861, l'Italia ha mostrato un aumento stabile della popolazione e dei bambini nati e una diminuzione stabile dei morti.
Ma i dati ci dicono anche altre cose: la popolazione aumenta stabilmente, ma invecchia (i morti superano i nati). Senza i 4 milioni di immigrati arrivati in Italia, dal 1990 ci sarebbe stata una diminuzione della popolazione; e se, dal 2010 in poi, i nati hanno ricominciato a crescere, è perché le donne immigrate hanno in media 2/3 figli.
Secondo alcuni, il peso dell'immigrazione sui dati della popolazione è un rischio per l'*italianità*; per altri invece non è un danno ma un'opportunità per ringiovanire l'Italia e darle nuova forza. I dati non possono dare una risposta a questa domanda. Tu che cosa ne pensi? *Rischio o opportunità?*

LA POPOLAZIONE ITALIANA IN MILIONI DI ABITANTI

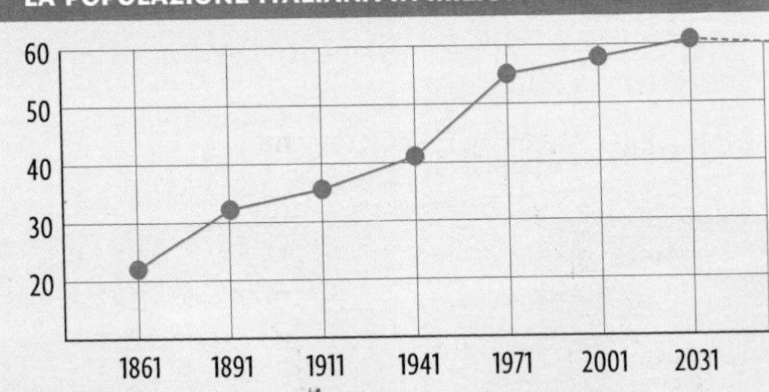

IL NUMERO (IN MIGLIAIA) DI NATI E DI MORTI IN ITALIA

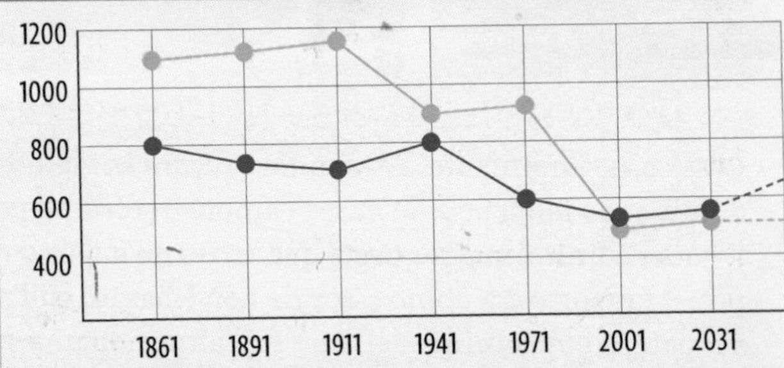

IL NUMERO DI FIGLI PER OGNI DONNA IN ITALIA

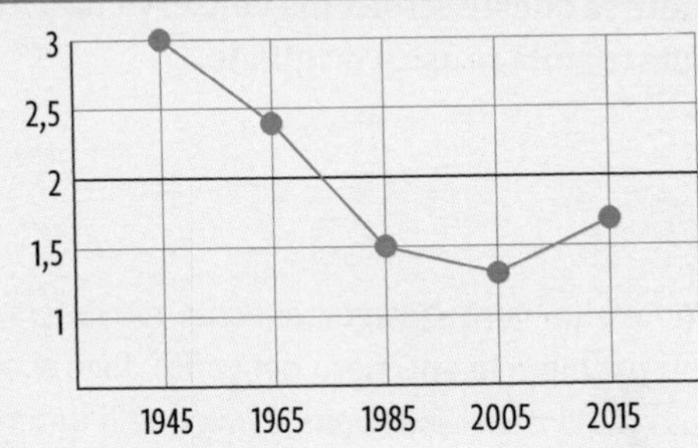

....
....
....
....

data sheet

a. Ascolta nell'AUDIO 3 (trovi la trascrizione online) due persone che stanno guardando la scheda qui nella pagina a fianco e parlano dei grafici e dei numeri che stai osservando anche tu.

1. Chi dei due pensa che prima o poi ci saranno gli Stati Uniti d'Europa? ○ lui ○ lei
2. Chi dei due ha paura dell'Italia e dell'Europa multietnica e multiculturale? ○ lui ○ lei
3. Perché uno dei due vorrebbe vivere cent'anni? ....

b. Riascolta l'AUDIO 3 per verificare la tua comprensione e seguire meglio i dati mentre lui e lei ne parlano.

c. Adesso ascolta l'AUDIO 3 CON PAUSE facendo tre cose.

1. Ripeti le battute.
2. Mentre ripeti fai attenzione all'inizio delle battute. Spesso c'è una parola isolata: è un "segnale discorsivo", cioè una specie di commento su quello che è appena stato detto, oppure una introduzione a quello che si sta per dire, in modo da aiutare l'altro a prepararsi a capire, a prevedere che cosa verrà detto (ricordi che *prevedere* è una strategia importante per comprendere?). Per ora ascolta con attenzione queste parole, poi ci lavoreremo.
3. A casa fai un dettato e poi registra l'audio e la tua ripetizione, in modo da confrontare le due **performance**.

> **performance**
> Fai attenzione: *performance* è al singolare perché le parole straniere non hanno plurale.

3 **Come è la situazione nel tuo Paese?**

Parlane con i compagni, come un buon giornalista che prima racconta i fatti e solo dopo, se è utile, fa i suoi commenti e dice la propria opinione.

4 **Dopo i fatti, ecco le opinioni!**

Pensi che il processo che porta l'Italia, l'Europa e il mondo verso la mescolanza di razze, religioni e culture, *sia* un rischio o un'opportunità? Pensi che *faccia* danni o che *faccia* bene? (i verbi in *corsivo* sono *essere* e *fare* al congiuntivo: ci lavoreremo tra qualche *Passo*).
Dividetevi in gruppi e fate una lista dei lati positivi e di quelli negativi, in modo da essere preparati alla discussione che l'insegnante organizzerà in classe.
A casa poi scriverai una breve composizione su quanto hai visto finora e sulla discussione a cui hai partecipato.

Analisi & sintesi

5 **Lavora sui "segnali discorsivi" che hai trovato nel dialogo dell'AUDIO 3.**

A ogni fumetto abbina un "segnale discorsivo" per memorizzarlo meglio; in alcuni casi puoi scegliere tra più segnali che hanno la stessa funzione.

C
INFORMARE QUALCUNO CHE NON SI È D'ACCORDO.

- (A) 1 ... *Ecco*...
- ( ) 2 *In effetti*...
- ( ) 3 *Infatti*:
- ( ) 4 *Già*,
- ( ) 5 *Ma non basta* per mantenere la popolazione...
- ( ) 6 *Beh, insomma...: non direi*...
- ( ) 7 *Sai*,...
- ( ) 8 *Mah*...

6 **Quanti numeri nell'AUDIO 3!**
Ricordi come si leggono?
Ricordi come si usano?

- nel 1971: con gli anni si usa la preposizione articolata *nel*.
- 600.000, sei**cento**mila: *cento* non ha plurale; il plurale di *mille* è ***mila***; per indicare "circa 100, circa 1000" puoi usare ***un centinaio / migliaio, delle centinaia / migliaia***; per separare i numeri molto alti, si usa il punto; la virgola si usa nei numeri decimali: *ogni italiana ha in media 1,8 figli*.
- I numeri sono maschili e vanno prima del nome; solo con papi e re vanno dopo e si usano i numeri romani: *Elisabetta II*, seconda.

7 **Parlando di numeri bisogna parlare del plurale. Che cosa ricordi dal livello A?**

a. Cominciamo dai **verbi**.
Con i **verbi impersonali**, il plurale dipende dal **complemento oggetto**. Inserisci il verbo *portare* nella descrizione delle due foto.
1. Nella foto a sinistra, la cameriera non ha fretta: quando c'è poca gente *si* .... *un piatto alla volta*.
2. Nella foto a destra, invece, la cameriera ha fretta: quando c'è molta gente *si* .... *anche due o tre piatti alla volta*.

b. Ricordi il plurale dei **nomi** e degli **aggettivi**?
1. Normalmente i plurali sono questi: *bambino* → ...., *bambina* → ...., *cinese* → ....
2. Esistono i plurali delle parole con l'accento sull'ultima sillaba (o sull'unica sillaba, se ne hanno una sola)? *Città* → ....; *caffè* → ....; *sci* → ....; il poker della foto (1) è fatto con *quattro* → ....
3. Come fanno il plurale le parole abbreviate, cioè tagliate, come *radio*, *foto*, *cinema*, *auto*? ....
4. Alcune parole al plurale cambiano dal maschile al femminile: *dito* (foto (2)) → ....; altre parole di questo tipo sono *osso*, *membro*, *sopracciglio*, *labbro*, *braccio*, *ginocchio*, *grido*, *urlo*; invece *orecchio* ha il plurale *orecchie*. Se parli di un animale, usi *ossi*, *orecchi*, *ginocchi*, *gridi* ecc. Hanno il plurale in *-a* anche *uovo/a* e alcune parole che indicano quantità: *centinaio/a*, *migliaio/a*, *miglio/a*, *paio/paia*; infine: i *muri* sono quelli di una casa, le *mura* quelle di una città (foto (3)).
5. *Bello* (e *quello*) al plurale maschile ha due forme e si comportano come gli articoli *i* / *gli*: qui a fianco c'è la foto (4) di due .... *ragazzi*, o due .... *studenti*, o due .... *uomini*.

8 **Un aiuto alla memoria ti può venire dall'abitudine a ricordare insieme *verbo + preposizione*.**

Negli esercizi e nei testi di questo *Passo* hai trovato verbi che vogliono le preposizioni *a*, *in* oppure nessuna preposizione (*zero*). Unisci i verbi alle preposizioni (alcuni accettano due preposizioni): insieme ai compagni crea oralmente delle frasi per capire quali preposizioni usano i verbi.

P2 | Guardiamoci intorno

I numeri non dicono sempre tutto

Spesso si dice che "i numeri parlano chiaro", ma non è sempre vero.
Prendiamo per esempio questi numeri, che indicano quanti abitanti ci sono per km², cioè per ogni chilometro quadrato della superficie di un Paese:

Paese	Abitanti per km²
Paesi Bassi	388
Belgio	351
Germania	233
Italia	197
Francia	117

La prima impressione è che in Olanda (è così che si chiamano i Paesi Bassi nell'italiano di ogni giorno) e in Belgio gli abitanti **siano** stretti stretti, e che in Germania **stiano** solo un po' più comodi. Ma in Belgio e in Olanda non ci sono montagne e anche la Germania ha più colline che montagne.

Guarda la cartina dell'Italia qui accanto: le pianure, cioè le zone in verde, e le colline, cioè le zone in giallo, sono meno della metà della Penisola e quindi il numero *197 abitanti per km²* ci dà un'idea sbagliata: visto che sulle montagne ci sono pochi abitanti, vuol dire che nelle pianure sono molti di più di 197!

Per avere dei numeri più vicini alla realtà è utile cercare i dati relativi alle varie regioni, e qui la sorpresa è immediata:

Regione	Abitanti per km²
Campania	429
Lombardia	419
Lazio	342
Liguria	292
Veneto	278

Ma neanche queste regioni sono in pianura: in Campania c'è il Vesuvio e ci sono gli Appennini, così come nel Lazio; un terzo della Lombardia e del Veneto è nelle Alpi, e in Veneto c'è la Laguna di Venezia; infine la Liguria è fatta solo di montagne: eppure ha 292 abitanti per km², quindi vuol dire che è molto, molto abitata!

Come vedi nella cartina dell'Europa qui sotto, che mostra la densità di popolazione, c'è una fascia verticale di densità alta, che parte dal Sud dell'Inghilterra, segue il Reno (il grande fiume tedesco) verso Sud e include l'Italia fino a Napoli. Questo significa che l'immagine che spesso abbiamo dell'Italia, dei suoi borghi medievali, delle sue campagne (*Torino e le Langhe* →) non è *tutta* l'Italia, che è fatta anche di grandi metropoli: Milano (*Milano e la Lombardia* →) non è solo Milano, ma anche tutte le città intorno, che su una cartina della Lombardia sembrano città isolate, ma se le vedi dall'aereo sono un'unica, grande città di quasi 10 milioni di abitanti.

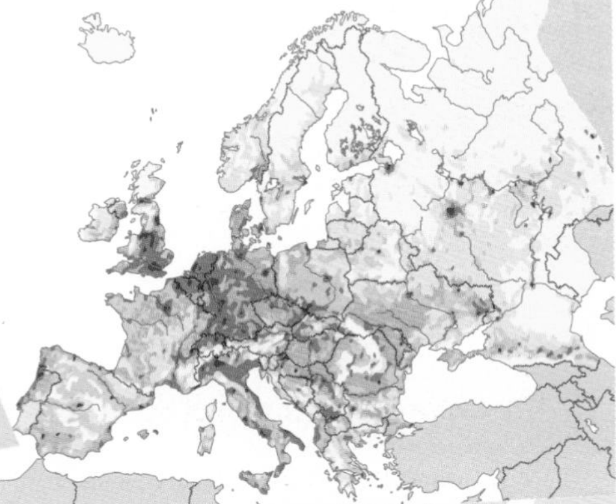

Quando si parla di opinioni, impressioni, ipotesi, in italiano serve il congiuntivo: questi sono i congiuntivi dei verbi *essere* e *stare*.

I numeri nei modi di dire

I "modi di dire" sono espressioni "fissate nel tempo", come i proverbi. Alcuni di questi usano i numeri.

- **sta dando i numeri**: si comporta come un matto
- **c'erano quattro gatti**: c'erano pochissime persone
- **hai fatto 30, fai 31**: hai cominciato, devi andare avanti
- **lui è proprio un numero**: è un tipo strano, particolare
- **non c'è 2 senza 3**: è successo 2 volte, quindi succederà ancora una volta
- **basta fare 2 + 2**: è una cosa facile da capire
- **lui si sente un numero**: lui non si sente apprezzato, si sente uno dei tanti

Scioglilingua con i numeri

Come abbiamo già visto, si chiamano *scioglilingua* le frasi che "sciolgono" la lingua.
Prova a leggere sempre più in fretta questo scioglilingua, basato su un numero di *tigri*, cioè l'animale che vedi nella foto.

33 tigri contro 33 tigri

P3/ Tre | Tu che cosa ne pensi?

Comprensione & produzione

STRATEGIE PER LA COMPRENSIONE

Nei primi due volumi (A1+2) abbiamo lavorato molto sulla strategia base per comprendere, cioè **immaginare quello che può essere detto.**
Ti sei già abituato anche a un'altra strategia, l'**ascolto "globale"**: spesso infatti ti chiediamo di capire il *senso generale* di un discorso al primo ascolto o alla prima lettura, e di passare solo dopo alla comprensione dei dettagli.
In questo *Passo* utilizziamo una terza strategia (che hai già usato, ma su cui non abbiamo riflettuto): la **comprensione selettiva** (da *selezionare*), in cui ascolti o leggi per cercare un dettaglio.

1 L'ascolto "selettivo" o *scanning*: una strategia di comprensione.

a. Con il tuo compagno immagina di che cosa si può parlare nelle situazioni descritte in queste foto e trova quattro parole che potresti usare parlandone.
b. Confrontate la vostra ipotesi con il resto della classe, scrivendo alla lavagna le cose che si possono dire sui temi delle foto.
c. Ascolta l'AUDIO 4 (trovi la trascrizione online) e scrivi vicino a ogni foto il numero della conversazione corrispondente.
d. Ascolta ancora l'AUDIO 4 per verificare la tua comprensione.

2 Adesso cerchiamo delle informazioni precise, quindi muoviamoci ancora più in profondità con lo *scanning* di quello che senti.

Ascoltate l'AUDIO 4: l'insegnante inserirà una pausa tra una conversazione e l'altra per darvi il tempo di scrivere questi dati.

- **Conversazione 1** Come sono i motori Alfa Romeo? ....
- **Conversazione 2** Di dove è il signore americano? .... Perché parla bene l'italiano? ....
- **Conversazione 3** A che ora vuole arrivare alla stazione la donna che parla con il tassista? ....
- **Conversazione 4** Che cosa è difficile dopo i 15 anni? ....
- **Conversazione 5** La bambina fa i capricci (cioè piange, urla...) perché vuole essere presa in .... dalla mamma.
- **Conversazione 6** La turista vuole andare al ....; il vigile le dice che ci vogliono circa .... minuti.

3 Nelle conversazioni hai capito 17 frasi con il congiuntivo, senza accorgertene!

a. Per ora non devi *produrre* il congiuntivo, ma solo *capirlo*.
Ascolta l'**AUDIO 4 CON PAUSE** e fa' attenzione ai verbi che abbiamo tolto nelle frasi sotto. Per ora non scrivere niente e non fare attenzione ai verbi in corsivo: devi solo ascoltare.

Per ora

In una prima fase, in un primo momento. Poi si farà qualcosa di diverso.

b. Insieme al tuo compagno, scrivi i verbi mancanti così come li ricordi; poi ascolta ancora l'**AUDIO 4 CON PAUSE** per verificare i verbi che hai scritto.

▸ **Conversazione 1**

1. *Penso* che le auto italiane siano le più belle!
2. *Penso* che .... motori perfetti!

▸ **Conversazione 2**

1. *Penso* che .... la più..., come si dice... "different"?
2. E *penso* che il modo in cui si mangia in Italia non .... "competitors"...
3. Non .... concorrenti nel mondo!

▸ **Conversazione 3**

1. Ma *pensa* che .... possibile arrivare in stazione per le 4 e mezza?
2. Non *credo* che ci .... problemi, ... tranquilla.

▸ **Conversazione 4**

1. Ma lei *pensa* che si .... avere una pronuncia come la sua?
2. Ma l'importante è che tu .... comunicare, farti capire.

▸ **Conversazione 5**

1. Non *credo* che tu .... stanca.
2. *Ho l'impressione* che tu .... solo essere presa in braccio.
3. *È inutile* che tu .... i capricci.
4. Chiedilo, ma solo se *pensi* che .... possibile.

▸ **Conversazione 6**

1. Buona sera. Mi ....
2. *Temo* che lei .... tornare indietro...
3. .... per di là, così fa prima.
4. *Penso* che in venti minuti .... essere di fronte al Colosseo.

4 A coppie, create dei dialoghi per ogni situazione descritta nelle foto della pagina precedente seguendo questa strategia di scrittura creativa.

1
FATE UNA TEMPESTA NELLA MENTE.

(1) Cercate le idee, usando la tecnica del *brainstorming*, una "tempesta nella mente": ognuno dice quello che gli viene in mente a partire dall'immagine (non dalla conversazione). Non preoccupatevi di dire sciocchezze.

(2) Quando il *brainstorming* non produce più nuove idee, sceglietene una senza pensarci troppo e soprattutto non tornate più indietro.

(3) A questo punto scrivete una "scaletta", cioè una serie di punti che userete nella vostra conversazione, e provate a dire le battute che vi servono per realizzare la scaletta. Potete anche scrivere degli appunti che vi serviranno durante la recita.

Lavorate con attenzione e fate delle prove, perché dovrete recitare la scena di fronte alla classe, che voterà l'Oscar!

SCEGLIETE LA VOSTRA STRADA E NON TORNATE INDIETRO!

A proposito, conosci i tre autori teatrali delle foto? Il primo è Carlo Goldoni (1707-1793), il più grande drammaturgo del Settecento italiano; il secondo è Luigi Pirandello (1867-1936), premio Nobel nel 1934; il terzo è Dario Fo (1926), premio Nobel nel 1997.

2

3

FATE UNA SCALETTA CHIARA

Analisi & sintesi

5 Esprimere opinioni, ipotesi, giudizi, impressioni.

Scrivi qui i tre verbi e le due espressioni con *essere* e *avere* che hai trovato *in corsivo* nelle frasi dell'**ES. 3**:

pensare, ..., ..., ..., ...

Sono tutti verbi ed espressioni che esprimono un'**opinione**, un'**ipotesi**, un **giudizio**.

a. I più comuni sono *pensare* e *credere*.

b. Quando il contesto è negativo, anziché dire *penso di no* puoi essere più gentile usando *temere*, o *ho paura*: **Temo** *che non sia possibile*.

c. Ci sono espressioni come *ho l'impressione, ho la sensazione* che rendono più gentile l'espressione del tuo pensiero.

d. Certe volte si può anche essere molto duri nell'esprimere un giudizio, dicendo *è inutile*.

In tutti questi casi la frase successiva, introdotta dalla congiunzione ***che***, ha il verbo al **congiuntivo** (adesso dovresti aver capito da dove viene il nome di questo modo verbale!).

6 Dare degli ordini o dei consigli in modo gentile.

Gli ordini si danno usando il **modo imperativo** (il cui nome viene dal latino *imperium*, "comando"). Ma per essere più gentili, per dare del *lei*, anziché la seconda persona (*vai!, vieni!* ecc.) puoi usare il **congiuntivo**: *vada!, venga!*, come succede nelle conversazioni. Puoi introdurre il verbo con *l'importante è che...* (che significa "devi!") oppure *è inutile che...* (che significa "non fare!").

▶ **Conversazione 4**
L'importante è che tu .... comunicare, farti capire → verbo ....

▶ **Conversazione 5**
È inutile che tu .... i capricci → verbo ....

▶ **Conversazione 6**
1. Buona sera. Mi .... → verbo ....
2. .... per di là, così fa prima → verbo ....

7 Impara a riconoscere i principali congiuntivi. Completa queste tabelle.

	essere	*avere*	*potere*	*volere*	*dovere*
(che io)	sia	abbia	possa	voglia	deva, debba
(che tu)	....	abbia	possa	....	deva, debba
(che lui / lei)	....	....	....	voglia	....
(che noi)	siamo	abbiamo	possiamo	vogliamo	dobbiamo
(che voi)	siate	abbiate	possiate	vogliate	dobbiate
(che loro)	....	abbiano	possano	vogliano	debbano

	stare	*fare*	*andare*	*venire*	*dire*
(che io)	stia	faccia	vada	venga	dica
(che tu)	stia	....	vada	venga	dica
(che lui / lei)	stia	faccia	....	venga	....
(che noi)	stiamo	facciamo	andiamo	veniamo	diciamo
(che voi)	stiate	facciate	andiate	veniate	diciate
(che loro)	stiano	facciano	vadano	vengano	dicano

Il congiuntivo non è difficile da riconoscere e neanche da fare:
- Le tre persone singolari sono ....
- In questi verbi le desinenze del plurale sono sempre: 1ª -.........., 2ª -.......... e 3ª -..........

8 Il congiunto del verbo *sapere*.

Nelle conversazioni hai anche trovato il congiuntivo del verbo *sapere*. Prova a ipotizzare le sei persone del congiuntivo, poi confronta la tua ipotesi con la classe.

(io) *sappia*
(tu) ....
(lui / lei) ....
(noi) ....
(voi) ....
(loro) ....

9 Dire che cosa si pensa di un argomento.

a. Di' al tuo compagno che cosa ne pensi...
1. del calcio italiano
2. dell'Unione Europea
3. del viaggio sulla Luna

b. Adesso chiedi al tuo compagno che cosa ne pensa...
1. di un viaggio in Italia
2. di un viaggio nel tuo Paese
3. della pizza

P3 | Guardiamoci intorno

«Penso che un sogno così non ritorni mai più»

Conosci la canzone *Volare*, di Domenico Modugno? Nel 1959 è stata una vera rivoluzione, perché era una canzone surreale. Trovi il testo qui accanto.

In piccoli gruppi, cercate di immaginare un altro sogno, ma iniziando sempre con lo stesso verso di Modugno e con il suo bel congiuntivo (*ritorni*)!
Mentre fate questo lavoro, potete collegarvi alla rete e mettere come sottofondo (cioè musica a basso volume, che non disturba) la canzone di Modugno.
Alla fine ogni gruppo canta il suo sogno per tutta la classe, che vota il miglior testo.

Penso che un sogno così non ritorni mai più,
mi dipingevo le mani e la faccia di blu,
poi d'improvviso venivo **dal vento rapito**[1],
e incominciavo a volare nel cielo infinito.

Volare oh oh, cantare oh oh oh,
nel blu dipinto di blu, felice di stare lassù,
e volavo volavo felice
più in alto del sole ed ancora più su,
mentre il mondo pian piano **spariva**[2] laggiù,
una musica dolce suonava soltanto per me.

1. **dal vento rapito**: il vento mi portava via.
2. **spariva**: non si vedeva più.

Andrea Bocelli

Laura Pausini

Il Volo

Eros Ramazzotti

Toto Cutugno

Al Bano

Questi qui sopra sono i cantanti italiani più conosciuti nel mondo o almeno in alcuni continenti, ma alcuni di loro non sono più molto famosi in Italia: Al Bano e Toto Cutugno sono legati ai gusti dell'Italia degli anni Settanta-Ottanta; Bocelli e Il Volo possono piacere alle persone che amano il "bel canto all'italiana", cioè le opere, ma per strada nessuno canta le loro canzoni.

Se tu chiedi agli italiani quali sono i più grandi cantanti, una gran parte ti farà un nome sconosciuto nel mondo, Mina: non scriveva canzoni, ma è considerata la più grande cantante italiana.
Altri cantanti molto amati in Italia, dai giovani, sono questi qui sotto.

Tiziano Ferro

Vasco Rossi

Vinicio Capossela

Marco Mengoni

Simone Cristicchi

Gianluca Grignani

Scioglilingua cantabile

Esiste uno scioglilingua basato sulla parola *cantare*. Si rivolge a un *conte*, cioè a un nobile, e gli dice che la persona che gli sta cantando qualcosa (*chi ti canta*), canta tanto a lungo (*tanto canta*) che alla fine lo *incanta*, verbo che ha due significati insieme: "far innamorare" con l'incanto della bellezza, "far perdere il controllo", come una magia, un *incantesimo*.
Tu dagli il significato che vuoi, ma prova prima a ripeterlo tre volte in fretta.

Caro conte, chi ti canta tanto canta che t'incanta.

Come sono gli italiani?

La sezione *Il piacere dell'italiano*, che troverai spesso, serve per imparare a leggere usando le strategie che ti stiamo insegnando e per arricchire il lessico, ma serve soprattutto per darti il piacere di *usare* l'italiano, di *comunicare* con l'Italia e con i suoi artisti.
Questi testi sono difficili: quindi capisci quel che sei capace di capire, il resto lo capirai con l'aiuto dell'insegnante, del dizionario, o quando, alla fine del B1, tornerai indietro e vedrai quanto sei cresciuto in questi mesi.
Ricorda sempre che devi prima leggere in maniera globale, per capire il significato generale, e poi andare sempre più "dentro" il testo: questo si fa meglio insieme a due o tre compagni perché ciascuno porta il proprio contributo.

Hai letto tante cose belle sull'Italia - arte, moda, *design*, musica, cucina... E le cose meno belle? Le abbiamo "chieste" al grande Goethe, a Pasolini (che non era solo un regista, ma anche un ottimo poeta) e al più popolare scrittore di oggi, Camilleri. Vediamo quindi gli italiani attraverso le loro parole.
Se vuoi allargare la tua immagine dell'Italia vista dagli artisti, vai online nella sezione *Canzoni*, dove trovi molte canzoni dedicate all'Italia di oggi.

A casa puoi ascoltare la lettura di questi testi nell' AUDIO 5; se vuoi puoi anche cercare di tradurne qualcuno nella tua lingua madre.

Andrea Camilleri è uno dei più popolari scrittori italiani. Molti lo conoscono per i romanzi con il Commissario Montalbano, ma è autore di molti altri romanzi e studi storici.

La diversità tra gli italiani, secondo Camilleri, è profondissima, quasi come una legge della fisica. Gli italiani sono una cosa e, allo stesso tempo, il suo opposto.

Come si fa a chiamare con lo stesso nome di italiano un contadino friulano e un contadino siciliano?
Sbagliava **chi diceva che l'Italia era solo un'espressione geografica**[1]? E il **politico italiano**[2] secondo il quale "una volta fatta l'Italia, bisognava fare gli italiani" non riconosceva che il senso di unità nazionale mancava ancora? Quasi sempre, nella sua lunga storia, l'italiano ha dimostrato di essere come le **particelle**[3] di Majorana, il grande fisico che ha ipotizzato che in alcuni casi le particelle di materia e di antimateria siano le stesse: tra gli italiani, la **fusione**[4] degli opposti **forma**[5] **l'identità**[6].

adattato da micromega-online

1. **chi diceva ... geografica**: il Cancelliere tedesco Metternich, nell'Ottocento.
2. **politico italiano**: Massimo D'Azeglio, uno dei padri dell'Unità d'Italia.
3. **particelle**: piccolissime parti di un atomo.
4. **fusione**: scaldando due pezzi di metallo e mettendoli insieme, questi si *fondono*: si ha così una *fusione*, cioè i due pezzi diventano uno solo. Nel testo si parla della fusione di modi di essere diversissimi.
5. **forma**: crea, dà forma.
6. **identità**: il senso di quello che si è, l'idea che si ha di se stessi.

1 Scriviamo una poesia sull'*Italia*, possibilmente dandone un'immagine migliore di quelle che hai letto in questi testi.

a. Scrivi tre aggettivi sull'Italia: ...., ..., ...
b. Scrivi due verbi sull'Italia: ...., ...
c. Scrivi una frase sull'Italia: ....
d. Adesso lavora con due o tre compagni: mettete insieme i vostri aggettivi, i vostri verbi, le vostre frasi e scegliete i tre aggettivi migliori, i due verbi migliori, la frase migliore.
e. Infine scrivete alla lavagna gli aggettivi dei vari gruppi e sceglietene tre; fate lo stesso per i verbi e le frasi.

Alla fine avrete scritto una poesia della classe.

Pier Paolo Pasolini è stato poeta, romanziere, giornalista e regista; ucciso nel 1975, continua a essere una guida per molti intellettuali italiani.

In questa poesia, scritta con lo stesso tipo di versi della Divina Commedia, *Pasolini dice che gli italiani vivono le idee, le passioni, i fatti storici (per esempio i lager nazisti) come cose non reali, senza prendere posizioni chiare, senza dare giudizi morali. Ma forse quella degli italiani è una* soave saggezza, *cioè una conoscenza del mondo* (saggezza) *che rende più dolce* (soave) *la vita, anche se non la libera dalla dipendenza dal potere.*

L'intelligenza **non avrà mai peso**[1], mai,
nel **giudizio di questa pubblica opinione**[2].
Neppure sul sangue dei lager, tu otterrai

da uno dei milioni d'**anime**[3] della nostra nazione,
un giudizio **netto**[4], **interamente indignato**[5]:
irreale è ogni idea, irreale ogni passione,

di questo popolo ormai **dissociato**[6]
da secoli, la cui soave saggezza
gli serve a vivere, non l'ha mai liberato.

Pier Paolo Pasolini, *La Guinea* da *Poesia in forma di rosa*

1. **non avrà mai peso**: non avrà importanza.
2. **giudizio ... opinione**: le idee della gente comune.
3. **anime**: persone.
4. **netto**: chiaro, preciso.
5. **interamente indignato**: di condanna totale, di disprezzo per i lager.
6. **dissociato**: in psicologia la *dissociazione* è la malattia di chi non ha più un'identità chiara, di chi non sa più chi è, e ha più personalità insieme.

Goethe scrive Viaggio in Italia *all'inizio dell'Ottocento: è un diario con descrizioni, riflessioni e poesie. In questa poesia del suo secondo viaggio descrive l'Italia come un Paese dove manca l'ordine (che c'è invece in Germania), un Paese dove la vita è difficile per il turista, anche se si presenta come uomo ricco o importante.*

L'Italia è ancora **come l'ho lasciata**[1],
c'è ancora polvere sulle strade[2],
ci sono ancora **truffe**[3] allo straniero,
in qualunque modo si presenti.

Cercherai inutilmente l'**onestà**[4] tedesca;
qui c'è vita, c'è **animazione**[5],
ma non ordine e **disciplina**[6];
ognuno pensa per sé[7], è **vano**[8],
non si fida[9] degli altri.

Wolfgang Goethe, da *Viaggio in Italia*, trad. di A. Biguzzi

1. **come l'ho lasciata**: due anni prima, al termine del suo primo viaggio. *Lasciai* è il passato remoto.
2. **c'è ancora polvere sulle strade**: le strade sono di terra, e il movimento alza la *polvere*, cioè piccole parti di terra che vanno nell'aria.
3. **truffe**: inganni, azioni scorrette, per esempio far pagare molto una cosa che vale poco, far credere che un quadro falso sia vero ecc.
4. **onestà**: correttezza.
5. **animazione**: movimento, allegria.
6. **disciplina**: c'è *disciplina* quando ognuno fa quello che deve fare, obbedisce ai superiori, segue le regole ecc.
7. **ognuno pensa per sé**: ognuno sta attento solo ai propri interessi.
8. **vano**: vuoto, senza ideali.
9. **non si fida**: pensa che gli altri siano disonesti e truffatori, non ha fiducia in loro.

Johann Wolfgang von Goethe è il maggiore scrittore romantico tedesco ed è vissuto nella prima parte dell'Ottocento.

QUARTO PASSO

P4 / Quattro | Come viaggiano gli italiani

Comprensione & produzione

COME SI FA A CHIAMARE CON LO STESSO NOME DI ITALIANO UN CONTADINO FRIULANO E UN CONTADINO SICILIANO?

1 L'Italia è lunga.

Il titolo dell'esercizio è una frase che senti dire spesso in Italia, e che significa esattamente quello che dice Camilleri nel testo che hai letto in **IL PIACERE DELL'ITALIANO 1**: l'Italia è unita dal 1861, ma dentro l'Italia ci sono "tante Italie"; l'Italia è lunga e le sue "cento città" hanno ciascuna la propria storia e la propria "personalità".
La frase *l'Italia è lunga* descrive una "distanza culturale" ma anche una "distanza fisica": in autostrada, tra Milano e Palermo ci sono 1500 chilometri, e tra Aosta e Trieste i chilometri sono 600. Quindi, l'Italia è *lunga* tra Nord e Sud ed è *larga* tra Est e Ovest.
Se guardi la cartina delle montagne italiane in **P2, GUARDIAMOCI INTORNO**, capisci facilmente che muoversi in Italia è stato difficile per molti secoli.

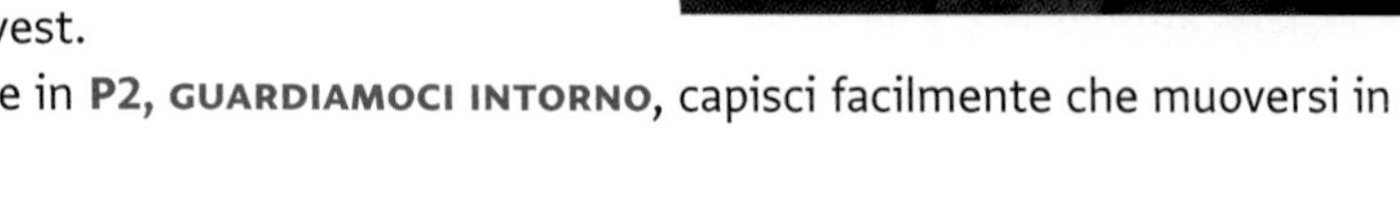

Come ci si muove oggi in Italia? Unisci le frasi alle foto: ogni frase può essere collegata a più foto. Per ora non scrivere niente nei cerchietti.

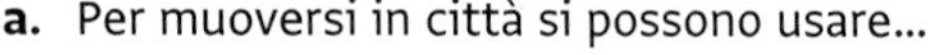

- **a.** Per muoversi in città si possono usare...
- **b.** Per i viaggi molto lunghi, come Milano-Palermo, si usa...
- **c.** Per i viaggi medi, come Venezia-Roma o Napoli-Bari, il mezzo di trasporto più comodo è...
- **d.** Se sei in una città che non conosci bene, la cosa più comoda è usare...
- **e.** Per andare in giro un weekend, tra paesini e colline, usi...
- **f.** Se vivi a Venezia o in un'isola vicino alla costa, devi usare...
- **g.** I mezzi di trasporto più ecologici in città sono...

2 Con quale mezzo di trasporto stanno viaggiando queste persone?

- **a.** Ascolta le conversazioni dell'**AUDIO 6** e scrivi il numero di ogni conversazione vicino alla foto corrispondente che trovi nell'**ES. 1**.
- **b.** Le foto sono otto e le conversazioni sono solo 7: quale mezzo di trasporto non è presente nei dialoghi? ....

STRATEGIE PER LA COMPRENSIONE

In questa attività stai usando la strategia di **ascolto selettivo**, di ***scanning***: ascolti e cerchi una "parola chiave" che ti dice se le persone stanno viaggiando in autobus, in tram ecc. Ma prima di ascoltare, come sempre, ti conviene usare la strategia della **previsione** immaginando di quale mezzo di trasporto si sta parlando. Per fare l'attività dell'**ES. 3** userai una terza strategia, l'**inferenza**: indovina il significato di una parola.

3 **Cerca di capire di più le conversazioni usando l'*inferenza* (→ STRATEGIE PER LA COMPRENSIONE).**

- **Conversazione 1**
  Siamo in autostrada; l'uomo che guida è stanco e la donna gli consiglia di fermarsi alla prossima *stazione di servizio*. In una *stazione* i mezzi di trasporto si fermano. Che cosa sarà una *stazione di servizio*? ....
- **Conversazione 2**
  «Amore, ti vedo pensieroso»: la parola *pensieroso* deriva da .... Il suffisso *-oso*, che trovi anche in *amoroso*, *caloroso*, *freddoloso* ecc., trasforma un nome in un aggettivo.
- **Conversazione 3**
  «Stai ingrassando un po'»: che cosa vorrà dire *ingrassare*? Da quale aggettivo deriva? .... Ricorda che con il prefisso *-in* si formano molti verbi: *bianco* → *imbiancare*; *giallo* → *ingiallire*; *ginocchio* → *inginocchiarsi*.
- **Conversazione 4**
  In taxi, la cliente ha fretta e il tassista dice che arriveranno in tempo anche se è «l'ora di punta». Che cosa può essere *l'ora di punta*? Quando c'è ○ molto ○ poco traffico.
  Il tassista dice che per evitare il traffico conviene prendere la *tangenziale*. Pensa alla mappa di una città: in mezzo c'è il centro, intorno c'è una superstrada, veloce e senza semafori: questa è la ....
- **Conversazione 5**
  «Non mi pare che ci siano ingorghi, non c'è traffico»: quando c'è un *ingorgo* il traffico è ○ molto ○ poco.
- **Conversazione 7**
  Che cosa sarà, in un aeroporto, la *carta d'imbarco*? ....

Ascolta ancora l'AUDIO 6 cercando di capire il più possibile.

4 **Create un dialogo scegliendo una delle situazioni e aggiungendo quello che vi sembra interessante per divertire la classe.**

a. Tu sei un tassista e il tuo compagno è un cliente. Sbagli nel dirgli il nome della piazza dove devi andare, che ha il nome di un santo, ma non ricordi quale. Allora gli dici che in quella piazza c'è... e lui capisce. Hai fretta e gli chiedi quanto tempo ci vuole per arrivare. Alla fine paghi.
b. Un tuo amico ti dice di non prendere l'autobus e di andare in bicicletta; tu cerchi varie scuse (sei stanco, sta per piovere ecc.), ma alla fine devi ammettere la verità: sei pigro e stai ingrassando.

Analisi & sintesi

5 **Ascolta l'AUDIO 6, leggendo i testi. Mentre ascolti, sottolinea le parole scritte in modo diverso da come le senti nell'audio.**

Conversazione 1
Lui Cavolo, quest'autostrada non finisce mai! L'Italia è proprio lunga!
Lei Già... Senti, penso che tu debba riposare un po', sono quattro ore che guidi.
Lui Amore, sai che non mi piace stare in macchina quando guida un altro...
Lei Lo so, ma credo che sia meglio fermarsi un po' alla prossima stazione di servizio; ci prendiamo un bel caffè e poi guido un po' io.
Lui Va bene, va bene, va bene... scusa... sono stanco, hai ragione, è meglio che ci fermiamo.

Conversazione 2
Lei Amore, ti vedo pensieroso...
Lui Sai, con il rumore del treno ci si perde nei propri pensieri...
Lei Ti conosco... immagino che tu voglia tornare a casa... Ma sono sei mesi che non vediamo i miei, e mia madre me lo dice ogni giorno, quando ci telefoniamo.
Lui Lo so, lo so, capisco benissimo. Hai ragione. Ma tua madre che parla e parla e parla...

Conversazione 3
Lui Ciao, vado da Giovanni. Prendo la tua macchina perché è già fuori dal garage.
Lei No, amore... stai ingrassando un po', ti muovi molto poco... Penso che tu possa prendere la bicicletta...
Lui Hai ragione, hai ragione, lo so.

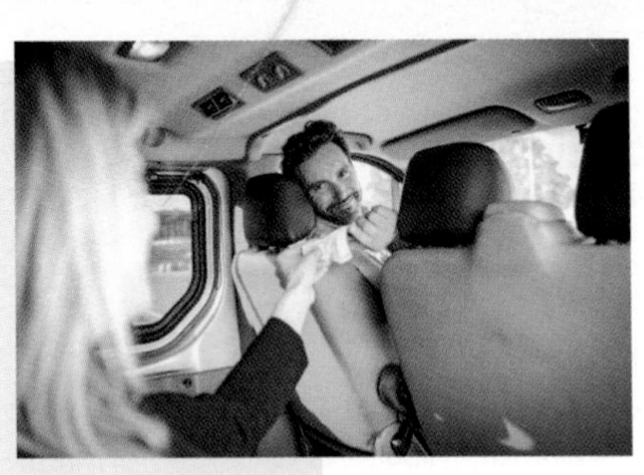

Conversazione 4

Lei Buona sera.
Lui Buona sera. Dove andiamo?
Lei Via Giovannelli.
Lui Via Giovannelli, Via Giovannelli...
Lei È dietro lo stadio, vicino a Piazza Piemonte.
Lui Ah, certo. Via Giovannelli.
Lei Devo essere lì per le 6, ce la facciamo?
Lui Sì... anche se questa è l'ora di punta. Credo che sia meglio prendere la tangenziale... è un po' più lunga e costa qualcosa di più...
Lei Va benissimo, prenda pure la tangenziale.

Conversazione 5

Lui Ma... come mai ci siamo fermati?
Lei Non capisco... Non mi pare che ci siano ingorghi, non c'è traffico...
Lui Beh... sono 5 minuti che siamo fermi...
Voce dall'altoparlante Attenzione, prego. Si informano i passeggeri che siamo fermi a causa di un blackout elettrico. Come potete vedere, anche i semafori sono spenti, per mancanza di elettricità. Tra pochi minuti il problema dovrebbe essere risolto. Ci scusiamo per il ritardo.

Conversazione 6

Lui Oh, ecco che arriva, finalmente. Deve essere il numero 7, giusto?
Lei Sì, è il 7. Oh, mio dio: quanta gente! Ce la faremo a salire?
Lui Ma sì, dai; poi la prossima fermata è Piazza Dante, e lì scendono moltissime persone, vedrai che il bus si svuota...
Lei Va bene proviamoci. Scusi...

Conversazione 7

Lui Ecco la carta d'imbarco.
Lei Mi dia il passaporto o la carta d'identità.
Lui Ah, mi scusi; me l'hanno già controllata al check in... Ecco.
Lei Benissimo, buon viaggio.

6 Dire la propria opinione con gentilezza.

a. Per esprimere un'opinione usi il congiuntivo, come nelle trascrizioni, ma nell'audio c'è il condizionale.

▶ **Conversazione 1**
Penso che *dovresti* riposare un po'.
Credo che ______ meglio fermarsi.

▶ **Conversazione 2**
Immagino che tu ______ tornare a casa...

▶ **Conversazione 3**
Penso che tu ______ prendere la bicicletta...

▶ **Conversazione 4**
Credo che ______ meglio prendere la tangenziale...

b. Il **condizionale** si usa spesso per rendere più gentile una richiesta (come quando al bar dici *vorrei un caffè*) e per esprimere desideri:

▶ **Conversazione 4**
______ essere lì per le 6.

▶ **Conversazione 7**
Mi ______ dare il passaporto.

7 Fare ipotesi.

a. Il **condizionale** è usato per rendere più formali e gentili le ipotesi:

▶ **Conversazione 5**
Tra pochi minuti il problema *dovrebbe* essere risolto.

▶ **Conversazione 6**
______ essere il numero 7, giusto?

b. Per fare ipotesi, puoi anche usare il **futuro**, come nell'ES. 3.
- Che cosa **sarà** una *stazione di servizio*?
- Che cosa **vorrà** dire *ingrassare*?

8 Per memorizzare meglio quello che hai imparato nel *Passo*, recita i dialoghi (→ ES. 5) con un compagno.

P4 | Guardiamoci intorno

Online c'è un *dizionario visivo* con molte schede sui trasporti.

Anche i segnali parlano

L'Italia è fatta come una *T*: un triangolo Est-Ovest al Nord, lungo il Po, e un rettangolo Nord-Sud che è la Penisola.
Le principali autostrade e le linee ferroviarie seguono questa geometria:

- la Torino-Milano-Venezia è la linea centrale del triangolo;
- la Torino-Milano-Bologna-Rimini corre lungo il lato sud del triangolo;
- la Milano-Roma-Napoli e la Milano-Rimini-Ancona-Bari corrono lungo i due lati del rettangolo.

I cartelli delle stazioni e delle autostrade indicano sempre l'ultima città del percorso: per esempio se sei a Milano e vuoi andare ad Ancona, devi seguire le indicazioni per Bari. Quindi, per viaggiare devi conoscere la geografia italiana!

Certamente hai capito che *corre / corrono* non significa che le strade e le ferrovie si mettono a correre come una persona che ha fretta, ma significa che si trovano lungo i vari lati dell'Italia. Come hai fatto a capire il significato? Confronta la tua strategia con i compagni.

In Italia i cartelli stradali su fondo blu indicano le strade normali; il fondo verde invece indica le autostrade. Nella maggior parte delle autostrade si deve pagare un "pedaggio": ritiri il biglietto quando entri, cioè al *casello* d'entrata, e quando arrivi paghi al *casello* d'uscita.

Certamente hai capito che cosa vogliono dire *fondo blu/verde*, *casello* e *pedaggio*: come hai fatto a capire il significato? Confronta la tua strategia con i compagni.

Nelle stazioni ci sono molti segnali che ti indicano le biglietterie, le sale d'attesa, il sottopassaggio, i binari o marciapiedi, i servizi last minute per le *Frecce*; e poi hai il tabellone, o cartello luminoso, con l'indicazione dei treni in arrivo e in partenza. Guarda le foto e scrivi sotto ciascuna la parola corrispondente.

....

....

....

....

....

....

QUINTO PASSO

P5 / Cinque | Quale futuro per un bambino che nasce in Italia?

PAROLE CHIAVE

Per fare l'ES. 1 ti possono servire queste parole chiave: maschio / femmina • restare incinta • coraggio / paura • preoccupazione • investire sul futuro • crisi economica • asilo • nido

Comprensione & produzione

1 Un figlio in arrivo.

Mettere al mondo un figlio non è una decisione facile: cambia davvero la vita! Lavorando in gruppi, fate due liste di parole chiave o di brevi frasi: **una** sulla bellezza di avere un bambino e **l'altra** sulle paure che si hanno all'idea di diventare genitori.
Poi ogni gruppo sceglie una coppia, in cui **uno** dei due propone di avere un figlio e **l'altro** dice che ha paura: decidete anche se alla fine i due scelgono di avere un figlio o se preferiscono aspettare ancora un poco, fino a quando e perché. Provate a recitare il dialogo in gruppo, e poi siate pronti a recitarlo davanti alla classe: potrete vincere il premio come migliore coppia di attori dell'anno!

uno / una, l'altro / l'altra

Sono pronomi che si usano spesso in coppia; di solito l'articolo (*un*, *un'*, *l'*) si usa davanti a *altro* (*uno / l'altro*) ma puoi trovarlo anche davanti a *uno* (*l'un l'altro*).

2 Come immagini tuo figlio?

Fai una breve lista delle caratteristiche che immagini per tuo figlio, poi confrontala con quella del tuo compagno.

3 Uno crede che sia il momento di pensare a un figlio, l'altro invece ha paura.

a. Ascolta l'AUDIO 7, ricordando le ipotesi che hai fatto nell'ES. 2.
b. Adesso ascolta l'AUDIO 7 e scopri se....
   1. all'inizio la coppia è d'accordo sull'avere un figlio.
   2. alla fine la coppia è d'accordo sull'avere un figlio.
   3. la coppia è d'accordo su come vuole che il loro figlio / la loro figlia sia da grande.
   4. la coppia è d'accordo su come chiamarlo/a.

CAPIRE L'USO SIMBOLICO DI PAROLE CONCRETE

Mentre studi le "parole chiave", osserva che molto spesso le parole hanno sia un **senso concreto**, fisico e reale, sia un **senso astratto e simbolico.**
Essere pronti a cogliere (cioè a "intuire", "capire") il significato simbolico di una parola è una strategia molto importante per la comprensione.

PAROLE CHIAVE

- razionale, razionalmente: "che usa la ragione", "usando la ragione"; l'opposto è *emotivo / emotivamente*; ricorda che *-mente* si aggiunge al femminile degli aggettivi (*emotiva-mente*), ma se l'aggettivo finisce in *-ale* si toglie la *e* finale (*razional-mente*)
- stanco: c'è una "stanchezza fisica" che deriva dall'aver lavorato troppo e c'è una "stanchezza psicologica", quando una persona non ha più forza dentro; infine c'è una "stanchezza sociale" quando una società non ha più forza per progettare il futuro

4 Il dialogo non è semplice: in questi casi ascoltare e ripetere aiuta molto.

a. Ascolta e ripeti la conversazione nell'**AUDIO 7 CON PAUSE**. Mentre ascolti, pensa se la descrizione che la coppia fa del figlio o della figlia è come quella che vorresti tu per i figli tuoi.

b. Finito l'ascolto-ripetizione, riascolta il dialogo nell'**AUDIO 7**, leggendo il testo. Mentre ascolti, o subito dopo, inserisci i verbi che mancano.

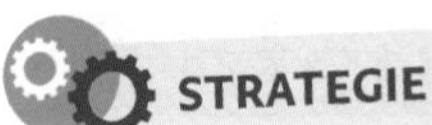

STRATEGIE PER LA COMPRENSIONE

Nel dialogo non ci sono informazioni concrete. Nel livello B1 bisogna imparare a comprendere anche testi con pensieri profondi, astratti, testi che hanno bisogno di un'attenzione maggiore: per questo ti proponiamo di **ripetere le frasi**, per comprendere meglio quello che leggi, avendo tempo per dare maggiore attenzione alle frasi e alle parole che ascolti e pronunci.

Lei Amore, credo che ___sia___ arrivato il momento... credo che ________ pensare a un figlio.
Lui Già... ma non so se siamo pronti. Io... io credo di non ________ pronto. Io...
Lei Ma quando si è pronti per mettere al mondo un figlio? Se **uno** ci pensa razionalmente, non fa figli. Tutto cambia velocemente, nel mondo c'è tanta violenza... Ma sono sicura che nostro figlio o nostra figlia ________ anche innamorarsi, cantare, imparare...
Lui Certo, razionalmente sono d'accordo con te... ma credo di ________ paura. Mi pare di ________ in un'Italia stanca, in un'Europa stanca...
Lei Ma noi possiamo **dargli**, o **darle**, gli strumenti per vivere in questo mondo nuovo.
Lui Chissà come sarà il mondo quando nostro figlio avrà vent'anni. Non credo che ________ migliore.
Lei Non possiamo saperlo. Ma io immagino una persona che ________ trovare la sua strada, che ________ le sue idee, che ________ tante lingue per poter parlare con il mondo...
Lui ... che ________ il pianoforte come te e la chitarra come me...
Lei ... e che ________ in pace la sera, quando va a letto, perché è in pace con se stesso. Io sogno un figlio o una figlia felice, e non perché ha una vita facile, ma perché ha una vita giusta. Voglio un figlio o una figlia che ________ il coraggio delle sue idee, che ________ stare al mondo ma che ________ anche cambiare il mondo, che si ________ di cambiarlo, che ci ________. Voglio che ________ felice perché è una persona vera...
Lui Come posso dire di no a una persona così? Ho paura, ho molta paura, ma...
Lei La chiameremo Matilde!
Lui No, sarà un maschio e si chiamerà Mattia!
Lei Eh no, sarà una femmina e si chiamerà Matilde...

uno, una

Come pronome, usato da solo, senza *altro*, significa *una persona* in generale.

dargli, darle

Spesso gli italiani, parlando, usano *gli* anche per il femminile; ma, soprattutto in casi come questi, usare *gli* e *le* serve per distinguere maschio e femmina.

c. Adesso, recitate il dialogo a coppie. Cercate di essere attori, di dare espressione ed emozione a quello che recitate. L'insegnante poi chiederà ad alcuni di voi di recitare il dialogo davanti alla classe.

- **strumento**: è un oggetto che serve per fare qualcosa, per esempio la *penna* è uno strumento per scrivere; ma questa parola si usa anche in senso astratto, per esempio *gli strumenti del pensiero*
- **trovare la strada**: in questa espressione non si parla di una strada concreta, ma della *strada della propria vita*
- **dormire in pace, essere in pace con se stessi**: non si tratta di *pace* militare, ma di tranquillità psicologica, significa cioè stare bene con se stessi
- **una vita giusta**: non c'entra l'opposizione *giusto / sbagliato*, come in un esercizio; significa una vita *onesta, corretta verso gli altri, desiderosa di giustizia*
- **saper stare al mondo**: significa *saper vivere* rispettando le regole del mondo in cui si vive
- **sforzarsi**: usare la propria forza per fare sia una cosa concreta (per esempio *fare la dieta*, *correre per 1 km* ecc.) sia una cosa astratta (per esempio *credere in Dio*, *cambiare la società* ecc.)
- **provarci**: provare a fare qualcosa (il pronome *ci* richiama la *cosa* che è stata detta prima)
- **chiamare**: non significa solo dire forte il nome di qualcuno, ma anche dare il nome a un bambino

Analisi & sintesi

5 **Oltre ai verbi che indicano un'opinione, anche i verbi che indicano una volontà chiedono il congiuntivo dopo il *che*.**

a. Completa questa parte del dialogo (→ ES. 4) con il congiuntivo dei verbi tra parentesi.
Voglio un figlio o una figlia che (*avere*) ...abbia... il coraggio delle sue idee, che (*sapere*) .... stare al mondo ma che (*volere*) .... anche cambiare il mondo, che (*sforzarsi*) .... di cambiarlo, che (*provarci*) .... Voglio che (*essere*) .... felice perché è una persona vera...

b. Di' al tuo compagno tre cose che vuoi che lui faccia per te, e lui ne chiede altre tre a te usando il congiuntivo.

6 **Rileggi le istruzioni dell'ES. 5 e completa queste frasi del dialogo (→ ES. 4).**

1. Io credo di non ...essere... pronto.
2. Credo di .... paura.
3. Mi pare di .... in un'Italia stanca, in un'Europa stanca...

a. Se non c'è la congiunzione *che*, come in queste frasi del dialogo, si usa ◯ il congiuntivo ◯ l'infinito.
Torneremo sull'uso di ***che* + congiuntivo** o ***di / a / in* + infinito** in P23.
Come ti abbiamo suggerito tante volte, è bene memorizzare i verbi con quello che viene dopo: *credere che, immaginare che, pensare che* ecc. hanno il congiuntivo; *credere di, immaginare di, pensare a / di* hanno l'infinito.

b. Quando si pensano, si credono o si immaginano cose future, si usa l'**indicativo futuro** anche se c'è il *che*, perché il congiuntivo non ha il tempo futuro.
1. Sono sicura che nostro figlio o nostra figlia ...saprà... anche innamorarsi, cantare, imparare...
2. Non credo che .... migliore.

7 **Hai trovato tre verbi regolari in *-are*, *-ere*, *-ire* e uno irregolare. Ecco il congiuntivo di questi verbi.**

	parlare	*esprimere*	*dormire*	*sapere*
(che io)	parli	esprima	dorma	sappia
(che tu)	parli	esprima	dorma	sappia
(che lui / lei)	parli	esprima	dorma	sappia
(che noi)	parliamo	esprimiamo	dormiamo	sappiamo
(che voi)	parliate	esprimiate	dormiate	sappiate
(che loro)	parlino	esprimano	dormano	sappiano

Scioglilingua con il figlio di Apollo

Apollo era il dio greco della bellezza. Lo scioglilingua immagina che Apollo abbia un figlio, Apelle, che *fece* (passato remoto di *fare*: che ha fatto) una strana *palla*, fatta con la *pelle* di una gallina (*pollo*). Tanto strana che i pesci mettevano la testa fuori dell'acqua (*vennero a galla*; *vennero* è il passato remoto di *venire*) per vederla.

Apelle figlio di Apollo fece una palla di pelle di pollo, tutti i pesci vennero a galla per vedere la palla di pelle di pollo fatta da Apelle figlio di Apollo.

I figli nei modi di dire

- **siamo figli del nostro tempo**: pensiamo e agiamo secondo i valori del nostro tempo
- **è figlio d'arte**: fa il mestiere del padre o della madre
- **è un figlio di papà**: è una persona viziata, a cui non manca niente
- **è figlio di nessuno**: tutti dicono di non conoscerlo, nessuno lo vuole aiutare
- **è un figlio di puttana**: è l'insulto più diffuso al mondo!

P5 | Guardiamoci intorno

Il mondo dei bambini italiani

Quando i bambini sono piccolissimi, devono fare la nanna...

A nanna è il modo per dire ai bambini che devono andare a letto. Per farli addormentare spesso si canta una *ninna nanna*, cioè una canzoncina molto semplice, che dice al bambino che il mondo brutto, freddo e cattivo è fuori, e che in casa ci sono mamma e papà a proteggerlo. Questa qui a fianco è una delle più diffuse, anche se le parole possono cambiare da casa a casa.

Ninna nanna, ninna oh,
questo bimbo a chi lo do?
Lo darò alla **Befana**[1]
che lo tiene una settimana?
Lo darò all'Uomo Nero
che lo tiene un anno intero?
Lo darò all'Uomo Bianco
che lo tiene finché è stanco?
Il mio bambino resta qua
con la mamma e il papà!

1. **Befana**: una vecchina che il 6 Gennaio, per l'Epifania, porta dolci e regali ai bambini.

Poi i bambini crescono...

Come abbiamo visto in **P2**, in Italia nascono sempre meno figli. Fino al 2015 diminuivano i figli degli italiani e crescevano i figli delle coppie straniere. Dal 2015 anche gli stranieri hanno meno figli, sia per le difficoltà economiche, sia perché le donne straniere che vivono in Italia hanno già dei figli e non ne vogliono altri.
La conseguenza è naturale: se i figli sono pochi, vengono sentiti come preziosi. I figli, naturalmente, sono sempre stati preziosi, ma se si ha un solo figlio, questo diventa tutto il futuro di una coppia, e i genitori possono diventare iper-protettivi.
Avendo pochi figli, i genitori vogliono che i loro bambini abbiano tutto: corsi di nuoto, di danza, di inglese, di arte... e i bambini non hanno più tempo per giocare e per leggere, sono sempre di qua e di là; la sera, arrivano a casa stanchi, cenano e poi *a nanna!* – e il tempo con i genitori è sempre meno.

P6/Sei | Gli stereotipi sugli italiani

Comprensione & produzione

ORDINATI
PUNTUALI
FREDDI
CHIUSI
SERI
EGOISTI
PRECISI
TRISTI
POLENTONI
RUMOROSI
CORROTTI
FANNULLONI
RITARDATARI
MAFIOSI
TRUFFATORI
OSPITALI
CAOTICI
GENIALI
SILENZIOSI
TESTARDI
SINCERI
GENEROSI
ALLEGRI
TERRONI

Ogni cultura ha degli *stereotipi*, cioè delle idee generali sugli altri. Spesso gli stereotipi hanno qualcosa di vero, ma sono pericolosi perché tutti siamo diversi e gli stereotipi ci fanno diventare tutti uguali: le espressioni *i tedeschi sono ordinati*, *i russi bevono molto* oppure *gli spagnoli sono caotici* riguardano milioni di persone, ma ci sono certamente anche dei tedeschi disordinati, dei russi che odiano l'alcol e degli spagnoli ordinati! Ogni popolo è fatto di tante persone, ciascuna con il suo nome e cognome (come dice la canzone che ascolterai alla fine dell'Unità 1 → **IL PIACERE DELL'ITALIANO 2**).

Anche all'interno di una nazione ci sono degli stereotipi: nella cartina ne trovi alcuni sugli italiani del Nord, del Centro, del Sud e delle isole. È necessario che tu stia molto attento a non credere troppo agli stereotipi; bisogna che tu li abbia sempre in mente ma allo stesso tempo è necessario che ti ricordi che sono solo idee generali. Se non capisci alcuni degli aggettivi sugli italiani, cercali sul dizionario.

1 Leggete gli aggettivi che indicano gli stereotipi e divideteli alla lavagna tra positivi e negativi.

Come vedi, l'immagine degli italiani è complessa e spesso presenta lati positivi e negativi insieme - tranne al Centro, perché né i *polentoni* del Nord né i *terroni* del Sud amano Roma, da dove arrivano le leggi e le tasse e dove, qualcuno dice, "sono tutti corrotti".

2 Tu come la pensi?

a. Certamente prima di studiare italiano avevi delle idee sull'Italia: quali di queste idee sono comprese negli stereotipi che hai letto? Nel tuo Paese quali stereotipi ci sono sull'Italia? Aggiungete alla lavagna gli altri stereotipi che vi vengono in mente.
Adesso che stai studiando italiano, quali stereotipi cancelleresti con sicurezza, e quali invece ti sembra che possano essere veri?

b. A coppie, create un dialogo: uno di voi accentua gli aspetti negativi degli italiani e l'altro invece crede di più in quelli positivi. Siate pronti a recitarlo davanti alla classe.

come la pensi?

Il pronome *la* sta per "la cosa di cui stiamo parlando". Un'espressione simile è *come la vedi?* Una frase più formale è *che cosa ne pensi*, in cui *ne* sta per "della cosa di cui stiamo parlando".

Analisi & sintesi

3 I verbi di necessità e il congiuntivo.

Completa queste frasi che hai trovato vicino alla cartina degli stereotipi.

È necessario che tu ......stia...... molto attento a non credere troppo agli stereotipi; *bisogna* che tu li .... sempre in mente ma allo stesso tempo *è necessario* che ti .... che sono solo idee generali.

Quindi, anche i verbi che indicano *necessità*, *bisogno* hanno il congiuntivo se sono seguiti dalla congiunzione *che*. Se invece sono seguiti dalla preposizione *di*, il verbo va all'infinito, come negli altri casi: *Ho bisogno di andare fuori*.

PENSO CHE SEI PROPRIO DISONESTO!

Questo ragazzo vuole indicare che il suo giudizio non è un'opinione o un'ipotesi, ma una certezza assoluta: per questo motivo usa l'indicativo. Ma stai attento: se usi l'indicativo, può essere interpretato come uno sbaglio, quindi meglio non farlo: basta il congiuntivo! Comunque, non stupirti se senti usare l'indicativo anziché il congiuntivo: molti italiani spesso sbagliano.

4 Ripassiamo le forme del congiuntivo presente.

In **P5** (**es. 7**) abbiamo studiato il congiuntivo presente dei verbi regolari; in **P3** (**es. 7**) quello degli ausiliari e di alcuni verbi irregolari.
Guarda gli schemi e ricorda queste cose sul congiuntivo.

a. In ogni verbo, le tre persone singolari sono tutte e tre ....

b. Tranne che nella prima coniugazione, cioè nei verbi in *-are*, le tre persone singolari finiscono con la desinenza ....

c. Le tre persone plurali, nelle tre coniugazioni regolari sono uguali per la prima persona (*che noi parl*...................., *esprim*...................., *dorm*....................) e per la seconda (*che voi parl*...................., *esprim*...................., *dorm*....................), ma non per la terza (*che loro parl*...................., *esprim*...................., *dorm*....................).

d. Le terze persone plurali, come in tutti i verbi italiani, hanno l'accento verso ○ l'inizio ○ la fine.

e. Ricordi certamente che alcuni verbi in *-ire* aggiungono *-isc-* prima della desinenza, come *finisco*, *preferisci*, *uniscono*. Questi verbi inseriscono *-isc-* anche al congiuntivo. Completa la coniugazione di *finire*: *che io / tu / lui fin*...................., *che noi finiamo*, *che voi finiate*, *che loro fin*....................

5 Come creare il congiuntivo dei verbi irregolari.

In **P3** (**es. 7**) abbiamo visto il congiuntivo presente degli ausiliari *essere*, *avere*, dei modali *potere*, *volere*, *dovere* e di alcuni verbi molto frequenti come *stare*, *fare*, *andare*, *venire*, *dire*, a cui abbiamo aggiunto *sapere* (→ **P5**, **es. 7**). Come fare per gli altri verbi irregolari? Online c'è la grammatica di riferimento di A1+2 dove trovi una lista dei principali verbi irregolari.

Osserva questo schema:

- al **presente indicativo** la 1ª e la 6ª persona presentano spesso la stessa irregolarità, cioè lo stesso cambiamento;
- al **presente congiuntivo**, la radice della 1ª persona va bene quasi sempre per tutte le persone singolari (che sono sempre uguali); in *noi* e *voi* le radici sono spesso le stesse del presente indicativo.

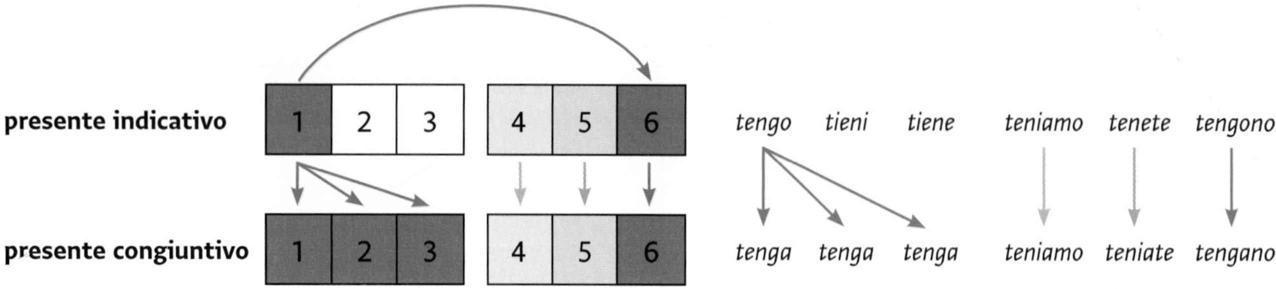

Questo schema va bene per molti verbi, come quelli nella tabella, dove trovi le **forme irregolari** del **presente indicativo** e **congiuntivo**. Molti di questi verbi hanno vari derivati che si comportano come il verbo di partenza, per esempio *porre*, *comporre*, *disporre* ecc.

morire	muoio, muoiono → che io muoia, che loro muoiano
sedere	siedo, siedi, siedono → che io sieda, che tu sieda, che loro siedano
piacere	piaccio, piacciono → che io piaccia, che loro piacciano
tacere	taccio, tacciono → che io taccia, che loro tacciano
spegnere	spengo, spengono → che io spenga, che loro spengano
venire	vengo, vengono → che io venga, che loro vengano
tenere	tengo, tengono → che io tenga, che loro tengano
rimanere	rimango, rimangono → che io rimanga, che loro rimangano
porre	pongo, poni, pone, pongono → che io / tu / lui ponga, che loro pongano
salire	salgo, salgono → che io salga, che loro salgano
scegliere	scelgo, scelgono → che io scelga, che loro scelgano
togliere	tolgo, tolgono → che io tolga, che loro tolgano
uscire	esco, esci, esce, escono → che io / tu / lui esca, che loro escano
bere	bevo, bevi, beviamo → che io / tu / lui beva, che loro bevano

6 **Abbiamo visto tre categorie di verbi che vogliono il congiuntivo se sono seguiti dalla congiunzione *che*: i verbi di opinione, di volontà e di necessità. Unisci ogni verbo o espressione alla categoria corretta.**

P6 | Guardiamoci intorno

Perché siamo così diversi

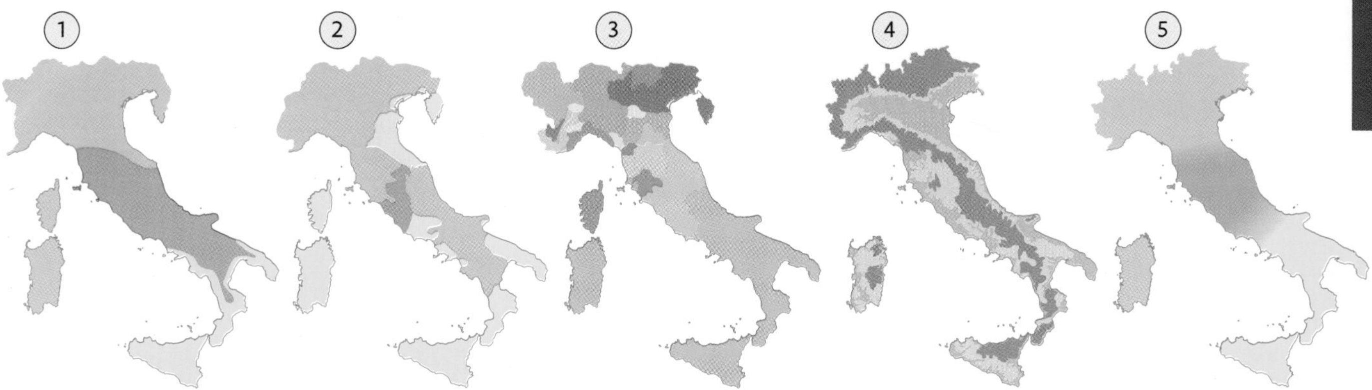

Queste cartine ti mostrano tante "Italie" diverse.

Le prime tre cartine sono *storiche*: osserviamole insieme.

(1) La prima cartina ti mostra l'Italia intorno all'anno 0. Ci vivono tre realtà diverse: i Latini, cioè i Romani, sono al Centro; nel Sud le principali città della costa sono di lingua e cultura greca; al Nord ci sono i Galli, cioè i Celti.

(2) Nel V secolo cominciano ad arrivare popolazioni germaniche, i "barbari": la seconda cartina ti mostra l'Italia al tempo dei Longobardi, che dominano il Nord e parte del Sud. In questi secoli nasce lo Stato della Chiesa, che è al Centro. Il Sud e le coste dell'Adriatico sono bizantine, cioè sono parte dell'Impero greco di Bisanzio, o Costantinopoli (quella che oggi è Istanbul).

(3) La terza cartina ti mostra l'Italia del Cinquecento, divisa in tanti Stati autonomi e ricchissimi, che nei secoli successivi saranno dominati da Spagnoli, Francesi e Austriaci fino all'Unità d'Italia nel 1861.

Queste cartine ti dicono che gli italiani sono un "riassunto" dei popoli del Mediterraneo e di quelli europei, che durante l'Impero romano emigrano verso il centro del mondo (Roma aveva più di un milione di abitanti!) e nei secoli successivi arrivano dal Nord Europa per cercare una vita migliore, con un clima più favorevole.

Le altre due cartine sono *geografiche*.

(4) La quarta cartina ti mostra le pianure e le montagne: era difficile viaggiare in Italia, divisa da montagne tra Nord e Sud, e tra Est e Ovest; quindi in Italia sono rimaste le differenze tra i vari popoli arrivati nei vari secoli.

(5) A queste differenze si aggiungono quelle nello stile di vita e nel carattere, che dipendono dalle differenze geografiche tra Nord, Centro e Sud: nelle pianure del Nord piove molto, c'è ricchezza d'acqua e l'inverno è molto freddo; al Centro in estate piove molto poco; al Sud e nelle isole, l'acqua è preziosa, il caldo estivo è tremendo e quindi l'agricoltura è povera.

La varietà nei modi di dire

In un Paese così vario come l'Italia, è facile capire perché questi proverbi siano molto usati:

- **il mondo è bello perché è vario**
- **Paese che vai, usanza che trovi**

Ma il mondo contadino non ama la varietà, il cambiamento, e pensa che sia meglio scegliere all'interno del proprio mondo (*paese*) sia la famiglia (la *moglie*, nel proverbio) sia il lavoro (i *buoi*: il *bue*, singolare di *buoi*, se non è castrato si chiama *toro*):

moglie e buoi
dei paesi tuoi

Gli italiani visti da fuori diventano *italians*

Nel Volume A1 hai trovato una versione più semplice di questa canzone, scritta da Fabio Caon per il nostro manuale; adesso hai le conoscenze necessarie per poter leggere la versione completa della canzone, che trovi anche in video tra i materiali online nella sezione *Canzoni*.

La canzone parla degli stereotipi sugli italiani. Leggi il testo insieme all'insegnante. Quando lo hai capito, ascolta la canzone: è un rap, quindi è veloce, difficile. Ma il difficile viene adesso: dopo aver ascoltato la canzone due o tre volte, cantala insieme a Fabio Caon!

Testo: *Fabio Caon*
Musica: *Fabio Caon, Jean Charles Carbone, Francesco Sartori*

In Italia si sta bene,
in Italia si sta male,
in Italia chissà come si sta.
In Italia si fa la pizza,
in Italia si fa la pasta:
per dire "Italia" basta già! → *È sufficiente, bastano queste due cose (pizza e pasta) per descrivere l'Italia.*
Gli italiani e l'Italia, gli italiani e l'Italia, gli italiani e l'Italia,
"Goombà"! → *È il modo in cui molti immigrati pronunciano compare, cioè "amico", "compagno", nell'italiano del Sud. C'è anche una canzone di Dean Martin,* Mambo italiano, *in cui si usa proprio questa parola.*

Italiani tutti ladri,
italiani tutti onesti.
Parliamo al mondo con i gesti → *Movimenti delle mani che stanno al posto di alcune parole.*
e ci capiamo solo noi!
"Ma ch' vvuoi!?" → *"Ma che cosa vuoi?", detto in napoletano spesso insieme a questo gesto.*

Italiani "that's ammore", → *Canzone di Dean Martin del 1954, sugli italiani latin lovers.*
i figli "so' piezz'e core", → *Espressione napoletana: "pezzi di cuore".*
l'taliano è mammone → *"Che ha bisogno della mamma" anche se è adulto.*
oppure fa il gran pappone. → *Persona che non lavora e si fa mantenere.*

Gli italiani e l'Italia, gli italiani e l'Italia, gli italiani e l'Italia,
"Sciuscià". → *Film di Vittorio De Sica del 1946: è la pronuncia in dialetto napoletano di "shoe-shine", che indica i lustrascarpe.*

Gli italiani e l'Italia, gli italiani e l'Italia, gli italiani e l'Italia,
"Paisà". → *Film di Roberto Rosselini del 1946. Significa "paesano", "persona del mio paese", "amico": lo dicevano gli italiani ai soldati americani durante la guerra.*

C'è un che di fragile, fragile, fragile → *Nell'introduzione online trovi l'analisi di queste righe.*
nello sguardo rigido, rigido, rigido,
nel cielo unico, unico, unico
dello stereotipo.

Da un altro angolo, angolo, angolo
il mondo solido, solido, solido
diventa liquido, liquido, liquido
e tutto è in bilico
tra sole e nuvole.

Italiani "pepperoni",
italiani "maccaroni",
italiani tutti mafiosi,
italiani "muzzarella" e "business". → *La pronuncia "bisinèss" è quella dei vecchi emigranti italiani.*

In Italia c'è il "baluba",
lo "zulù" e il "savana"
il "cin cion cian" e il "vu cumprà". → *Espressioni che indicano con disprezzo gli africani e gli asiatici.*

In Italia c'è il "terrone", → *Indica con disprezzo l'abitante del Sud Italia.*
in Italia c'è il "polentone", → *Indica con disprezzo l'abitante del Nord Italia.*
ma "simm' tutt'e napule paisà." → *Espressione napoletana: "siamo tutti di Napoli, amico!".*

Italiani: latin lovers;
si mangian sempre cose buone,
c'è un bel piatto di spaghetti
con sugo alla P38. → *Nel 1977 questo giornale tedesco ha spiegato l'Italia con lo stereotipo di "spaghetti + mafia".*
Italiani: moda e artisti,
architetti e musicisti,
canta l'inferno e il paradiso → Inferno e Paradiso *sono parti della* Divina Commedia *di* Dante.
e c'è un mistero nel sorriso. → *Il sorriso della* Gioconda *di Leonardo è misterioso.*

Gli italiani e l'Italia, gli italiani e l'Italia, gli italiani e l'Italia,
chissà...

Italiani brava gente,
italiani brutta gente.
L'Italia è fatta di persone:
ognuno ha un nome ed un cognome.

In Italia soldi sporchi, → *I soldi della mafia.*
"Agende rosse" e "lenzuoli bianchi". → *Sono due movimenti popolari contro la mafia.*
C'è chi ancora paga il pizzo → *Dà i soldi alla mafia per poter lavorare.*
e c'è chi non lo paga più!

Tutti con Libero Libero Libero → *Libero Grassi, ucciso dalla mafia perché non ha voluto pagare il pizzo.*
un uomo libero libero libero
tutti con Libera Libera Libera → *Libera: associazione contro la mafia.*
per una Terra Libera. → *Libera Terra: altra associazione contro la mafia.*

Roberto Benigni

Da un altro angolo, angolo, angolo
il mondo immobile, immobile, immobile
diventa mobile, mobile, mobile
e tutto scivola.

La nazionale di calcio

Suonatore di mandolino

Italiani: calcio e mandolino,
Fellini disegna sul taccuino,
il Toro sfida il Cavallino, → *IL TORO è il simbolo della Lamborghini, Il CAVALLINO quello della Ferrari.*
Benigni, Bolle, Renzo Piano,
io mangio piano con Slow Food. → *Movimento contro il* fast food.

Roberto Bolle

Renzo Piano

In Italia si fa la pizza,
in Italia si fa la pasta:
per dire "Italia" basta già?

Palestra di italiano

1 Completa le frasi usando i comparativi.

	comparativo		
	di maggioranza	di uguaglianza	di minoranza
alto	Gianni è *più alto di* Marco.	Gianni è *alto come* Marco.	Gianni è *meno alto di* Marco.
buono	La carne è .... / .... pesce.	La carne è .... il pesce.	La carne è .... pesce.
bene	Mattia suona .... Chiara.	Mattia suona .... Chiara.	Mattia suona peggio .... Chiara.
cattivo	Questo vino è .... / .... quello.	Questo vino è .... quello.	Questo vino è .... quello.
male	Mattia suona .... Chiara.	Mattia suona .... Chiara.	Mattia suona .... Chiara.
grande	La competenza di Alvise è .... quella di Chiara.	La competenza di Alvise è .... quella di Chiara.	La competenza di Alvise è .... quella di Chiara
piccolo	La forza di Silvio è .... / .... quella di Matteo.	La forza di Silvio è .... quella di Matteo.	La forza di Silvio è .... di quanto si creda.

2 Completa le frasi usando i superaltivi.

	superlativo relativo	superlativo assoluto
bella	Carmen è *la più bella della* classe.	Carmen è ....
buona	Questa pizzeria è .... città.	Questa pizzeria è ....
grande	È il prezzo .... che possiamo pagare.	È il prezzo .... che possiamo pagare.
piccola	È la quantità .... che possiamo vendere.	È la quantità .... che possiamo vendere.

3 Completa questi verbi irregolari.

infinito	indicativo presente	congiuntivo presente	participio passato
(rac)cogliere	(io) *(rac)colgo* (tu) *(rac)cogli* (lui / lei) *(rac)coglie* (noi) *(rac)cogliamo* (voi) *(rac)cogliete* (loro) *(rac)colgono*	(che io) *(rac)colga* (che tu) .... (che lui / lei) .... (che noi) .... (che voi) .... (che loro)	*(rac)colto*

sciogliere	(io) *sciolgo* (tu) ...... (lui / lei) ...... (noi) ...... (voi) ...... (loro)	(che io) *sciolga* (che tu) ...... (che lui / lei) ...... (che noi) ...... (che voi) ...... (che loro)	*sciolto*
scegliere	(io) *scelgo* (tu) ...... (lui / lei) ...... (noi) ...... (voi) ...... (loro)	(che io) *scelga* (che tu) ...... (che lui / lei) ...... (che noi) ...... (che voi) ...... (che loro)	......
venire	(io) *vengo* (tu) ...... (lui / lei) ...... (noi) ...... (voi) ...... (loro)	(che io) *venga* (che tu) ...... (che lui / lei) ...... (che noi) ...... (che voi) ...... (che loro)	......
svolgere	(io) *svolgo* (tu) ...... (lui / lei) ...... (noi) ...... (voi) ...... (loro)	(che io) *svolga* (che tu) ...... (che lui / lei) ...... (che noi) ...... (che voi) ...... (che loro)	......
togliere	(io) *tolgo* (tu) ...... (lui / lei) ...... (noi) ...... (voi) ...... (loro)	(che io) *tolga* (che tu) ...... (che lui / lei) ...... (che noi) ...... (che voi) ...... (che loro)	*tolto*

4 Completa questa conversazione basandoti sui "segnali discorsivi" per capire se confermare o criticare quello che ti è stato appena detto.

«Secondo me quel signore laggiù è un uomo molto ricco.»
«Mah, ...»
«Lo ripeto, è molto ricco: guarda la macchina!»
«In effetti, ...»
«Abbiamo bisogno di soldi per il nostro progetto: cerchiamo di conoscerlo?»
«Sai, ...»
«Già, ...»

5 Scrivi come si leggono questi numeri.

a. 2,5 ......*due virgola cinque*...... oppure ....
b. 100.000 ....
c. 2018 ....
d. Papa Giulio II ....
e. 1.000.000 ....
f. 1.000 ....
g. 2.000 ....

6 Trasforma le frasi al femminile.

a. Mio marito è andato a mangiare da nostro figlio.
Mia moglie ....

b. Suo fratello è un uomo molto bello.
....

c. Quel signore sembra un uomo qualsiasi, e invece è un grandissimo artista.
....
....

7 Trasforma le frasi al plurale.

a. Mio figlio è andato a mangiare fuori città.
I miei figli ....

b. Suo fratello è un uomo molto bello.
.... dei ....

c. Quell'uomo ha un cappello orribile.
.... dei ....

8 Inserisci il verbo impersonale al singolare o plurale.

a. Quando (*dovere*) *si deve* imparare una regola (*fare*) .... molti esercizi, ma se è una cosa semplice (*fare*) .... un esercizio solo.

b. Se piove (*prendere*) .... l'ombrello e (*mettere*) .... le scarpe impermeabili.

c. «Mentre (*camminare*) .... (*guardare*) .... la strada, non (*guardare*) .... le vetrine!»
«Ma le vetrine sono belle!»
«Certo, ma (*rischiare*) .... di finire contro un'altra persona...»

d. Sono le 2, ormai: non (*fare*) .... più in tempo ad andare in pizzeria, (*potere*) .... mangiare qualche panino al bar. (Attenzione: i *panini* sono più di uno, ma *qualche* è sempre singolare quindi il verbo *potere* va al ....),

9 Quale preposizione usi dopo questi verbi? Ricorda che alcuni verbi non hanno bisogno di preposizioni.

a. pensare *a* qualcuno
b. pensare .... fare qualcosa
c. parlare a qualcuno .... qualcosa
d. capire .... qualcosa
e. entrare in/a qualche luogo
f. nascere nell' anno...
g. prepararsi a fare qualcosa
h. scrivere su un foglio

10 Queste parole sono femminili o maschili? Collega le parole al simbolo corretto.

accento
dito
campanile
sapone
pensione
Africa
studente
blu
dita
Torino
cagna
Sardegna
tribù
Settembre
mano
cane
Lunedì
amore
Polonia
giornale
mare
cinema
moto
professoressa

11 **Completa le frasi con i verbi al congiuntivo, poi scrivi i verbi nel cruciverba.**

Orizzontali

2 Marco crede che noi (*essere*) siamo in ritardo.
3 Credo che le ragazze (*stare*) stiano andando via.
4 L'importante è che Massimo (*stare*) .... bene.
5 Non mi pare che lei (*potere*) .... dire queste cose di me!
7 Mi dispiace che voi (*dovere*) .... andare via.
9 Pensi che loro (*essere*) .... già arrivati?
11 Credo che Anna (*dovere*) .... decidere se venire o no!
13 Mi dispiace che voi (*andare*) .... via così presto.
14 Credo che Marcella non (*essere*) .... contenta stasera.
15 Non credo che Massimo (*volere*) .... vedere Marcella stasera.

Verticali

1 Suonano alla porta, credo che (*essere*) .... loro.
3 Penso che noi (*essere*) .... seduti vicini, stasera.
4 Sono contento che voi (*essere*) .... venuti alla festa.
6 Temo che voi (*avere*) .... sbagliato strada.
7 Spero che lui (*dire*) .... la verità.
8 Spero che loro (*andare*) .... via presto!
9 Pensi che lui (*essere*) .... già arrivato?
10 Credo che le ragazze (*venire*) .... più tardi.
12 È ora che lui (*andare*) .... a casa sua!
15 Spero che (*venire*) .... tutti, così sarà una bella festa.

12 **Completa il congiuntivo presente dei verbi regolari in *-are*, *-ere*, *-ire*.**

amare	*mettere*	*partire*	*finire*
(che io) ami	....	....	finisca
(che tu)	....	parta	....
(che lui / lei)	metta	....	....
(che noi)	....	....	....
(che voi)	....	....	....
(che loro)	....	....	finiscano

13 **Trasforma queste opinioni espresse con il congiuntivo rendendole più gentili con il condizionale.**

a. Penso che tu debba riposare un po'.
Penso che tu dovresti riposare un po'.
b. Ho l'impressione che sia meglio tornare a casa.
....
c. Immagino che Carlo voglia andare a casa.
....
d. Sono convinto che loro debbano smettere di parlare.
....

14 **Infinito, congiuntivo o futuro? Inserisci il verbo tra parentesi alla forma corretta.**

a. Io sono convinta che tu non (*essere*) sia pronto per avere un figlio, ma anch'io ho paura di non (*essere*) .... ancora pronta. Penso che tra qualche mese (*essere*) .... più sicuri di quello che vogliamo.
b. Voglio che mio figlio (*sforzarsi*) .... di cambiare il mondo, che non pensi solo a (*fare*) .... soldi, che non creda di (*potere*) .... vivere felice dimenticando gli altri.

15 **A quali mezzi di trasporto si riferiscono queste descrizioni?**

a. *Tram*..................: è un autobus, ma ha il motore elettrico.
b. ....: è una piccola nave che trasporta persone e auto.
c. ....: ha quattro ruote e può portare cinque-sette persone.
d. ....: è molto veloce, viaggia a 350 km/h (chilometri all'ora).
e. ....: è molto veloce, viaggia a 900-1000 km/h.
f. ....: ha due ruote e viene spinta dal viaggiatore perché non ha motore.
g. ....: può portare anche cento o più persone da una parte all'altra della città.

16 **Unisci le foto dei mezzi di trasporto alla parola che indica chi li guida e all'immagine corrispondente.**

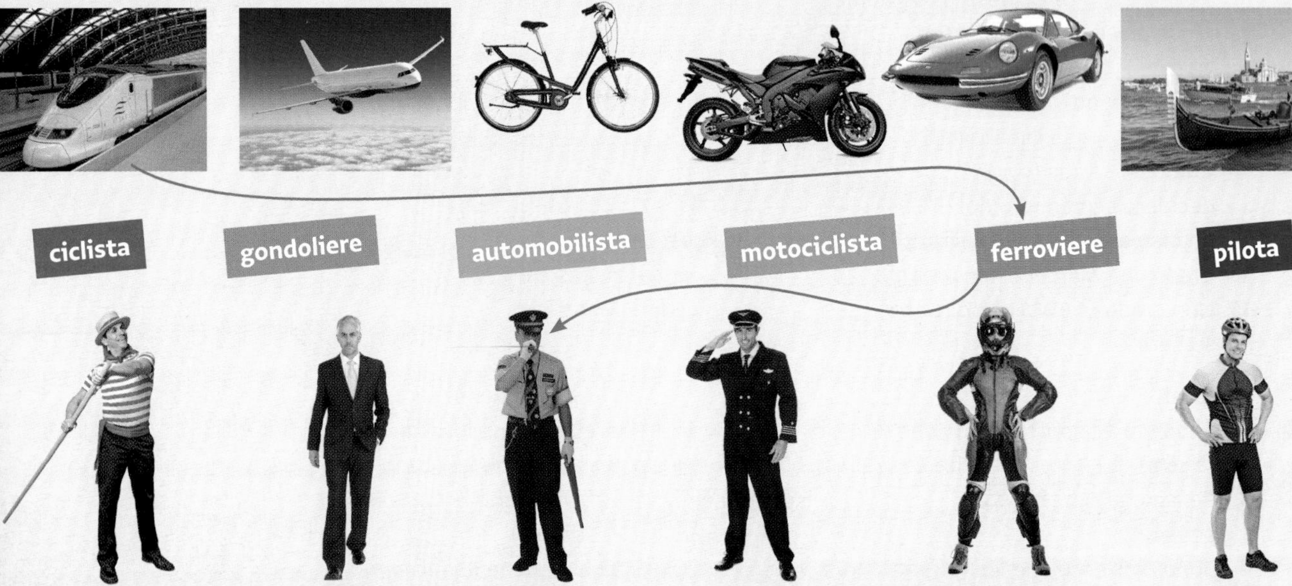

LESSICO RILEVANTE PRESENTATO IN U1

Torna, di quando in quando, a questo esercizio - che è uguale a quello che trovi alla fine di ciascuna Unità didattica - per verificare se ricordi queste parole. Sottolinea a matita quelle che non ricordi e qualche tempo dopo, quando rileggi, vedrai che molte delle sottolineature potranno essere cancellate.

- gravidanza, incinta, pancia, (il) pancione, parto, partorire • asilo, nido, maestra, aspettativa, (lo) umore • maschio latino
- stabilità, cambiare, cambiamento • aumentare, aumento, diminuire, (la) diminuzione, calare, calo • conservare, (la) conservazione, trasformare, (la) trasformazione • invecchiare, ringiovanire

- ecco • in effetti, infatti, in realtà • già • mah, non basta, beh, insomma • sai
- (il) salone dell'automobile, Ginevra, (il) visitatore, (il / la) concorrente • marchio sportivo, (il) motore • traffico, (il) lungomare • fare la coda

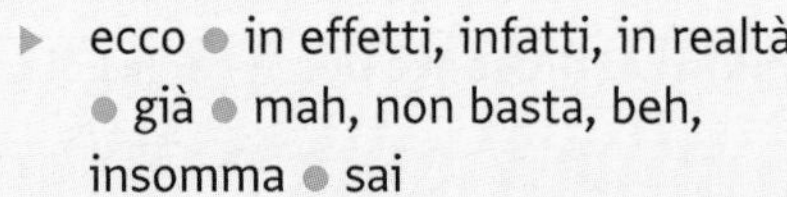

- (il) cane / (la) cagna, (il) bue / (i) buoi • fatica, faticoso, stanco, stanchezza • rischio, danno, pericolo • densità, (la) popolazione, chilometro quadrato • decina, ventina, trentina, centinaio, migliaio • (la) ragione, razionale, (la) emozione, emotivo
- litigare con • cogliere, raccogliere • dare una mano a • saperci fare con • fare i capricci, prendere in braccio • sforzarsi, provarci

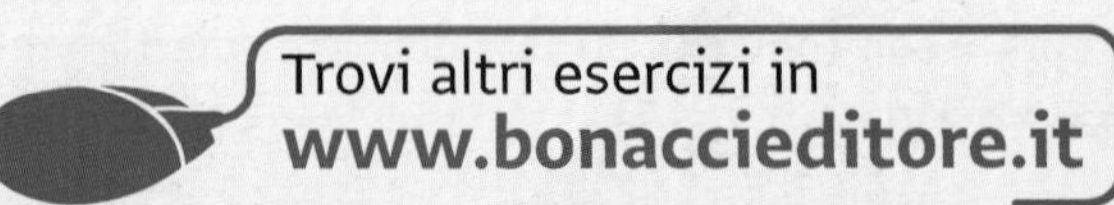

2

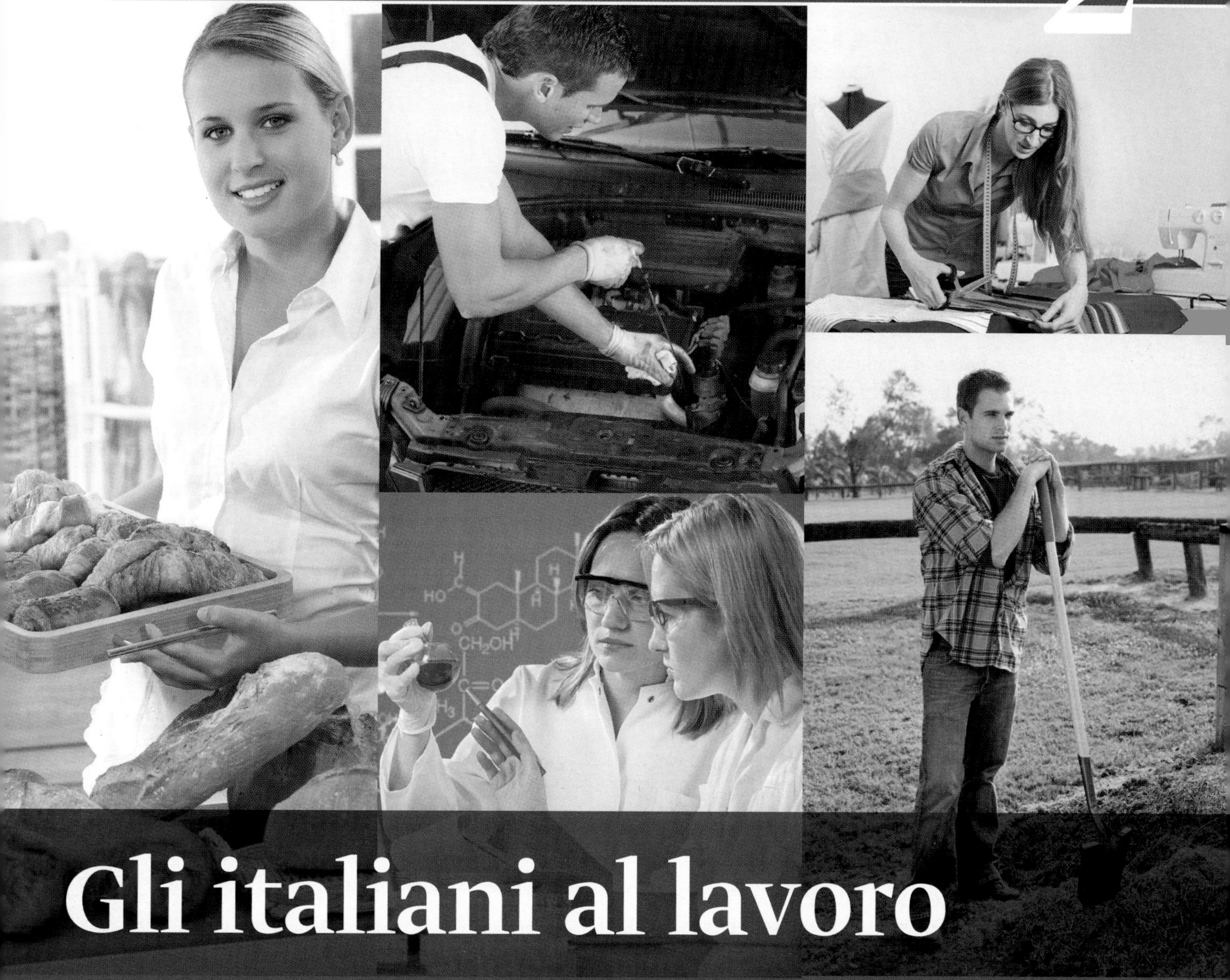

Gli italiani al lavoro

Uno degli stereotipi sugli italiani è questo: al Nord sono grandi lavoratori, al Sud preferiscono passare il tempo conversando. Non è vero: al Nord, al Centro e al Sud ci sono persone geniali e con grande voglia di fare, di costruire, di produrre, e persone che hanno meno voglia di fare e di lavorare - così come in ogni Paese.
Purtroppo la crisi degli anni scorsi ha lasciato una grande quantità di disoccupati: molti vorrebbero lavorare, ma non trovano un posto di lavoro.
Che cosa devi fare se cerchi un lavoro? Lo scopriremo seguendo i personaggi di questa *Unità Didattica*.

Imparo l'italiano per:

- esprimere emozioni come *gioia*, *tristezza*, *affetto*
- fare ipotesi reali, ipotesi possibili, ipotesi impossibili
- leggere bandi dei concorsi, fare domande, partecipare a colloqui di lavoro

So come funzionano:

- congiuntivo
- periodo ipotetico

Conosco alcune cose dell'Italia:

- gli italiani e il cambiamento
- il mondo del lavoro

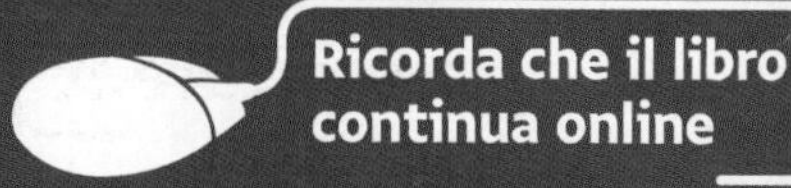
Ricorda che il libro
continua online

P7/Sette | Se lei perdesse il posto di lavoro, che cosa farebbe?

Comprensione & produzione

1 Una strategia importante: costruire il significato di forme che non si conoscono basandosi sulla logica.

Osserva la domanda a cui rispondono le persone intervistate nella Ricerca SWG. C'è una forma verbale che non conosci, ma puoi capire lo stesso il significato della frase.

a. La domanda comincia con *se*: che cosa indica secondo te? ○ certezza ○ ipotesi

b. «Se lei *perdesse* il posto»: non conosci la forma verbale *perdesse*, ma sai che è al .... Prova a dire questa frase usando l'indicativo presente di *perdere*: «Se lei .... il lavoro». Adesso il significato ti è chiaro?

c. «In quanto tempo pensa che *riuscirebbe* a *trovarne* uno accettabile nella sua regione?»: il pronome finale *ne* in *trovarne* si riferisce a *lavoro*, quindi l'espressione significa "trovare un lavoro". La forma *riuscirebbe* è il condizionale presente del verbo ....

d. Nella domanda del grafico ci sono queste parole che conosci: *se, perdere, lavoro, riuscire, trovare*: è difficile capire il significato generale della domanda? ....

Se lei perdesse il posto di lavoro, in quanto tempo pensa che riuscirebbe a trovarne uno accettabile nella sua regione?

NON SO SE LO TROVEREI	52%
entro alcune settimane	4%
entro 3/6 mesi	12%
entro un anno	11%
dopo un anno	8%
non sa	13%

Dati suddivisi per area geografica per la risposta "non so se lo troverei"

46% · 42% · 60% · 59% · 65%

Fonte: Ricerca SWG, riportata in *Ulisse. Rivista online* (Gennaio 2016).

La risposta alla domanda è drammatica: più di metà degli intervistati (52%) non ha fiducia nella possibilità di trovare un buon lavoro vicino a casa se perde (o *se perdesse*) il posto di lavoro. Inoltre, al Sud c'è meno speranza che al Nord.

2 Ascolta nell' AUDIO 8 questo servizio del giornale radio.

Per capire la prima parte del servizio ti basta guardare il grafico qui sopra; per capire la seconda parte, invece, devi conoscere alcune parole chiave, che descrivono i tipi di lavoratori autonomi e dipendenti.

PAROLE CHIAVE

- **lavoratori autonomi**: sono medici, avvocati, scrittori ecc. che non dipendono da nessun datore di lavoro
- **partite iva**: sono artigiani, startupper ecc. autonomi, che hanno un numero ("partita") per l'Imposta sul Valore Aggiunto (IVA)
- **dirigenti**: sono dei dipendenti di alto livello, responsabili del funzionamento generale o di alcuni settori di un'azienda, di una scuola, di una società ecc.

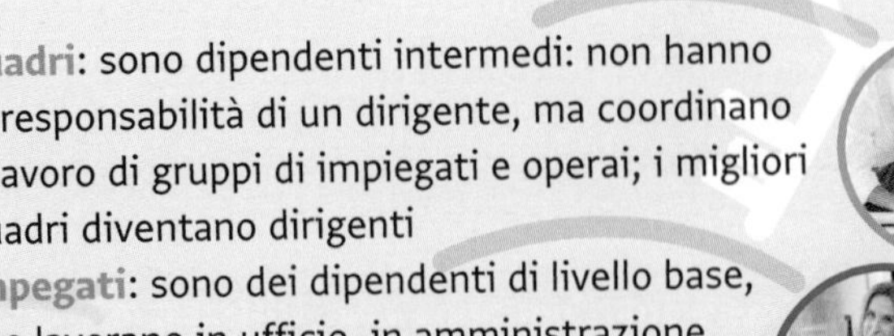

- **quadri**: sono dipendenti intermedi: non hanno le responsabilità di un dirigente, ma coordinano il lavoro di gruppi di impiegati e operai; i migliori quadri diventano dirigenti
- **impegati**: sono dei dipendenti di livello base, che lavorano in ufficio, in amministrazione ecc.; i migliori impiegati diventano quadri intermedi
- **operai**: sono dipendenti di livello base, che lavorano in fabbrica, nella produzione ecc.

Mentre ascolti l'audio trova queste informazioni.

a. Le statistiche sul lavoro ci dicono che ci sono .... Italie.

b. In quale parte d'Italia la disoccupazione è bassa come in Germania? ○ Nord-ovest ○ Nord-est

c. Dal 2015 l'occupazione ha ricominciato ○ a crescere ○ a diminuire.

d. I *lavoratori autonomi* pensano che se perdessero il lavoro ○ riuscirebbero ○ non riuscirebbero a crearne uno nuovo.

e. Quale categoria di lavoratori dipendenti si sente abbastanza sicura di non rimanere disoccupata?
○ dirigenti ○ quadri ○ impiegati ○ operai

3 **Leggi la trascrizione del servizio del giornale radio e inserisci le parole mancanti, usando sia la memoria sia la logica.**

L'istituto di ricerca SWG ha svolto un'indagine su un campione di 1.000 persone .... i 18 anni. La domanda è: «Se lei .... il posto di lavoro, in quanto tempo pensa che .... a trovarne uno accettabile nella sua regione?». Il 52% degli intervistati risponde che .... sa se riuscirebbe a trovarlo. Le statistiche sul lavoro ci dicono che ci sono .... Italie: al Nord il lavoro non è un grande problema, ... più si va a Sud più la disoccupazione – soprattutto tra i giovani e le donne – è drammatica. Ma la paura avvicina molto il Nord e il Sud. Perfino nel Nord-Est, dove la disoccupazione è .... come in Germania, il 42% degli intervistati pensa che se rimanesse disoccupato non troverebbe facilmente un nuovo posto di lavoro. Pochissimi in tutte le regioni pensano che lo .... in poche settimane (4%) o in pochi mesi (12%). Dal 2015 l'occupazione ha ricominciato a crescere, ma la paura della .... è ancora molto, molto forte. Una nostra indagine aggiunge un aspetto interessante: i *lavoratori* .... tradizionali – medici, avvocati ecc. – e i giovani delle "*partite Iva*" pensano che se perdessero il lavoro sarebbero capaci di crearne uno nuovo, mentre invece i *lavoratori dipendenti* di livello alto, come i .... (che di solito hanno un'età abbastanza alta), e quelli di livello più basso, come gli .... e gli ...., sono molto più preoccupati; i livelli medi, cioè i ...., si sentono invece abbastanza sicuri di non rimanere disoccupati.

Dopo aver completato la trascrizione, ascolta di nuovo l'**AUDIO 8** per una verifica.

UNA STRATEGIA DI COMPRENSIONE: LA LOGICA

Per completare il testo dell'ES. 3 ti è bastato usare la logica o, come si dice spesso in italiano, "usare la testa".

a. «Un campione di 1.000 persone *sopra* i 18 anni»: in un'indagine gli intervistati potrebbero essere *sopra / sotto* oppure *di 18 anni*, ma la logica ti dice che, trattandosi di lavoratori, la parola corretta è ....

b. «Il 52% degli intervistati risponde che *non* sa se riuscirebbe a trovarlo»: *sapere* può avere solo due costruzioni: *si sa / non si sa qualcosa*. Se sai una cosa, usi *sapere* + *che* e quello che dici è una cosa certa: *so che* 2 + 2 = 4; ma qui hai *sapere* + *se*, che indica incertezza, "forse sì, forse no": quindi ci va *non*, perché non sai se riuscirai o non riuscirai a trovare un lavoro.

c. «Le statistiche sul lavoro ci dicono che ci sono *due* Italie»: se guardi il diagramma alla pagina precedente potresti rispondere *tante* Italie, ma con la lettura capisci che si parla di *due* situazioni: il Nord e il Sud.

d. «Al Nord il lavoro non è un grande problema, *mentre* più si va a Sud più la disoccupazione è drammatica»: nella frase c'è un contrasto, quindi serve una congiunzione che indica un'opposizione come *mentre*, *invece*, *ma*, *al contrario* ecc.

e. «Perfino nel Nord-Est, dove la disoccupazione è *bassa* come in Germania...»: certamente sai che la Germania è il cuore industriale dell'Europa. Una grande potenza industriale ha una disoccupazione alta o bassa?

f. «Pochissimi in tutte le regioni pensano che lo *troverebbero* in poche settimane (4%) o in pochi mesi (12%)»: questa frase e la precedente sono in relazione. La logica ti dice che se il nucleo della prima frase è di *trovare un lavoro*, questo deve essere il nucleo anche della seconda, e quello che cambia è il tempo: poche settimane *vs.* alcuni mesi.

g. «Ma la paura della *disoccupazione* è ancora molto, molto forte»: questa frase parla dell'*occupazione*, inizia con *ma*, che indica un'opposizione; il contrario di *occupazione* è *disoccupazione*.

4 **Come è la situazione nel tuo Paese?**

Cerca in rete delle informazioni sulla paura della disoccupazione e scrivi un testo, che manderai con una mail a tutti i tuoi compagni. Guarda che cosa hanno scritto gli altri e, per la prossima lezione, preparati a una discussione sul lavoro e sull'occupazione nel tuo Paese e, se sei in una classe multinazionale, nel mondo.

5 Fare delle ipotesi.

a. Sai già fare delle ipotesi con l'indicativo presente o futuro e, alcune volte, con l'imperativo. Trova nei fumetti questi tempi e modi verbali.

b. Nel diagramma di pag. 46 e nel servizio del giornale radio hai trovato un modo diverso di fare delle ipotesi: il "periodo ipotetico" (un *periodo* è un insieme di più frasi; *ipotetico* significa che esprime un'ipotesi):

Se lei .... il posto di lavoro, in quanto tempo pensa che .... a trovarne uno accettabile nella sua regione?».

- La forma *perdesse* è al **congiuntivo imperfetto**, la forma *riuscirebbe* è al **condizionale**, che già conosci bene.
- Nelle vignette ci sono delle **ipotesi** che i due ragazzi considerano ***reale***; nel diagramma invece c'è un'ipotesi ***possibile***.

Il congiuntivo imperfetto

Il congiuntivo imperfetto ha pochissimi verbi irregolari e nella terza coniugazione non ci sono differenze tra i verbi con o senza *-isc-*.

	prima coniugazione	seconda coniugazione	terza coniugazione
(che io)	cant**assi**	perd**essi**	fin**issi**
(che tu)	cant**assi**	perd**essi**	fin**issi**
(che lui / lei)	cant**asse**	perd**esse**	fin**isse**
(che noi)	cant**assimo**	perd**essimo**	fin**issimo**
(che voi)	cant**aste**	perd**este**	fin**iste**
(che loro)	cant**assero**	perd**essero**	fin**issero**

In sintesi:

PERIODO IPOTETICO DELLA REALTÀ

condizione: *possibilità* chiara e realistica	conseguenza
se + indicativo presente o futuro	**indicativo presente o futuro / imperativo**
*Se vi **vedo** ancora insieme...*	*... **faccio** un casino!*
*Se ci **vedrai** insieme...*	*... tu **starai** calmo: decido io della mia vita!*
*Se lo **cerchi** / **cercherai** ancora...*	*... **vai** via e non **farti** più vedere!*

PERIODO IPOTETICO DELLA POSSIBILITÀ

condizione: *possibilità lontana*, più un'ipotesi teorica che un dato di fatto	conseguenza
se + congiuntivo imperfetto	**condizionale presente**
*Se **perdessi** il lavoro...*	*... mi **servirebbero** mesi per trovarne un altro.*
In italiano parlato, informale, puoi trovare la condizione anche con l'**indicativo presente...** *Se **perdo** il lavoro...*	... e la conseguenza all'**indicativo presente** o **futuro** *... mi **servono** / **serviranno** mesi per trovarne un altro.*

6 **Riscrivi queste battute usando il periodo ipotetico della *possibilità*, con il congiuntivo imperfetto e il condizionale presente.**

a. Queste sono le battute di un ragazzo depresso, che non si sente apprezzato dagli amici.

1. Se vi racconto una storia divertente, mi dite subito di tacere!
   Se vi raccontassi una storia divertente, ...
2. Se mi metto a cantare, andate tutti via di corsa!
   ....
3. Se incomincio a ballare, chiamate subito un medico per i matti!
   ....
4. Se vi dico che sono depresso, mi dite che non è vero!
   ....

b. Queste sono le battute di un ragazzo che ha troppa fiducia in sé.

1. Se divento un attore, avrò migliaia di ragazze che mi amano!
   ....
2. Se scrivo un romanzo, vinco il Nobel!
   ....
3. Se compongo una canzone, dopo una settimana la canteranno tutti!
   ....
4. Se vendo quest'idea a qualche azienda, mi compro una Ferrari.
   ....

7 **Se mia nonna avesse le ruote...**

Per dire che una cosa è impossibile, che è un'ipotesi assurda, si dice spesso "Se mia nonna avesse le ruote sarebbe una carriola" (la *carriola* è il mezzo di trasporto dei muratori, che vedi nel disegno... con la testa della nonna!). Spesso però basta usare solo la prima parte della frase, come vedi nel titolo dell'esercizio.

I verbi irregolari al congiuntivo imperfetto

I verbi irregolari al congiuntivo imperfetto sono pochi e si formano a partire dall'imperfetto indicativo:

- *dire* → indic. imperfetto: (*io*) *dic-evo* → cong. imperfetto: (*che io*) *dicessi*
- *fare* → indic. imperfetto: (*io*) .... → cong. imperfetto: (*che io*) *facessi*
- *(com-/dis-)porre* → indic. imperfetto: (*io*) .... → cong. imperfetto: (*che io*) *componessi* / *disponessi*
- *bere* → indic. imperfetto: (*io*) .... → cong. imperfetto: (*che io*) *bevessi*
- *(tra-/con-)durre* → indic. imperfetto: (*io*) .... → cong. imperfetto: (*che io*) *traducessi, conducessi*

Questi tre verbi sono del tutto irregolari al congiuntivo imperfetto, perché non partono dall'imperfetto indicativo:

- *essere* → (*io*) *fossi*, (*tu*) *fossi*, (*lui / lei*) *fosse*, (*noi*) *fossimo*, (*voi*) *foste*, (*loro*) *fossero*
- *dare* e *stare* → cambiano la *-a-* in *-e-*: *dessi, stessi*

8 **Nel *Passo* hai trovato questi verbi con il participio passato irregolare.**

- *Aggiungere*: *io ho aggiunto* ecc. La desinenza *-unto* si trova anche nel participio passato di un altro importante verbo del mondo del lavoro, che hai visto fin dall'A1: *assumere* → *assunto*.
- Con i compagni, cerca di ricordare i participi passati di questi verbi: *dipendere* → ....; *perdere* → ....; *rimanere* → ....; *rispondere* → ....; *tradurre* → ....
- *Porre* è irregolare all'indicativo presente (*io* ....) e al participio passato (*io ho* ....).
- *Riuscire* (come *uscire*) cambia la *-u* in *-e* nell'indicativo presente: *io* ....

P7 | Guardiamoci intorno

Il lavoro "nero"

Come hai già visto in U1, non vogliamo raccontarti solo l'Italia bella, che funziona e che ha una buona qualità della vita. Ti vogliamo raccontare anche l'Italia delle differenze sociali, delle regioni meno moderne, dei problemi economici e, in questo *Guardiamoci intorno*, l'Italia del lavoro "nero".

Si lavora *in nero* quando non c'è un contratto ufficiale:

- il datore di lavoro (il "padrone") paga il lavoratore, ma non "versa i contributi": *versare* significa "pagare" quando si parla di tasse, multe o, come in questo caso, di *contributi*, cioè quella parte dello stipendio che serve per l'assistenza sanitaria e per la pensione;
- il lavoratore non paga le tasse, ma se si ammala può essere licenziato e da vecchio non avrà la pensione.

Italiani e stranieri lavorano in nero: gli immigrati spesso perché non hanno il permesso di soggiorno oppure perché hanno un disperato bisogno di guadagnare qualche euro e quindi accettano questa condizione.

Se succede un incidente sul lavoro, è un loro problema. Solo se l'incidente è molto grave, la Guardia di Finanza (cioè la Polizia che si occupa di lavoro, tasse ecc.) viene informata e scopre il lavoratore *in nero*: può quindi punire il padrone che lo ha fatto lavorare senza rispettare le leggi.

Nella foto vedi una manifestazione di lavoratori che denunciano il lavoro *nero*. Le bandiere sono quelle dei tre principali sindacati dei lavoratori: la CGIL, con le bandiere rosse; la CISL, con le bandiere bianche e verdi; la UIL, con le bandiere di molti colori.

1 Come sono le condizioni di lavoro nei vostri Paesi? Che ruolo hanno i sindacati?

Discutetene in classe, senza paura di dire anche cose brutte del vostro Paese, così come noi raccontiamo anche cose tristi dell'Italia.

Sciogli la lingua con la rana nera

Questo scioglilingua è molto, molto crudele per gli studenti cinesi, che hanno difficoltà nel pronunciare la *r*. Ma anche i francesi e i tedeschi hanno una *r* molto più forte di quella italiana, mentre gli inglesi ce l'hanno più debole... Quindi è difficile per tutti!

Una rana nera e rara[1] erra[2] sulla rena[3] nella sera nera.

1. rara: difficile da trovare, di cui non c'è grande quantità.
2. erra: cammina senza sapere dove andare.
3. rena: sabbia, spiaggia.

Il nero nei modi di dire

In Italia il *nero* è il colore della tristezza, del dolore, del pessimismo:

- una persona depressa **vede tutto nero** oppure ha **un umore nero**
- una persona molto affamata ha **una fame nera**
- se oggi tutto va male è **una giornata nera**
- se non si vuole lavorare in nero, bisogna fare un contratto, cioè **mettere nero su bianco**, che significa "scrivere un accordo preciso"
- se vuoi dire che una persona o una cosa sono molto nere, dici che sono **nere come il carbon(e)**

P8 / Otto | Cercare un lavoro

Comprensione & produzione

1 Un sito di offerte di lavoro.

Un ragazzo disoccupato, che si interessa di promozione, ha fatto una ricerca sul sito www.infojobs.it, scegliendo la categoria *Promozione e marketing*, e ha trovato queste schede. Leggi le quattro schede, cercando di capire il più possibile con i compagni e con la guida dell'insegnante.

GREENPEACE CERCA DIALOGATORI A TORINO

- Torino
- Pubblicata 2 gg fa
- **Stipendio: non disponibile**
- Esperienza minima: non richiesta
- Tipo di offerta: **altro tipo di contratto**, **nessuna indicazione di giornata**
- Titolo di studio minimo: diploma

Descrizione
Siamo indipendenti al 100%!
Proprio per garantire l'indipendenza di Greenpeace abbiamo bisogno di te...
Come dialogatore di Greenpeace, incontrerai nelle piazze, nei centri commerciali, ai concerti e nelle **fiere a tema** persone interessate come te ad aiutare il nostro Pianeta.
Potrai motivarle a sostenere le nostre campagne con il metodo più efficace, ovvero tramite una **donazione** continuativa, con addebito diretto su conto bancario o con carta di credito.
Che cosa aspetti? Sei tu la persona che stiamo cercando!
Invia la tua **candidatura** e preparati a vivere un'esperienza unica!

Tipo di industria per questa offerta
Organizzazioni **senza scopo di lucro**

Dipartimento	**Raccolta fondi**
Livello	**Autonomo**
Numero di posti vacanti	10

Non è un contratto né a tempo determinato (cioè per un certo numero di mesi) né a tempo indeterminato (cioè stabile). È un altro tipo di contratto, che non viene specificato.

In alcune offerte di lavoro si indica *mezza giornata* o *giornata intera*; qui non ci sono indicazioni.

Una *fiera* è un'esposizione di prodotti; è *a tema* se ha un unico tipo di prodotti: frutta, automobili, prodotti di pulizia, mobili ecc.

Il *candidato* è una persona che chiede di partecipare a una selezione di personale.

Fund raising.

I *posti vacanti* sono i posti liberi ai quali si è candidati.

Sono le persone che ti fermano per strada e ti propongono di "dare un aiuto", ti spiegano perché ecc.

Questo è un invito a fare volontariato, quindi non c'è uno stipendio (*non disponibile* significa che "non c'è").

La *donazione* è una somma di denaro che si *dona*, cioè si "regala" a Greenpeace *addebitandola*, cioè prendendola, dal tuo conto in banca.

Lucro significa "guadagno"; l'espressione *senza scopo di lucro* indica che non si cerca il guadagno, che l'organizzazione è una *charity*.

È *autonomo* chi non dipende da nessuno, chi decide da solo che cosa fare e come.

È il compenso, il guadagno che si riceve. Lo stipendio *netto*, "pulito", è quello che arriva ogni mese; lo stipendio *lordo*, "sporco", è il costo globale che ha l'azienda, e include anche le tasse e i contributi per il servizio sanitario nazionale e per la pensione.

Una *campagna pubblicitaria* è un insieme di azioni di promozione.

Gestire significa "far funzionare", "organizzare", "controllare". In ambito internazionale è *managing*.

HUMANITY GROUP CERCA INCARICATO DI PROMOZIONE		
▸ Tutta Italia ▸ Pubblicata 24 gg fa ▸ Stipendio: 900€ - 1.800€ netti/mese ▸ Esperienza minima: non richiesta ▸ Tipo di offerta: altro tipo di contratto, 4-8 ore al giorno ▸ Titolo di studio minimo: diploma	**Descrizione** Humanity Group è impegnata nella promozione e gestione di **campagne umanitarie**. Per rispondere alla crescente richiesta di promozione, selezioniamo promoter e coordinatori da formare e inserire in azienda. Le risorse si occuperanno di promuovere organizzazioni umanitarie di livello mondiale, garantendo loro l'acquisizione di nuovi sostenitori. Offriamo: formazione mirata allo sviluppo delle doti comunicative della risorsa, continuità lavorativa, la possibilità di ricoprire **ruoli** di responsabilità all'interno dell'azienda e di prendere parte a viaggi formativi in Italia e all'estero a carico dell'azienda.	**Tipo di industria per questa offerta** Organizzazioni senza scopo di lucro **Dipartimento** Promozione **Livello** Incaricato delle vendite **Numero di posti vacanti** 1

Dall'inglese *human resources*, cioè il personale.

La formazione che viene offerta non è *generica* ma *mirata*, cioè fatta per quel lavoro.

Capacità, abilità di comunicare.

Le *spese* sono pagate dall'azienda.

Persone che sostengono, aiutano e finanziano un'organizzazione.

Una posizione, una funzione.

ACERBI & CO. CERCA INCARICATI DI PROMOZIONE-VENDITA
▸ Italia centrale ▸ Pubblicata 4 gg fa ▸ Stipendio: 600€ - 2.000€ netti/mese ▸ Esperienza in ambito commerciale ▸ Tipo di offerta: tempo determinato, giornata completa ▸ Titolo di studio minimo: diploma
Descrizione Acerbi & co. è sponsor pubblicitario-economico di associazioni e gruppi sportivi, culturali e di volontariato. La nostra ricerca **si pone** l'obiettivo di inserire 4 collaboratori che andranno a gestire e a sviluppare il pacchetto di clienti, **selezionati** fra ambosessi, che abbiano bella presenza e voglia di intraprendere un'attività seria e duratura nel tempo. Garantiamo formazione aziendale e addestramento sul campo; zona di lavoro in esclusiva limitrofa alla propria abitazione (massimo 30/40 Km); possibilità di carriera. Si richiede responsabilità, attitudine alle relazioni interpersonali e buona predisposizione al contatto telefonico. **Automuniti.** Età richiesta: dai 30 anni in su.
Tipo di industria per questa offerta SRL **Dipartimento** Marketing e vendita **Livello** Incaricato promozione e vendite **Numero di posti vacanti** 4

Porre significa "mettere"; quindi *si pone* significa che si mette come *obiettivo*, come scopo.

Il gruppo di clienti (dall'inglese *packet*).

Questa espressione (che significa "di bell'aspetto") si trova solo nelle offerte di lavoro; è considerata "politicamente scorretta".

Il candidato è l'unico promoter in quella zona, cioè si escludono altri promoter.

Limitrofa significa "vicina"; è parola poco usata.

Si riferisce alla ricerca di personale.

Non sono i *clienti* ma i *collaboratori* che vengono selezionati, cioè scelti.

Termine che si usa negli avvisi di lavoro e significa "di tutti e due i sessi".

Iniziare un lavoro; un *imprenditore* è chi crea o gestisce un'azienda, rischiando i propri soldi (il *capitale*).

La *formazione* è teorica, l'*addestramento* è operativo, pratico.

Essere *predisposti* significa essere preparati e bravi a fare qualcosa.

Società a responsabilità limitata: un tipo di società di piccole dimensioni.

Parola tipica delle offerte di lavoro significa "muniti di auto", cioè persone che hanno una macchina.

Chi produce molto, cioè porta nuovi clienti, riceve un *bonus*, un "premio in denaro".

Spesso nell'italiano commerciale trovi il plurale delle parole inglesi, ma è un errore.

Il marketing può essere *indiretto*, come la pubblicità, o *diretto*, se parla direttamente a singole persone o aziende.

ZANON PROMO CERCA PROMOTERS E FUND RAISERS		
▸ Verona, Padova, Venezia ▸ Pubblicata 17 gg fa ▸ Stipendio: 600€ netti al mese + bonus produttività ▸ Esperienza in ambito promozionale ▸ Tipo di offerta: altro tipo di contratto ▸ Titolo di studio minimo: laurea triennale	**Descrizione** Zanon Promo - società di marketing diretto, che collabora con varie **ONG** di fama internazionale garantendo la promozione e la ricerca di sponsor - per rispondere alla crescente richiesta di interventi ha deciso di investire su giovani ambiziosi e motivati, da inserire e formare in azienda. Il candidato ideale è collaborativo, motivato e ha eccellenti competenze comunicative e organizzative, al fine di raggiungere i propri obiettivi professionali e personali. Richiediamo disponibilità immediata su Verona e giornata completa.	**Tipo di industria per questa offerta** SpA **Dipartimento** Marketing e vendita **Livello** Incaricato promozione e ricerca sponsor **Numero di posti vacanti** 1

Organizzazioni Non-Governative; corrisponde a NGO in inglese.

Spendere del denaro per far crescere un'azienda, capitali in Borsa o, qui, persone.

Il candidato lavorerà 8 ore al giorno.

Giovani che vogliono fare carriera e che hanno un'ambizione, un progetto forte per la loro vita.

Una persona *disponibile* è pronta, e in questo caso deve essere pronta *immediatamente*, subito.

Società per Azioni, molto spesso presenti in Borsa.

2 A quale offerta di lavoro si riferiscono queste coppie di *domande / risposte*?

a. ○ GREENPEACE ○ HUMANITY GROUP ○ ACERBI & CO. ○ ZANON PROMO

- Voi chiedete una disponibilità immediata, ma io sto finendo uno stage, e mi mancano ancora 12 giorni...
- Se lei non può prendere servizio subito temo che non sia possibile...
- Mi scusi: mi avete chiamato perché il mio CV, come avete detto, è perfetto. Se io non potessi venire subito, *io* perderei un posto... ma *voi* perdereste una persona che, come mi ha detto poco fa, è perfetta per questo lavoro...
- Capisco il suo punto di vista... Adesso sento il responsabile delle Risorse Umane.

b. ○ GREENPEACE ○ HUMANITY GROUP ○ ACERBI & CO. ○ ZANON PROMO

- Quanto tempo dura l'incarico a tempo determinato?
- Al massimo 3 anni.
- Ma se un mese prima della fine del triennio voi mi **licenziaste**, io come potrei difendermi?
- Se la licenziassimo perché non ci serve più un promoter, lei non potrebbe fare niente; ma se poco dopo noi assumessimo un altro al suo posto, lei potrebbe farci causa.

Lavoro svolto mentre si studia; si legge alla francese, non all'inglese.

Incominciare il "servizio", il lavoro.

Chiedere un'informazione, un parere, un consiglio.

Licenziare significa mandare via un lavoratore da un'azienda.

Chiamare l'azienda in tribunale, di fronte a un giudice.

c. ◯ GREENPEACE ◯ HUMANITY GROUP ◯ ACERBI & CO. ◯ ZANON PROMO

Senza essere pagati.

▶ A me il volontariato interessa molto, per questo vi ho chiamato. E quindi non ho problemi a lavorare **gratis**... ma mi chiedo: se io avessi delle spese per poter fare bene la promozione, a chi potrei **chiedere il rimborso**?

Quando si fanno delle spese per l'azienda (benzina, hotel ecc.) si chiede all'azienda il *rimborso*, cioè di restituire al lavoratore i soldi spesi.

▶ Non può decidere *lei* se sostenere spese **per conto nostro**. Se però siamo *noi* che le chiediamo di andare in una città o in un ristorante dove c'è una festa ecc., allora le rimborsiamo tutto.

A nostro favore, a nostro nome.

d. ◯ GREENPEACE ◯ HUMANITY GROUP ◯ ACERBI & CO. ◯ ZANON PROMO

▶ Le telefono per quell'offerta online. Vedo che l'offerta è valida per tutt'Italia. Significa che cercate persone in tutt'Italia, o che io devo essere pronto a viaggiare in tutt'Italia?

▶ Non si preoccupi, significa che cerchiamo persone in tutt'Italia. Se lei sarà assunto, lavorerà in zone limitrofe alla sua città, ma se dovessimo aver bisogno in altre regioni, glielo chiederemmo...

▶ E vi **aspettereste** che io dicessi di *sì*...

▶ No, lei potrebbe accettare o rifiutare. Senza alcun problema.

Aspettarsi significa "immaginare che una persona faccia una data cosa".

3 **Fai una telefonata al tuo compagno, che lavora in una di queste aziende, e chiedigli spiegazioni su uno specifico aspetto dell'offerta di lavoro. Il tuo compagno poi farà la stessa telefonata a te.**

Analisi & sintesi

4 **In ognuno dei dialoghi dell'**ES. 2 **c'è almeno un periodo ipotetico, e in alcuni più di uno.**

a. Sottolinea tutti i periodi ipotetici.

b. Prova a cambiare la conseguenza, partendo sempre dalla stessa condizione iniziale, cioè dallo stesso *se*...

c. Completa questi periodi ipotetici in maniera spiritosa o allegra, se ti viene l'ispirazione.

1. Se un mattino io non potessi venire al lavoro? *Allora lei dovrebbe* ....
2. E se raccogliessi molti fondi e andassi in vacanza con quei soldi? *Allora lei* ....
3. E se decidessi che sono stanco del volontariato e volessi uno stipendio? *Allora* ....
4. E se dimostrassi che sono il più bravo promoter che avete mai avuto? ....

5 **Unisci ogni causa alla sua conseguenza, poi scrivi il numero dell'immagine che rappresenta il periodo ipotetico che hai trovato.**

1 2 3 4 5

CAUSA	CONSEGUENZA	IMMAGINE
1. Se quei signori, che hanno la mia età, fossero più intelligenti...	**a.** ... mi direbbe di mangiare di meno, ma poi dovrei andare da uno psicologo per curare la depressione...	◯
2. Se passasse una nave o una barca...	**b.** ... le farei un sorriso, mi darebbe qualcosa... e forse si innamorerebbe di me!	◯
3. Se fossi una top model...	**c.** ... non guarderebbero quelle ragazze di vent'anni solo perché sono giovani! Se sapessero che esperienza ho io...	◯
4. Se andassi da un medico...	**d.** ... la mia dieta avrebbe un senso... ma sono una ragazza normale, quindi è meglio che vada subito in pizzeria.	◯
5. Se passasse una signora ricca, bella...	**e.** ... mi metterei a gridare e salirei sull'albero... per farmi vedere userei anche le mutande come bandiera!	◯

P8 | Guardiamoci intorno

Inventarsi un lavoro, un lavoro creativo

NON IMPORTA
SE VAI PIANO,
L'IMPORTANTE È CHE
NON TI FERMI.
CONFUCIO,
IL GRANDE
FILOSOFO
CINESE

Se non hai un lavoro oppure il lavoro che fai ti rende triste, devi inventartene uno. Possibilmente creativo, che ti dia allegria e voglia di fare. Ecco alcuni consigli di Alessandro Nicoletti, il blogger di www.aprireazienda.com, adattati per un lettore straniero.

www.aprireazienda.com/**BLOG**

APRIRE AZIENDA

Come blogger, il mio compito è darti esempi di successo e strumenti pratici per motivarti ad andare avanti. La storia che ti racconto oggi è l'esempio pratico che **inventarsi un lavoro creativo è possibile**. Leggi bene: ho detto *possibile*, non *facile*. La motivazione di crearti un futuro migliore deve nascere dentro la tua mente, ma prima che la tua passione diventi una realtà economica devi prepararti a un lungo periodo di fatica. I risultati non arrivano subito: chi te li promette non è onesto.
Sei pronto a leggere una storia di successo?

Avere idee innovative non è poi così difficile, la cosa più importante è credere in quell'idea e non mollare mai, come insegna Confucio. Se investi in *conoscenza* e *lavoro*, nessuno ti impedirà di crearti un lavoro creativo.
Ci sono tre step per inventare il tuo lavoro creativo:

L'idea Se non hai idee da sviluppare non parte niente. Ma come fare per avere un'idea creativa? Osserva la realtà davanti a te, ascolta i commenti dei tuoi amici, guarda i comportamenti della gente, ascolta i tuoi bisogni. Viaggia, non necessariamente dall'altra parte del mondo. E se non puoi farlo fisicamente, fallo con la mente, studia.

La fattibilità L'idea è buona solo se è fattibile. Se vuoi aprire un ristorante sulla luna, probabilmente la tua idea è creativa ma non realizzabile. Come sapere se l'idea è fattibile? L'idea è fattibile se puoi tenere i costi iniziali bassi e se qualcuno è disposto a pagare per il tuo servizio o prodotto. Come fare per saperlo in anticipo? Fai un'analisi dei costi e poi chiedi ai tuoi amici di sborsare fisicamente dei soldi per il tuo prodotto. Su cento persone nessuno è disposto a pagare? Forse l'idea non è fattibile.

La decisione di arrivare dove vuoi arrivare Un'idea favolosa e fattibile ha bisogno di una forza decisa. E quella forza sei tu e nessun altro. Sei pronto ad anni di sacrifici e delusioni? Il coraggio di mettere in pratica la propria idea non è una qualità che tutti possiedono.
L'obiettivo più ambizioso del mio blog è trasformare un lettore indeciso in un imprenditore di successo. Voglio farti credere in te stesso, voglio che trovi la forza di portare avanti la tua vita in maniera autonoma. Tutto è possibile nella misura in cui tu credi che sia possibile.

Se apprezzi il mio impegno nel trovare informazioni ogni giorno, la sola cosa che ti chiedo è quella di rimanere in contatto con il blog *Aprire Azienda* tramite la pagina Facebook.
Grazie e buon business a tutti!

P9/Nove | Bandi e concorsi

Comprensione & produzione

1 Come ha fatto il tuo insegnante a diventare un insegnante di italiano?

Se vai a studiare nel centro linguistico di un'università italiana, trovi un CEL (un "Collaboratore ed Esperto Linguistico") che ha vinto un concorso per quel posto. Che cosa è un *concorso*? Certamente nel tuo Paese ci sono dei concorsi, quindi mentre leggi tutto ti risulterà chiaro, anche se le parole usate nei concorsi sono spesso molto particolari.

Qui sotto trovi le varie parti che compongono un concorso: leggi i testi e scrivi le parole che nella tua lingua corrispondono a quelle in neretto nei testi.

Quando si deve **fare una selezione**, cioè si deve scegliere una persona per un lavoro, si fa un ***bando***, cioè un documento pubblicato su un sito in cui si dice che si cerca una persona con certi ***requisiti***, cioè delle competenze e delle caratteristiche necessarie per fare quel tipo di lavoro.

....

....

....

I ***titoli*** sono la laurea, i corsi specialistici, le pubblicazioni, le ***certificazioni*** (tu conosci le certificazioni *linguistiche*, come A1, A2 ecc., ma ci sono anche le certificazioni *didattiche*, in cui si dichiara che una persona sa insegnare) ecc. Si inviano i titoli per **farli valere**, cioè affinché abbiano un valore.

....

....

....

Il bando indica che cosa deve essere scritto nella ***domanda***, cioè nella lettera in cui si scrivono i dati personali e si dichiara di **essere in possesso** dei requisiti richiesti; il bando dice anche che cosa si deve **allegare**, cioè mandare insieme alla domanda.

....

....

....

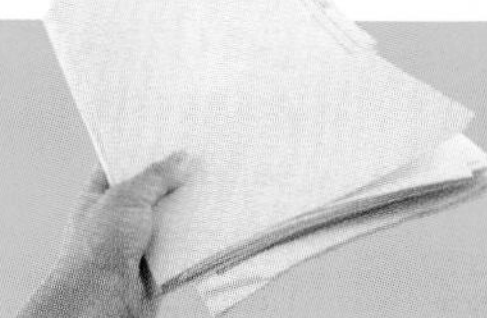

Gli allegati sono di solito il CV e le ***copie autentiche*** dei titoli di studio: alle copie deve essere unita una ***autodichiarazione***, cioè un testo in cui si dichiara che quelle fotocopie o quelle scansioni corrispondono ai documenti originali. Se una persona ha scritto articoli o libri che dimostrano la sua competenza, anche queste ***pubblicazioni*** possono essere aggiunte.

....

....

....

2 Un *concorso* è complicato... ma anche la vita è complicata!

Anche tu hai fatto certamente dei concorsi per essere ammesso a una scuola, per avere una borsa di studio ecc. Quali concorsi hai fatto? Come ti sei sentito?

a. Scrivi qualche appunto per prepararti a raccontare la tua esperienza alla classe, se l'insegnante te lo chiede.

b. A casa, scrivi un testo sui concorsi nel tuo Paese e sulla tua esperienza.

Chi **valuta** i titoli, cioè attribuisce un punteggio (dà dei punti) ai vari titoli? Una ***commissione***, cioè un gruppo di persone. Alla fine del lavoro di valutazione ogni ***candidato***, cioè ogni persona che partecipa al concorso, ha un punteggio, e sul sito si pubblica la ***graduatoria***, cioè l'elenco dei candidati in ordine, da chi ha più punti a chi ne ha meno.

....

....

....

Un concorso può essere per ***soli titoli***, quando la commissione valuta solo i titoli, oppure può esserci anche un ***colloquio***, cioè un incontro tra la commissione e i candidati.

....

....

....

3 **Il bando per diventare CEL di italiano in un Centro Linguistico.**

I bandi sono divisi in **articoli** e ogni articolo è diviso in **commi** indicati da numeri.
I primi articoli di un bando dicono che tipo di concorso è, quanti posti ci sono ecc. Poi ci sono i due articoli fondamentali per chi vuole partecipare al concorso, che indicano i *requisiti* e i *titoli* necessari.
Di solito il bando contiene un modello della *domanda*, dove basta scrivere i propri dati; la domanda va *prodotta*, cioè inviata per mail o per posta, *entro* una certa data (*entro* significa che non sono valide le domande che arrivano *dopo*).

Leggi i due articoli e trova questi dati.

a. Due requisiti che riguardano la formazione, cioè i titoli di studio:

....

....

....

....

b. Due requisiti che riguardano la competenza nelle lingue:

....

....

....

....

c. La domanda va in carta ○ libera, cioè normale ○ legale (o "bollata"), cioè ufficiale.

d. Se dichiari di avere un titolo (specializzazioni, esperienze lavorative, pubblicazioni ecc.) ma non alleghi la fotocopia (dichiarando che è una copia autentica), quel titolo ○ vale ○ non vale.

Art. 5 Requisiti generali di ammissione

1. Per l'ammissione alle selezioni sono richiesti i seguenti requisiti.
   a. Possesso di laurea magistrale in area umanistica o linguistica.
   b. Idonea qualificazione e competenza nello svolgimento di attività didattica nella lingua italiana (master universitario o certificazione di competenza didattica).
   c. Madrelinguismo. Sono considerati di madrelingua i cittadini italiani o stranieri che, per derivazione familiare o vissuto linguistico, abbiano la capacità di esprimersi con naturalezza in italiano.
   d. Capacità di esprimersi nella lingua inglese per necessità funzionali legate all'attività.
2. I predetti requisiti devono essere posseduti alla data di scadenza del termine utile per la presentazione della domanda.

Art. 6 Domanda e termini di ammissione alla selezione

1. Per partecipare alla selezione, i candidati devono produrre domanda entro il giorno (*data*) alle ore (*ore*).
2. Alla domanda, da redigere in lingua italiana e in carta libera, devono essere allegati:
   - la laurea, con certificato dell'Istituzione universitaria che ha rilasciato il titolo;
   - i titoli *post lauream* che si intendono far valere;
   - il *curriculum vitae*;
   - l'elenco dei titoli allegati.
3. In nessun caso possono costituire oggetto di valutazione titoli dichiarati nella domanda ma non allegati.

4 **Scrivi il tuo CV.**

Vai in rete e cerca "modelli di CV" oppure "CV europeo" e prova a compilarlo (*compilare* significa "scrivere su un modulo", "riempire un modulo").

europass Curriculum Vitae

INFORMAZIONI PERSONALI	**Giorgia Contini** Via Tasso 36, 00186 Roma (Italia) +39 06123456 +39 012345678 giorgia.contini@example.it giorgia.contini
OCCUPAZIONE DESIDERATA	Gestione risorse umane
ESPERIENZA PROFESSIONALE	
gennaio 2005 - alla data attuale	Assistente amministrativo Contini srl, via Tasso 38, Roma

Analisi & sintesi

Questa frase, in dialetto romanesco, chiede di parlare in modo naturale, "come mangi". Si usa questa frase, che è molto forte, quando si è arrabbiati con qualcuno che usa paroloni difficili e inutili.

5 **Rileggi i due articoli del bando (→ ES. 3) e usa la logica per cercare di capire l'italiano dei burocrati (che anche per gli italiani è difficile!).**

a. «Possesso di laurea magistrale»: nel mondo esistono tre livelli universitari, BA, MA, PhD. Secondo te la *laurea magistrale* a quale livello corrisponde? Basta osservare le iniziali della parola *magistrale*. .... Attenzione: la laurea magistrale corrisponde in inglese al *master's degree*; in italiano, invece, un *master* è un corso universitario di un anno che avvia alla professione, non una laurea. Come si dicono questi titoli nella tua lingua? ....

b. «Per derivazione familiare»: *derivare da qualcosa* significa "venire da qualcosa", quindi vuol dire che una persona è madrelingua perché ....

c. «Vissuto linguistico»: *vissuto* è il participio passato del verbo *vivere*, quindi significa che un madrelingua italiano ha .... per molto tempo in Italia.

d. «Predetti requisiti»: *predetti* è composto dal prefisso *pre-*, che significa ○ prima ○ dopo, e dal participio passato del verbo ...., quindi significa "....................".

e. «Data di scadenza del termine utile per...»: anche le medicine e le scatolette di tonno hanno una *data di scadenza*, cioè una data dopo la quale ○ puoi ○ non puoi usarle. Quindi il tempo *utile* per presentare la domanda *scade* a una certa ora: *terminare* significa ○ finire ○ incominciare ○ continuare. Se presenti la domanda entro quell'ora, hai fatto un lavoro ○ utile ○ inutile.

f. «Produrre domanda»: che sensazione ti danno le parole *produrre* e *produzione*? Qualcosa legato a "fare" o a "non fare"? Quindi una persona che "parla come magna" non dice *produrre domanda* (senza articolo, nello stile dei burocrati) ma dice ....

g. «Redigere in lingua italiana»: come si dice in italiano normale *redigere*? ....

h. «Titoli *post lauream*»: la forma *post lauream* è in latino; forse conosci *post* da espressioni come *post scriptum*, cioè qualcosa che viene scritto alla fine di una lettera, dopo la firma. Quindi *post lauream* significa ○ prima della laurea ○ dopo la laurea.

6 **L'analisi del linguaggio burocratico che abbiamo fatto nell'ES. 5 ti serve per capire l'AUDIO 9 (trovi la trascrizione online), in cui un italiano aiuta una ragazza inglese che vuole partecipare a un concorso come CEL di inglese.**

Dovresti essere capace di seguire bene il dialogo, tenendo sott'occhio i due articoli del bando (→ ES. 3). Ti conviene comunque ascoltarlo due volte, perché la lettura e il commento sono lunghi. A casa, usa la trascrizione per ascoltare ancora il dialogo.

Ricorda che, a differenza del bando che hai letto (→ ES. 5), questo è per la lingua inglese.

7 **A casa, usa l'AUDIO 9 CON PAUSE per registrare la tua voce insieme a quella degli attori e per fare un dettato: così aiuti la memoria!**

P9 | Guardiamoci intorno

Se potessi, eliminerei la burocrazia!

Tutti conosciamo questa verità: la burocrazia è come l'aria, è universale. Dove c'è vita organizzata c'è burocrazia. E dappertutto le persone "normali" si sentono impotenti davanti al burocrate. La burocrazia italiana non è delle peggiori: è lenta e complessa, ma ci sono Paesi in cui la burocrazia è ancora più lenta e più complessa.
Molti candidati prima delle elezioni politiche dichiarano: "Se vinco, ci sarà meno burocrazia"... e invece la burocrazia vince anche sui presidenti, sui ministri, sui governatori, perché solo i burocrati conoscono le *procedure*, cioè il modo di fare le cose secondo la legge e i regolamenti.
Talvolta la *procedura* ti obbliga a scrivere quattro volte i tuoi dati, il tuo indirizzo, il tuo codice fiscale... Allora tu chiedi: "Scusi, ma non basterebbe scriverlo una volta sola?". Il burocrate ti guarda con il sorriso che si usa con i bambini che non capiscono e dice: "No. L'articolo 369, comma 45, del regolamento di procedura dice che servono 3 copie per gli uffici; e poi ne serve una per me che controllo la domanda. Da sempre si fanno 4 copie, dovrebbe saperlo!". "Mi scusi ancora, ma... *da sempre si fa così*, come dice lei, andava bene in passato, ma oggi abbiamo i computer, le banche dati...". "Lo so, lo so... ma se lei non compila i 4 moduli, io non posso accettare la sua domanda perché manca una parte."

La burocrazia esiste in tutto il mondo e quindi i disegnatori di tutto il mondo fanno satira sui *burocrati*. Queste vignette vengono da varie parti del mondo, ma come vedi... il mondo della burocrazia è tutto uguale!

Scrivi il numero della vignetta a cui corrispondono queste battute o descrizioni.

- ◯ Al mondo tutto cambia, ma io no: qui sono e qui resterò per sempre!
- ◯ È facile. Adesso glielo spiego in due parole.
- ◯ È uno di questi fogli, era qui sul tavolo un minuto fa, adesso lo cerco.
- ◯ Per favore, mi faccia scrivere solo una volta i miei dati!
- ◯ Un burocrate è pericoloso, ma una commissione di burocrati è molto, molto più pericolosa.

P10 / Dieci | Se fossi..., se potessi..., se sapessi...

Se potessi scappare da questo ufficio andrei lontano... o forse anche vicino, a fare il contadino, il pescatore, il falegname... Ma questo sarebbe possibile se sapessi fare qualcosa di diverso da quello che so fare, cioè l'impiegato, il burocrate.
Io so leggere i regolamenti, scrivo i bandi, conosco le procedure, ma non so come usare gli attrezzi di un contadino o di un falegname, e a 40 anni non si imparano più queste cose.

Se potessi tornare indietro...

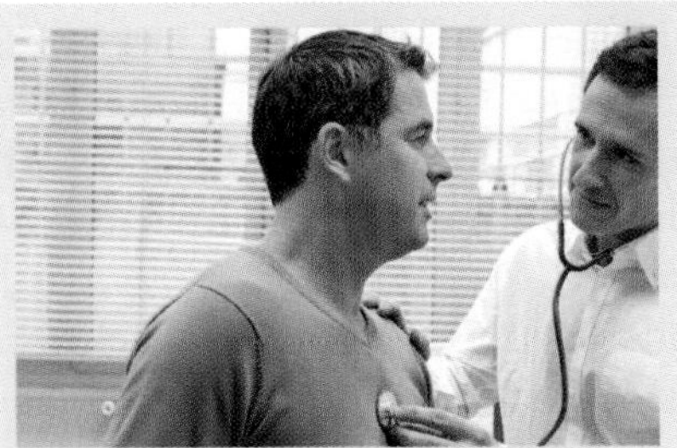

Se stessi bene mi piacerebbe ricominciare a fare sport, ma il medico dice che ho il cuore un po' debole. E poi lo vedo da solo che sono ingrassato. Se avessi un carattere più forte mangerei di meno e mi muoverei di più, ma sto seduto otto ore al giorno in ufficio e quando torno a casa gioco un po' con i bambini, poi chiacchiero un po' con mia moglie...
Da giovane correvo molto, a piedi e in bicicletta, ma quando mi sono sposato ho smesso... Sono stato stupido: potevo almeno andare in palestra!

Se potessi tornare indietro...

Se fossi un uomo ormai sarei un dirigente di alto livello, e invece sono un quadro intermedio. Faccio cose importanti, lavoro insieme a manager e dirigenti, ma mentre gli uomini fanno carriera, per una donna con un figlio e una famiglia la carriera è molto più difficile.
Se non fossi sposata... No, questo è un pensiero stupido: se sono brava come un uomo io ho tutto il diritto di essere sposata, di avere un figlio e di fare carriera.

Se entrassi in politica...

Se sapessi l'inglese, le telefonate con le aziende straniere non mi farebbero l'effetto che mi fanno adesso: *terrore*. Quando rispondo al telefono e sento *hello* comincio a sudare.
Potete dirmi: se tu fossi una donna intelligente andresti a fare un corso serale di inglese... Lo so, lo so benissimo... Ma alla mia età non ho più voglia di sedermi davanti a un banco e a un libro. Se andassi in Inghilterra forse sarebbe meglio che fare un corso serale, ma amo le vacanze in Grecia, in Africa, al sole...

Se tornassi indietro nel tempo...

Se fossi laureato non farei dei progetti che poi vengono firmati da un architetto. Ho lasciato l'università perché non avevo voglia di passare ore e ore a studiare la teoria dell'architettura e dell'arte: a me piaceva fare progetti, costruire case. Ma adesso non posso firmare i miei progetti perché non sono laureato.
Se non avessi 50 anni mi iscriverei di nuovo all'università, ma dovrei cambiare troppe cose nella mia vita.

Se potessi tornare indietro...

Se potessi fermarmi un po' vorrei sposarmi e avere due o tre bambini, avere una famiglia. Invece vedo il mio fidanzato quando posso, tra un viaggio e l'altro. Se facessi il conto delle ore che passo in aeroporto e in volo credo che mi metterei a piangere: ore fuori dal mondo vero, reale; ore in luoghi che sono uguali dappertutto, senza una personalità... Ho paura di perdere la mia personalità, con questa vita da donna di successo...

Se avessi il coraggio di lasciare questo lavoro...

Comprensione & produzione

1 Uomini e donne che lavorano.

Per ora non leggere i testi alla pagina precedente, guarda solo le foto.

a. Secondo te queste persone sono soddisfatte? Perché una persona che ha un lavoro può sentirsi depressa e insoddisfatta? Insieme alla classe, prova a trovare una ragione per ogni foto.

1. .... 4. ....
2. .... 5. ....
3. .... 6. ....

b. Leggi le frasi colorate che trovi alla fine di ogni testo: che cosa ti dicono queste frasi? Sulla base di quello che hai scritto nell'esercizio precedente, prova a immaginare i desideri di queste persone.

1. .... 4. ....
2. .... 5. ....
3. .... 6. ....

2 Ascolta le loro storie.

Non leggere ancora i testi: per ora ascolta solo gli audio. Leggi le parole chiave e cerca di capirle con l'aiuto dei compagni e la guida dell'insegnante. Dopo aver ascoltato ciascun audio, prendi appunti sulla ragione dell'insoddisfazione e sui desideri di queste persone; poi verifica quello che hai scritto nell'**ES. 1**.

AUDIO 10

attrezzi • contadino • falegname

....

AUDIO 13

fare un effetto • terrore • sudare

....

AUDIO 11

chiacchierare • smettere • stupido

....

AUDIO 14

progetto • architetto • firmare

....

AUDIO 12

dirigente • quadro • fare carriera • entrare in politica

....

AUDIO 15

fidanzato • fare il conto • mettersi a piangere

....

3 Adesso ascolta ancora queste persone nell'AUDIO 16 e leggi i testi che trovi alla pagina precedente. A casa potrai ascoltare l'AUDIO 16 CON PAUSE ripetendo le frasi e registrando la tua voce e quella dello speaker, per fare un confronto.

Analisi & sintesi

4 **Rileggi i testi alle pagine precedenti e sottolinea tutti i periodi ipotetici.**

Questo esercizio ti aiuta a capire la struttura del periodo ipotetico che abbiamo studiato in P7, ES. 5:

- prima c'è il modo ...., che riconosci per la forma *-assi*, *-essi*, *-issi*, ecc.;
- dopo c'è il modo ...., che riconosci per la desinenza *-arei*, *-erei*, *-irei*, ecc.

5 **L'ordine cambia il significato.**

SE POTESSI TORNARE INDIETRO, NON GLI **DIREI** NIENTE...

NON LE **DIREI** NIENTE, **SE POTESSI** TORNARE INDIETRO...

Nella maggioranza dei casi trovi la sequenza della ragazza: ***se* + congiuntivo + condizionale**.
Ma nelle parole del ragazzo, il condizionale viene prima: ***se* + condizionale + congiuntivo**.

Il significato delle due frasi è leggermente diverso: per la ragazza la cosa importante è *Se potessi tornare indietro*, invece per il ragazzo è *Non le direi niente*.

A proposito: ricordi perché c'è questa differenza?

- *non **gli** direi niente* → si usa .... perché ....
- *non **le** direi niente* → si usa .... perché ....

6 **Completa i racconti che hai trovato alle pagine precedenti: secondo te che cosa farebbero queste persone se potessero tornare indietro?**

Preparati a rispondere se l'insegnante te lo chiede.

7 **Se fossi un fiore, che fiore saresti?**

A gruppi, uno dopo l'altro, fatevi domande come quella del titolo, ma cambiando (un fiore, un colore, un mezzo di trasporto...); bisogna rispondere con la frase completa, per esempio *Se fossi un fiore sarei una rosa*.
Non si possono ripetere le stesse domande. Quando uno non sa più che domande fare viene eliminato. I vincitori di ogni gruppo fanno una sfida finale di fronte alla classe.

Se tu sapessi tutti i modi di dire con se... saresti un madre lingua italiano

- **domandare all'oste se ha buon vino**: significa fare una domanda inutile perché l'oste (le *osterie* erano i *bar* e l'*oste* era il *barista*) risponderà sempre *sì*
- per dire che il futuro è incerto puoi usare queste frasi:
  - **se il diavolo non ci mette la coda!**: nelle pitture antiche il diavolo ha la coda da serpente: se non ci mette la coda, tutto andrà bene
  - **se non casca il mondo**: tutto andrà bene se non succedono cose terribili
  - **se Dio vuole**: si usa soprattutto al Sud dopo un verbo al futuro; ha lo stesso significato dell'arabo *inshallah* e dello spagnolo *si Dios quiere*
- **se la montagna non viene a Maometto...**: questa è solo la prima parte del proverbio, che continua così: *Maometto va alla montagna*; significa che quando è necessario bisogna saper modificare le proprie strategie
- **che io possa morire se...**: significa "sto dicendo la verità, che io possa morire se non è vero"
- **se non è zuppa è pan bagnato!**: nel centro Italia *zuppa* e *pan bagnato* sono due nomi che indicano la stessa minestra: anche se si cambia nome, non cambia la realtà
- **senza *se* e senza *ma***: si farà una cosa senza mettere condizioni (*se...*) e senza trovare problemi (*ma...*)

P10 | Guardiamoci intorno

Quando arriva il vento, alcuni costruiscono rifugi, altri costruiscono mulini a vento

Questo proverbio cinese, insieme alle citazioni di autori di tutto il mondo che trovi qui a fianco, ti dice che in ogni cultura è difficile cambiare, pensare che si può avere una vita diversa, che bisogna essere pronti a cogliere ogni novità con la mente aperta, come chi costruisce un mulino a vento.
L'Italia è un Paese diviso per quanto riguarda il cambiamento.
Una parte della popolazione non ama cambiare, vive nel ricordo dell'Italia come era prima della crisi iniziata nel 2008, e dà la colpa di tutto quello che è successo alla globalizzazione e all'immigrazione: di fronte al grande *vento* del XXI secolo, si nasconde in un rifugio pensando che prima o poi la tempesta passerà.
Un'altra parte della popolazione invece, soprattutto tra i giovani, si apre alla globalizzazione e alle nuove forme di creazione, di produzione, di commercio, e quindi crea piccole aziende, *start up* innovative. Molti di questi giovani, quasi sempre con una laurea o un dottorato, emigrano verso altri Paesi europei, dove l'economia è più aperta alle novità e la burocrazia è meno forte: questo fenomeno viene chiamato *fuga dei cervelli*.
Negli ultimi anni c'è una guerra tra queste "due Italie", ma lentamente l'Italia innovativa, che vuole cambiare il modo di guardare al passato e al futuro, *pare* stia vincendo.

Cominciate col fare ciò che è necessario, poi fate ciò che è possibile. E all'improvviso **scoprirete**[1] che sapete fare l'impossibile.

(San Francesco d'Assisi)

Sono convinto che anche nell'ultimo **istante**[2] della nostra vita abbiamo la possibilità di cambiare il nostro **destino**[3].

(Giacomo Leopardi)

Non è la **specie**[4] più forte che **sopravvive**[5], e nemmeno quella più intelligente: sopravvive la specie che risponde meglio al cambiamento.

(Charles Darwin)

Ogni cambiamento, anche se è molto desiderato, ha le sue tristezze, perché quello che si lascia è una parte di noi: bisogna morire a una vita per entrare in un'altra.

(Anatole France)

Girando sempre su se stessi, vedendo e facendo sempre le stesse cose, si perdono l'abitudine e la possibilità di far muovere la propria intelligenza. Lentamente tutto si chiude, si indurisce e **si atrofizza come un muscolo**[6].

(Albert Camus)

La persona dalla **mente poco stimolata**[7] ha paura del cambiamento. Per lui, una nuova idea è il dolore più grande.

(Martin Luther King)

Non sempre *cambiare* significa *migliorare*, ma per *migliorare* bisogna *cambiare*.

(Winston Churchill)

La logica vi porterà da A a B. L'immaginazione vi porterà dappertutto.

(Albert Einstein)

1. **scoprirete**: vedrete, troverete.
2. **istante**: momento, secondo.
3. **destino**: vita.
4. **specie**: gli animali e le piante sono divisi in gruppi che hanno le stesse caratteristiche: sono le *specie* (il singolare e il plurale sono uguali).
5. **sopravvive**: continua a vivere anche se il mondo cambia.
6. **si atrofizza come un muscolo**: se non vengono usati, i *muscoli* (cioè la parte che produce i movimenti del corpo) diventano duri e *si atrofizzano*, cioè diventano più piccoli e deboli.
7. **mente poco stimolata**: se la *mente* non riceve stimoli, cioè richieste di fare qualcosa, è *poco stimolata*.

Il piacere dell'italiano | 3

La letteratura sa giocare con le ipotesi impossibili

Il sonetto è una poesia di 14 versi che nasce nell'Italia del Duecento. Questo che stai per leggere è un sonetto del Duecento, quindi proprio dei decenni in cui nasceva questa forma letteraria. È un testo difficile, ma puoi leggerlo perché ti aiuteremo noi.

Questo sonetto è stato scritto da Cecco Angiolieri (1260 ca-1312), amico di Dante Alighieri, che viene considerato come il primo poeta "romantico", sempre in lotta con tutti per difendere le sue idee. Certamente questo sonetto può farti capire perché Cecco Angiolieri è stato visto come il primo grande ribelle della letteratura italiana.

Molti versi della poesia iniziano con *s'i' fosse*, che nell'italiano del Duecento era la forma toscana di "se io fossi". Puoi ascoltare il sonetto nell'AUDIO 17.

S'i' fosse **foco**, **ardere'** il mondo;	fuoco brucerei
s'i' fosse vento, **lo tempestarei**;	solleverei sul mondo una grande tempesta, un uragano
s'i' fosse acqua, i' **l'annegherei**;	lo farei morire sotto acqua
s'i' fosse Dio, **mandereil'en profondo**;	lo manderei nella profondità della Terra
s'i' fosse papa, **serei allor giocondo**,	allora sarei allegro
ché tutti **cristïani embrigarei**;	farei litigare tutte le persone
s'i' fosse imperator, **sa'** che farei?	sai
a tutti **mozzarei lo capo a tondo**.	taglierei la testa, li ucciderei
S'i' fosse morte, **andarei** da mio padre;	andrei
s'i' fosse vita, **fuggirei** da lui:	scapperei lontano
similemente faria da mi' madre,	e farei la stessa cosa
S'i' fosse Cecco, **com'i' sono e fui**,	come sono e come sono sempre stato
torrei le donne giovani e **leggiadre**:	prenderei belle
le vecchie e **laide lasserei altrui**.	le brutte le lascerei agli altri

Come vedi dagli ultimi versi, questa poesia è più un gioco da giovani studenti che un progetto di vita, ma questo sonetto è comunque la dimostrazione che i secoli passano, ma certi stati d'animo, certi modi di pensare o di ridere, sono sempre gli stessi. Nel 1968, gli anni della "rivoluzione giovanile" del secolo scorso, il più grande dei cantautori italiani, Fabrizio de André, ha trasformato questo sonetto in una canzone famosa con lo stesso titolo. Puoi trovarla facilmente in rete.

1. **C'è qualche poeta o qualche poesia dello stesso tipo nella letteratura del tuo Paese?**

   ....

2. **Secondo te, queste parole scritte 700 anni fa potrebbero essere scritte ancora oggi?**

   ....

3. **Prova a tradurre il sonetto nella tua lingua, cercando di conservare il ritmo e, se puoi, anche la rima.**

   ....

   ....

E anche le canzoni possono essere "ipotetiche"

Come sai, queste pagine non vogliono insegnarti la grammatica, ma darti il piacere di ascoltare e leggere testi in italiano. Siccome abbiamo lavorato molto sulle ipotesi, eccoti alcune canzoni basate sul *se...*
Sono tutte canzoni famose: in rete puoi trovare i testi completi (forse dovrai usare il dizionario...) in modo da poterle ascoltare con calma a casa, solo per *il piacere dell'italiano.*
Prova anche a tradurre queste strofe, ma conserva il ritmo, per poterle cantare sulla musica originale.

Nella tua lingua ci sono canzoni che parlano di desideri in questo modo?

Mille lire al mese

Se potessi avere mille lire al mese,
senza esagerare[1], sarei certo di trovar tutta la felicità!
Un modesto impiego[2], io **non ho pretese**[3],
voglio lavorare per poter **alfin**[4] trovar tutta la tranquillità!

Una casettina in periferia, una mogliettina
giovane e carina, **tale e quale come te**[5].
Se potessi avere mille lire al mese,
farei tante spese, comprerei fra tante cose
le più belle che vuoi tu!

1. **senza esagerare**: non esagero, non racconto una cosa più grande di quella che è.
2. **Un modesto impiego**: un lavoro di medio livello.
3. **non ho pretese**: non desidero cose grandi.
4. **alfin**: alla fine.
5. **tale e quale come te**: proprio come te.

Mille lire al mese è una canzone scritta nel 1938 da Carlo Innocenzi e Alessandro Sopranzi. Inizia con una strofa (che puoi trovare in rete e che qui non è riportata) in cui si racconta la delusione di dover vivere in difficoltà («campar in disdetta»), sempre senza soldi («in bolletta»), e poi arriva il famoso ritornello, che molti conoscono in Italia e che qualche anno fa è stato trasformato in *Mille euro al mese*.
In rete trovi la classica versione di Milly (Carla Mignone). Una versione moderna, del 2011, è stata fatta da Patty Pravo.

Se bastasse una canzone

Se bastasse una bella canzone
a far piovere amore,
si potrebbe cantarla un milione,
un milione di volte.
Bastasse, **già**[1]; bastasse, già
non ci vorrebbe poi tanto[2]
a imparare ad amare di più!

Se bastasse una vera canzone
per convincere gli altri,
si potrebbe cantarla più forte
visto che **sono in tanti**[3].
Fosse così[4], fosse così
non si dovrebbe **lottare**
per farsi sentire[5] di più.

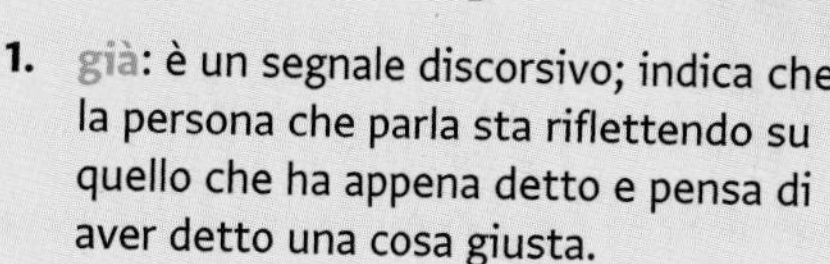

1. **già**: è un segnale discorsivo; indica che la persona che parla sta riflettendo su quello che ha appena detto e pensa di aver detto una cosa giusta.
2. **non ci vorrebbe poi tanto**: non servirebbe molto tempo.
3. **sono in tanti**: gli *altri* sono tantissimi, quindi bisogna cantare con voce più alta.
4. **fosse così**: se questo fosse vero.
5. **lottare per farsi sentire**: fare tanta fatica, combattere, per farsi ascoltare.

Eros Ramazzotti ha scritto questa canzone nel 1990, ma la versione più famosa, che trovi in rete, è del 1997. Trovi anche una versione cantata insieme a Luciano Pavarotti.

E se domani

E se domani io non potessi rivedere te,
mettiamo il caso[1] che ti sentissi stanco di me
quello che basta all'altra gente non mi darà
nemmeno l'ombra della perduta felicità.

Se tefonando

Se telefonando io potessi dirti addio ti chiamerei.
Se io rivedendoti fossi certa che **non soffri**[2] ti rivedrei.
Se guardandoti negli occhi sapessi dirti "basta" ti guarderei.
Ma non so spiegarti che il nostro amore appena nato è già finito.

1. **mettiamo il caso**: facciamo l'ipotesi.
2. **non soffri**: non stai male, non senti dolore.

Queste sono due canzoni diverse, ma è stata Mina, una delle più grandi cantanti italiane, a farle diventare famose.

E se domani (di Giorgio Calabrese e Carlo Alberto Rossi, 1964) è una canzone semplicissima e bellissima. In rete trovi la prima esecuzione dal vivo del 1965, ma ne trovi molte anche successive e tradotta in varie lingue.

Se tefonando (1966) è una canzone molto più complessa, con le parole di Maurizio Costanzo e la musica di Ennio Morricone, uno dei più grandi compositori di musica per film. In rete trovi la canzone con i sottotitoli, ma trovi anche il video originale. Nel 2015, Nek ha fatto una nuova versione della canzone: il video, che puoi vedere mentre ascolti, è ambientato a Verona.

P11/Undici | Un colloquio di lavoro

Comprensione & produzione

PAROLE CHIAVE

- **anziché**: modo formale di dire "invece di"
- **anzitutto, in secondo luogo, inoltre, alla fine**: queste parole indicano la successione di argomenti in un discorso; *anzi* è un modo antico per dire "prima", quindi *anzitutto* significa ....; *inoltre* indica che si aggiunge qualcosa; qui trovi *alla fine*, ma in un testo più formale si preferisce usare *infine*
- **ragionare**: riflettere, usare la ragione, pensare
- **Confindustria**: è l'associazione delle industrie italiane, delle aziende che producono. Gli artigiani hanno *Confartigianato*, i commercianti hanno *Confcommercio*: *conf* è l'abbreviazione di *confederazione*, cioè *associazione*
- **pregi / difetti**: qualità positive e negative
- **testardaggine, testardo**: la *testardaggine* è la tendenza a seguire le proprie idee fino in fondo, la difficoltà nel cambiare idea; indica poca flessibilità

1 Dopo un bando, i migliori candidati vengono chiamati per un colloquio di lavoro.

Francesca ha visto un annuncio su un giornale, in cui un'azienda scrive che vuole assumere personale di un certo tipo. Francesca pensa di avere le caratteristiche giuste e quindi ha fatto la sua domanda, ha inviato il CV e adesso sta facendo il colloquio con il direttore del personale.

a. Discuti questi punti, prima con il tuo compagno e poi con la classe.

1. Se tu pensassi di fare domanda di lavoro in un'azienda, penseresti prima ai tuoi bisogni o a quelli dell'azienda?

   ....

2. Se cercassi un'azienda che ha bisogno di te, dove potresti trovare le informazioni?

   ....

3. Se ti chiedessero il maggior pregio e il peggior difetto del tuo carattere, che cosa risponderesti?

   ....

b. Ascolta l'AUDIO 18 (senza leggere il testo qui sotto, se vuoi imparare a comprendere!) e confronta le tue scelte con quelle di Francesca.

2 Leggi il testo della conversazione e riascolta l'AUDIO 18 per una verifica della lettura.

di quanto

Nei comparativi, se il secondo elemento è un verbo, è introdotto da *di quanto* ed è al congiuntivo.

Direttore Bene, vedo che le sue esperienze lavorative sono più interessanti di quanto si possa capire dal *curriculum vitae*. Ma vedo anche che se lei venisse a lavorare da noi, dovrebbe cambiare il suo modo di organizzarsi... mi chiedo perché lei abbia scelto di venire da noi anziché cercare in aziende come quelle con cui ha collaborato in questi anni.

Francesca Anzitutto, se non cercassi nuove sfide mi sentirei vecchia... In secondo luogo, le aziende con cui ho collaborato fino a oggi sono piccole. Non possono crescere, quindi non posso crescere neanche io. Inoltre, io cerco un posto stabile, non voglio più contratti a tempo come quelli che ho avuto finora.

Direttore Ma perché proprio *noi*?

Francesca Mi spiego. Non ho cercato un nuovo posto di lavoro con questa logica: "Io ho bisogno di un lavoro stabile, cerco un posto adatto alle mie competenze". Se avessi scelto in questo modo, sarei stata una delle tante candidate, in mezzo ad altri mille candidati per quel posto...

Direttore E allora, come ha ragionato?

Francesca Mi sono detta: "Devo cercare un'azienda che abbia bisogno di una come me, con le mie competenze, con il mio carattere". Cioè: io ho bisogno di loro, ma se anche loro hanno bisogno di me, è meglio. Ho studiato in rete alcune aziende, ho cercato dati sul sito di

	Confindustria. Mi pare che questa sia l'azienda che ha più bisogno di me. E sentirsi utili è importante, ci fa star bene.
Direttore	Capisco... Cambiamo argomento, per ora. Dunque. Ogni persona ha pregi e difetti. Quale pensa che sia il maggior pregio del suo carattere?
Francesca	Sono testarda. Se mi metto in testa che si può arrivare al punto *x*, non mi fermo fino a quando, alla fine, arrivo al punto *x*. **Anche se** dovessi lavorare 24 ore di fila.
Direttore	E il suo difetto peggiore?
Francesca	Lo stesso di prima: sono testarda. Certe volte, se qualcuno non mi ferma spiegandomi che il punto *x* è impossibile da raggiungere, rischio di non capirlo, e continuo continuo continuo...
Direttore	Pregio e difetto uguali... interessante! Torniamo alla ragione per cui, secondo lei, noi abbiamo bisogno di lei...

anche se

In italiano formale *anche se* è spesso seguito dal congiuntivo.

3 **Ascolta l'AUDIO 19 (trovi la trascrizione online) e scrivi vicino a ogni foto il numero della conversazione corretta.**

Ognuno usa strategie personali per svolgere un compito. Come hai ragionato per accoppiare foto e conversazioni? Confronta la tua strategia con quelle dei tuoi compagni: le strategie che hanno portato a quattro risposte giuste sono migliori delle altre.

Riascolta e ripeti le conversazioni nell'AUDIO 19 CON PAUSE.
Per aiutarti leggi le parole chiave.
Alla fine, l'insegnante chiederà ad alcuni di voi di riassumere i dialoghi, così potrete verificare se avete capito tutto bene.
A casa puoi ascoltare e ripetere ancora queste conversazioni.

PAROLE CHIAVE

- **esperto**: chi conosce molto bene una cosa o un argomento
- **il fatto è**: segnale discorsivo che introduce una spiegazione
- **persona riflessiva**: persona che riflette prima di prendere decisioni
- **primi tempi**: primi mesi
- **pendolare**: lavoratore che viaggia ogni giorno tra casa e luogo di lavoro
- **schiacciare**: *essere schiacciati* significa trovarsi tra due forze che ci costringono in uno spazio piccolo, scomodo
- **complimenti!**: espressione di apprezzamento; significa che è stata fatta una cosa molto intelligente
- **realizzarsi**: trasformare in realtà i propri desideri personali e professionali

4 **Per memorizzare meglio quello che hai trovato...**

a. *Anzitutto*, recita il dialogo dell'ES. 2 con un compagno. Cercate di essere attori, di dare espressione ed emozione a quello che recitate.
b. *In secondo luogo*, usando anche quello che hai ascoltato nelle conversazioni dell'ES. 3, recita con un compagno un colloquio di lavoro. Se serve, prendete qualche appunto.
c. *Alla fine*, l'insegnante chiederà ad alcuni studenti di recitare i dialoghi davanti alla classe.

5 **Sei stato a un colloquio di lavoro.**

Scrivi una mail alla persona che vive con te, o con cui vorresti vivere, raccontando come è andato il colloquio e facendo progetti nel caso in cui ti assumessero.

Analisi & sintesi

SPERIAMO CHE IL CONGIUNTIVO FINISCA QUI!
E INVECE HO PAURA CHE CONTINUI...
MI PIACEREBBE CHE FINISSE SUBITO.
MI SEMBRA CHE SIA QUASI FINITO.
SONO CONTENTA CHE SIA QUASI FINITO.
PERÒ È BENE CHE IO LO IMPARI, È MEGLIO CHE IO STUDI DI PIÙ.
NON SO SE IL CONGIUNTIVO CI SIA ANCHE IN ALTRE LINGUE.
DICONO CHE USARE IL CONGIUNTIVO SIA CHIC!
COMUNQUE, CREDO SIA MEGLIO IMPARARLO!

6 Alcuni verbi che esprimono cose incerte, domande, opinioni ecc. preferiscono il congiuntivo.

a. Completa queste battute del dialogo (→ ES. 2).
1. Mi chiedo perché lei .... scelto di venire da noi.
2. Mi pare che questa .... l'azienda che ha più bisogno di me.
3. Quale pensa che .... il maggior pregio del suo carattere?

b. Nei fumetti ci sono alcuni verbi di:
1. sentimento: *sperare*, *avere paura* (sinonimo di *temere*), *essere contento / triste*, *piacere* (o *dispiacere*)
2. opinione: *sembrare* (sinonimo di *parere*), *credere*, *dire* usato all'impersonale (*si dice*, *dicono*), *essere bene / meglio / giusto / importante / peggio* ecc., *sapere* (ma solo al negativo).

Sono tutte occasioni in cui l'italiano formale vuole sempre il congiuntivo, mentre l'italiano informale o parlato in alcuni casi può anche usare l'indicativo, ma si rischia di fare una brutta figura...

7 Forse non te ne sei accorto, ma hai usato il congiuntivo passato.

- congiuntivo presente: *Credo che adesso lei **sia** incerta su come è andato il colloquio.*
- congiuntivo imperfetto: *Credevo che lei **fosse** sicura che il colloquio era andato bene.*
- congiuntivo passato: *Credo che **sia venuto** a Trieste ieri per paura di fare tardi stamattina.*

Trasforma queste frasi certe (con l'indicativo passato prossimo) in frasi incerte (con il congiuntivo passato).

a. Lui è andato da Maria. → *Spero che lui sia andato da Maria.*
b. Lui è andato a Napoli. → *Spero che lui* ....
c. Lui si è lavato bene le mani. → *Spero* ....
d. Lui la ha amata davvero. → *Credo* ....
e. Lui ha già pagato il conto. → *Penso* ....
f. Lui è già andato via. → *Mi pare* ....
g. Lui ha mangiato. → *Mi sembra* ....

Il congiuntivo passato

Il **congiuntivo passato**, come l'indicativo passato prossimo, si fa con il congiuntivo presente degli ausiliari ***essere*** (per i verbi intransitivi e riflessivi) e ***avere*** (per i verbi transitivi) + **participio passato del verbo principale**.

indicativo passato prossimo	congiuntivo passato
Ti dico che ***si è alzato***, (riflessivo) ***ha preso*** (transitivo) *la macchina* *ed **è andato*** (intransitivo) *al lavoro.*	*Spero che* ***si sia alzato***, (riflessivo) ***abbia preso*** (transitivo) *la macchina* *e **sia andato*** (intransitivo) *al lavoro.*

Il lavoro nei proverbi italiani

Una volta i proverbi erano un modo per educare i giovani, quando l'unica "scuola" era la vita quotidiana con i vecchi e i genitori: quindi ci sono moltissimi proverbi sul *lavoro*, che volevano insegnare ai giovani le cose fondamentali.

- **il meglio è nemico del bene**: se si vuole fare un lavoro perfetto, spesso non si riesce a finire in tempo
- **chi è svelto a mangiare è svelto a lavorare**: chi è veloce nell'andare a mangiare, deve essere veloce anche quando c'è da lavorare
- **molti cercan lavoro in quel paese dove si fanno trenta feste al mese**: c'è chi dice di voler lavorare, ma in realtà non ne ha voglia, quindi cerca posti di lavoro che non esistono
- **meglio saperne uno bene che trenta male**: bisogna essere professionisti in un lavoro piuttosto che dilettanti in molti lavori
- **chi semina raccoglie**: se si lavora bene (*seminare* è il lavoro dei contadini che mettono i semi nella terra) alla fine si raccolgono i frutti

P11 | Guardiamoci intorno

Prima, durante, dopo il colloquio di lavoro

Tutto incomincia con un giornale di *Avvisi* o *Offerte di lavoro*, dove trovi una proposta che ti interessa. Allora vai in rete, in uno dei tanti siti che insegnano a fare il CV (che non deve essere generico ma mirato a *quella* azienda, a *quella* occasione): fai il tuo, compili la domanda per un colloquio e la spedisci.
Qualche tempo dopo ti arriva una telefonata in cui ti dicono dove devi presentarti, in che data e a che ora. E qui incominciano i guai: ore e ore in rete sui siti che spiegano come comportarsi durante un colloquio di lavoro... E poi, quella mattina speciale della tua vita, devi vestirti. Cravatta? Giacca? *Casual*? Formale? L'importante è "niente di strano". Scegli una camicia bianca e un vestito, che sono formali, ma tu non metti la cravatta, così mostri che sai di essere solo un ragazzo e non un dirigente di mezza età. Mentre ti vesti, ti ripeti: "Devo stare sereno, devo stare sereno!"
Arrivi e trovi altre tre persone. Aspettate un po', parlando per far andar via la paura e tu spieghi la tua tecnica: continuare a ripetersi "Devo stare sereno, devo stare sereno!". Finalmente vi fanno entrare in una stanza dove inizia il colloquio di gruppo: vi fanno fare delle cose a coppie e poi in gruppo, per vedere se sai lavorare con gli altri, quali ruoli scegli, che personalità hai.
Poi arriva il colloquio individuale: hai paura, ma cerchi di stare calmo, di non sudare. Tieni le mani appoggiate alla cosce per paura che si veda che stai tremando... ("Devo stare sereno, devo stare sereno!") ma le due persone che ti fanno il colloquio sono dei professionisti, ti fanno rasserenare e così tu inizi a parlare di te, parli, parli... e quasi non riescono più a fermarti!
Tre giorni dopo arriva una telefonata... e siccome sei bravo, brindi con la tua ragazza e i tuoi genitori!

Sciogli la lingua: "Devo stare sereno, devo stare sereno!"

È la frase che si ripete il ragazzo del colloquio. Alla fine i due professionisti lo *rasserenano*, cioè lo fanno diventare sereno. *Sereno* significa "tranquillo" se parli di una persona; "senza nuvole" se parli del cielo.

C'è uno scioglilingua difficilissimo per chi ha problemi con la *s*. Prova a dirlo in fretta tre volte!

Sereno è, sereno sarà; se non sarà sereno, si rasserenerà.

P12/ Dodici | Com'è andata?

Comprensione & produzione

1 Fabio ha appena finito il colloquio di lavoro e telefona ad Anna, la sua fidanzata.

Leggi le *parole chiave* e poi cerca di immaginare che cosa possono dirsi Fabio e Anna.

PAROLE CHIAVE

- **giaguaro, tigre**: sono due animali della foresta, simili ai gatti ma molto più grandi. Per i nomi di animali che non hanno il genere si può aggiungere *maschio* o *femmina*.
- **zampata**: gli animali non hanno le *gambe* ma le *zampe*; una *zampata* è un colpo con una zampa.
- **essere terrorizzato**: il *terrore* è una paura molto, molto forte
- **salutarsi, darsi la mano, abbracciarsi, baciarsi, sposarsi**: questi verbi hanno due forme: una "normale" in cui saluti, baci, abbracci ecc. qualcuno; l'altra è riflessiva e unisce due persone: *ci siamo salutati* ecc.

a. Raccontando un colloquio di lavoro, chi potrebbero essere il *giaguaro femmina* e la *tigre maschio* pronti a dare una zampata a Fabio, terrorizzato?

....

b. *Salutarsi* e *darsi la mano*: tra chi, secondo te?

....

c. *Abbracciarsi*, *baciarsi* e *sposarsi*: tra chi, secondo te?

....

d. Viste le parole chiave, la sensazione di Fabio è che il colloquio sia andato bene o male?

....

e. Secondo te, alla fine di un colloquio ti dicono come è andato?

....

2 Ascolta l'AUDIO 20 e leggi il testo.

Anna	Pronto.
Fabio	Ciao Anna, sono io...
Anna	Fabio! Hai finito il colloquio? **Com'è andata?** Ti hanno detto qualcosa?
Fabio	Non mi hanno detto niente, ovvio, devono ancora fare altri colloqui... ma c'era una donna dai capelli rossi, molto bella...
Anna	E tu ti metti a guardare le belle donne durante un colloquio di lavoro?
Fabio	No... dicevo: alla fine mi ha fatto un sorriso e una specie di *sì* con la testa... Prima mi faceva paura, era un giaguaro femmina, sembrava pronta a *zac!*, darmi una zampata. Poi è diventata più dolce... L'uomo, invece...
Anna	C'era anche un uomo?
Fabio	Sì, erano in due. Se lei era un giaguaro femmina, lui era una tigre maschio, pronto a mordere e a uccidere.
Anna	Ma sei andato a fare un colloquio di lavoro o allo zoo?
Fabio	Ridi, ridi... ero terrorizzato. Un uomo dagli occhi freddi, senza un sorriso... *brrr*. Ma ho risposto a tutte le sue domande. Durante il colloquio cercavo di vedere me stesso da fuori, ho cercato di capire come mi muovevo, come parlavo, come stavo seduto, e questo mi ha aiutato, credo.
Anna	E alla fine?
Fabio	Alla fine ci siamo salutati, ci siamo dati la mano...
Anna	Ti sei abbracciato e baciato con il giaguaro femmina che si era tanto **addolcita...**
Fabio	Non essere stupida... non vedo l'ora di abbracciare e baciare te! Se mi assumono, ci sposiamo.
Anna	Ma anche se non ti assumessero... potremmo sposarci lo stesso, no?
Fabio	Ti amo.
Anna	Anch'io.

com'è andata?

Spesso si usa il femminile (*andata*) perché si sottintende *la cosa*, *la situazione*.

- *È andata bene*: ogni cosa ha funzionato bene
- *Me la sono vista brutta*: la situazione era brutta
- *Me la sono cavata bene*: ci sono riuscito

addolcire

Il **prefisso *a-*** serve per **creare verbi**, raddoppiando la consonante iniziale:
largo → **all***argare*, *lungo* → **all***ungare*, *profondo* → **app***rofondire*.

3 **Lavora sulla conversazione.**

a. Ascolta e ripeti l'**AUDIO 20 CON PAUSE**, poi recita il dialogo con il tuo compagno, cercando di essere un buon attore.
Infine, chiudi il libro e riascolta l'**AUDIO 20**: dovresti **essere in grado** di capire tutto.

b. A casa, scrivi una mail a un tuo amico raccontando come è andato il colloquio di lavoro.

essere in grado

Significa "saper fare", "essere capace".

4 **Gli usi della preposizione *da*.**

Osserva le parole sottolineate in azzurro nella conversazione (→ ES. 2). Tu sai bene che ***da*** indica il punto di partenza: *Vengo da Bologna*. Nella conversazione però hai trovato: .... *capelli rossi*, ... *occhi freddi*. Quindi *da* serve anche a indicare una qualità.

5 **Lei ha finito il colloquio e lui la aspetta in un bar.**

Dalla foto capisci che a lei pare sia andata bene. Leggi le *parole chiave* e poi, partendo da queste, cerca di immaginare che cosa possono dirsi i due ragazzi.

PAROLE CHIAVE

- **donna in carriera**: si usa per le donne che fanno *carriera* passando da impiegato a quadro e poi a dirigente
- ***avere tanto da* + infinito**: serve ancora tanto lavoro per essere capaci di fare qualcosa
- **stare zitti**: è il contrario di *parlare*; dopo l'infinito di *essere* o *stare*, l'aggettivo va al plurale: *essere capaci*, *stare fermi* ecc.
- **sparare**: le pistole e i fucili *sparano*, ma alcuni parlano così in fretta che "sparano" parole
- **stare da cani**: stare malissimo
- **esce la graduatoria**: viene pubblicata la graduatoria

6 **Ascolta l'AUDIO 21 e leggi il testo.**

Lui Erano in tanti nella commissione?
Lei C'era il direttore del personale, o meglio la direttrice, una donna in carriera, dal viso duro; un ragazzo che faceva da segretario, che chiaramente aveva ancora tanto da imparare; e poi due persone, un *lui* e una *lei*, che sono stati zitti per tutto il tempo. Ha sempre parlato la direttrice... "parlato"... in realtà non parlava: sparava domande brevi, brevissime.
Lui E tu hai risposto?
Lei Non mi sono lasciata **impaurire**. Sono rimasta calma. Ho detto a me stessa: "Sei preparata, sei brava, queste sono persone come te, non c'è da aver paura".
Lui Be', non è da te avere paura. E io penso che **non solo** sei preparata e brava, **ma anche**... bellissima!
Lei Grazie, amore mio... non credo di essere bellissima, adesso: sono stanca da morire, mi sento vuota... Dopo tutti questi giorni di stress, adesso non ho niente da fare fino a quando non sarà pubblicata la graduatoria... la cosa mi fa stare da cani!
Lui Adesso andiamo da Remigio e ci mangiamo una bella pasta, vedrai che le forze ti tornano... Quando esce la graduatoria?
Lei Giovedì, tra quattro giorni.
Lui E se tu vincessi il concorso... potremmo...
Lei ... potremmo pensare di mettere su casa?
Lui Ti amo. Se non avessi incontrato te, avrei perso la cosa più bella che ho.
Lei Se non fossi arrivato tu, la mia vita non avrebbe avuto alcun senso.

impaurire

Un prefisso per **creare i verbi partendo da nomi o aggettivi** è ***in-***, che davanti a p e b diventa ***im-***: *paura* → ***im**paurire*; *pasta* → ***im**pastare*; *buca* → ***im**bucare*; *buono* → ***im**buonire*.

non solo... ma anche

Poteva dire *sei brava e bellissima*, ma *sei non solo brava, **ma anche** bellissima* ha molta **più forza**.

7 Lavora sulla conversazione.

a. Ascolta e ripeti l'AUDIO 21 CON PAUSE, poi recita il dialogo con il tuo compagno, cercando di essere un buon attore. Infine, chiudi il libro e riascolta l'AUDIO 21: dovresti essere in grado di capire tutto.
b. Crea un dialogo (che potrete recitare a tutti) in cui racconti al compagno come è andato il colloquio.

8 Altri usi di *da*.

Completa queste espressioni che hai trovato nella conversazione (→ ES. 6).
a. Non c'è da .... paura: da + infinito sostituisce un relativo, "non c'è niente che faccia aver paura".
b. Non è da .... avere paura: in frasi come questa o come *da italiano*, *da fratello* ecc. significa "tipico di te, di un italiano, di un fratello".
c. Sono stanca da ....: "come se stessi per morire"; mi fa stare da ....: "come se fossi un cane".
d. Andiamo da .... e ci mangiamo una pasta: il nome è quello di un ristorante, è chiaro; da + (pro)nome di persona significa dove si va.

9 Osserva la foto.

Certo, non sembra una situazione allegra... Facciamo alcune ipotesi.
a. Queste tre persone sono parenti?
....
b. Secondo te, chi dei tre ha partecipato a un colloquio di lavoro?
....
c. Perché la signora anziana è triste?
....

10 Ascolta l'AUDIO 22 e leggi il testo.

PAROLE CHIAVE
- **estraneo**: che non fa parte di un gruppo
- **non farcela**: "non riuscire", "non essere capace"
- **era un po' casa tua**: "quasi" casa tua
- **mettersi a + infinito**: "cominciare a"

Moglie Due ore. Due ore. Non finivano mai... secondo me sono indecisi...
Marito Su, coraggio, non devi preoccuparti... non fanno un colloquio di più di due ore a un candidato debole. E poi è un posto da dirigente, uno stipendio da 5.000 euro al mese: è giusto che loro vogliano capire bene che tipo sei...
Moglie Certo, capisco... ma mi sento strana. Ascoltavo me stessa mentre parlavo e mi sentivo un'estranea: mi ascoltavo mentre raccontavo le mie esperienze, la mia carriera, e mi sembrava di parlare di un'altra persona. E poi... sono stata dirigente per quindici anni, e per quindici anni ero io che facevo le domande, che valutavo i candidati. E invece oggi ero seduta dall'altra parte del tavolo...
Figlia Mamma, loro sanno bene chi sei e che cosa hai fatto, sanno che hai perso il lavoro perché hanno spostato la fabbrica in Cina, non perché non eri brava...
Moglie Se avessi lasciato la fabbrica un anno fa, quando ho capito che volevano spostarla, avrei fatto la cosa giusta. Ma non ce l'ho fatta a lasciare tutto.
Figlia Mamma, sei entrata in quell'azienda dopo la laurea, sei partita come impiegata, poi sei cresciuta e cresciuta fino a diventare dirigente: era un po' casa tua, quella fabbrica.
Marito Comunque, amore mio, è impossibile tornare indietro, quindi guardiamo avanti. Se ti hanno tenuta a parlare per due ore, significa che sono interessati a te.
Moglie Speriamo... Sapete, è proprio brutto essere disoccupati a 55 anni. *Tanto* brutto!
Marito Sarebbe brutto se tu fossi sola. Invece ci siamo noi. Io sono qui con te, e ti voglio bene come il primo giorno.
Moglie Grazie, amore mio, se non ci fossi tu... credo che mi metterei a piangere...

11 Lavora sulla conversazione.

a. Ascolta e ripeti l'AUDIO 22 CON PAUSE, poi recita il dialogo con un tuo compagno, cercando di essere un buon attore. Infine, chiudi il libro e riascolta l'AUDIO 22: dovresti essere in grado di capire tutto.
b. Racconta a un tuo amico, il tuo compagno, che tua madre ha fatto un colloquio difficile e quando è tornata a casa era un po' triste. Create un dialogo e siate pronti a recitarlo davanti a tutta la classe.

12 **Osservava le parole sottolineate in azzurro nella conversazione (→ ES. 11).**

Come hai visto, *da* può introdurre anche:

a. la **destinazione**, l'**uso**, la **funzione** di qualcosa: un posto .... dirigente, una tazza .... tè, una macchina .... caffè;

b. un **prezzo**, un **peso**, una **misura**: uno stipendio .... 5.000 euro, un pomodoro .... mezzo chilo, una camminata .... dieci minuti.

Analisi & sintesi

13 **Completiamo il quadro del congiuntivo.**

congiuntivo	
presente *-are*: che io parli, che tu parli ecc. *-ere*: che io creda, che tu creda ecc. *-ire*: che io dorma, che tu dorma ecc. / che io finisca, che tu finisca ecc.	**imperfetto** *-are*: che io parlassi, che tu parlassi ecc. *-ere*: che io credessi, che tu credessi ecc. *-ire*: che io dormissi, che tu dormissi ecc.
passato *transitivi*: che io abbia mangiato, che tu abbia mangiato ecc. *intransitivi*: che io sia andato, che tu sia andato ecc. *riflessivi*: che io mi sia vestito, che tu ti sia vestito ecc.	**trapassato** *transitivi*: che io avessi mangiato, che tu avessi mangiato ecc. *intransitivi*: che io fossi andato, che tu fossi andato ecc. *riflessivi*: che io mi fossi vestito, che tu ti fossi vestito ecc.

14 **Adesso facciamo una sintesi del periodo ipotetico, partendo da quella di P7, ES. 5.**

PERIODO IPOTETICO DELLA REALTÀ

condizione: *possibilità* chiara e realistica

se **+ indicativo presente o futuro**

*Se vi **vedo** ancora insieme...*

*Se ci **vedrai** insieme...*

*Se lo **cerchi** / **cercherai** ancora...*

conseguenza

indicativo presente o futuro / imperativo

*... **faccio** un casino!*

*... tu **starai** calmo: decido io della mia vita!*

*... **vai** via! non **farti** più vedere!*

PERIODO IPOTETICO DELLA POSSIBILITÀ

condizione: *possibilità lontana*, quasi un'ipotesi

se **+ congiuntivo imperfetto**

*Se **perdessi** il lavoro...*

conseguenza

condizionale presente

*... mi **servirebbero** mesi per trovarne un altro.*

PERIODO IPOTETICO AL PASSATO (quindi impossibile perché il passato non si cambia)

condizione: *possibilità... impossibile*, irrealizzabile

se **+ congiuntivo trapassato**

*Se **avessi capito** che l'azienda andava in Cina...*

conseguenza

condizionale presente, oggi

*... oggi **sarei** già da un'altra parte.*

condizionale passato, un anno fa

*... **sarei venuta** via un anno fa.*

In italiano parlato puoi trovare l'indicativo:

a. Ipotesi possibile: *se **perdo** il lavoro, mi **servono** / **serviranno** mesi per trovarne un altro*

b. Ipotesi impossibile: *se **sapevo** che eri qui, **venivo** subito!*

Il piacere dell'italiano | 4

Italiani al lavoro

In queste pagine non leggerai, ma avrai il piacere di ascoltare e di capire quello che dicono queste persone che parlano del loro lavoro.
L'AUDIO 23 (trovi la trascrizione online) è unico, ma descrive le 10 foto che vedi in queste pagine. Potete fare una pausa tra una descrizione e l'altra, per ragionare tutti insieme su quello che avete capito.

Per ogni foto potete lavorare in questo modo: anzitutto, scrivete alla lavagna le parole che secondo la classe possono essere usate per parlare di quella foto; poi leggete le parole chiave che sentirete nell'audio e che potrebbero essere difficili: l'insegnante vi aiuterà a capirle.
Dopo aver ascoltato le dieci persone che parlano, separando con una pausa le varie storie, riascoltate l'audio senza interruzioni.

ANGELO, IL RAGAZZO TOSCANO CHE PRODUCE VINO

- coltivare
- raccogliere
- produrre
- vigneto
- facoltà di Agraria

Faccio il lavoro più bello del mondo...

Mio nonno, che aveva un grande vigneto e mi ha insegnato ad amare la terra...

A febbraio-marzo, quando i rami delle viti, che sembrano morti, si coprono di foglioline piccole e tenere, tutto ricomincia...

CECILIA E PATRIZIA, CHE FANNO LE ORECCHIETTE A BARI VECCHIA

- Bari vecchia
- medievale
- pugliese
- lavoro ripetitivo
- annoiarsi
- chiacchierare

Qui ci sono molti ristoranti, e noi prepariamo le orecchiette...

Dappertutto si trovano orecchiette seccate, ma qui noi le preferiamo fresche...

PASQUALE, IL CALABRESE CHE FA IL POLIZIOTTO A FIRENZE

- indagine
- omicidi
- arrestare
- assassini
- coscienza sporca
- terrorismo
- psicologia

Ho sempre desiderato fare il poliziotto, fin da bambino...

Ho scoperto che prima devi fare molta esperienza...

Sto facendo l'università, studio Criminologia...

RADAMES, IL MECCANICO DELLA MASERATI

- Modena
- emiliani
- romagnoli
- moto
- Ducati
- Radames
- Verdi
- Aida
- meccanico
- tenore
- Arena di Verona
- Rimini

Se guardate il motore, capite subito dove lavoro...

Noi emiliani amiamo le macchine: Ferrari, Maserati, Lamborghini sono fatte tutte qui...

Mi chiamo Radames. So che è un nome strano, ma Verdi è nato qui vicino e mio papà...

MARGHERITA, A CUI NON PIACE L'ARTE CONTEMPORANEA

- galleria
- Biennale
- classica
- rinascimentale
- istallazioni
- scoprono
- convegni

Lavoro in una galleria d'arte contemporanea a Venezia, la città della Biennale. Sembra il top, ma...

Sto conoscendo molte persone, molti studiosi di arte, molti critici, e piano piano loro stanno conoscendo me...

IL GENOVESE CHE TRA TRENT'ANNI VUOLE ESSERE L'ARMANI DEL MARE

- cantieri
- navi da crociera
- barche a vela
- motoscafi
- arredamento
- il top
- ingegnere
- operaio
- segreti
- legno
- alluminio
- progettare

Questi piccoli cantieri sono tra i più famosi al mondo: le nostre barche sono le Ferrari delle barche e lo stile dell'arredamento è il top del *made in Italy*...

Io sono un ingegnere, e qui non sto facendo l'ingegnere ma l'operario. Perché?, vi chiederete...

IL SALUMIERE CHE NON SA SE VOLEVA AVERE UNA SALUMERIA

- salumeria
- autonomo
- prendere in mano il negozio

Mio nonno aveva questa salumeria, poi...

Quando ho finito la scuola media, a 14 anni, sono entrato qui, ho imparato tutto su salumi, formaggi, salse, pâté...

Io vorrei avere più tempo libero, e presto chiederò a mio figlio...

I TRE STUDENTI E LA START UP

- Economia
- Ingegneria
- mentalità

Ormai è una realtà, siamo online, stiamo cominciando la promozione... Ci hanno già fatto molte interviste, la settimana prossima fanno un servizio sulla webTV più importante...

La nostra idea è semplice: se il tuo computer non funziona bene, ci chiami, e noi cerchiamo di aggiustarlo entrandoci via internet...

IL RITRATTISTA CHE VOLEVA DIPINGERE COSE DIVERSE

- tecnica
- disegnare
- schifezze
- ritratto
- laboratorio di restauro
- antichi
- mantenere

Ho fatto il liceo artistico, poi ho cercato di entrare nel mondo delle gallerie d'arte, ma il mio stile è troppo classico, non va bene oggi...

Non mi piace, ma è un lavoro sicuro: Roma è sempre piena di persone che vengono da tutto il mondo, e i clienti non mi mancano mai...

POTETE IMMAGINARE QUALCOSA DI PIÙ BELLO?

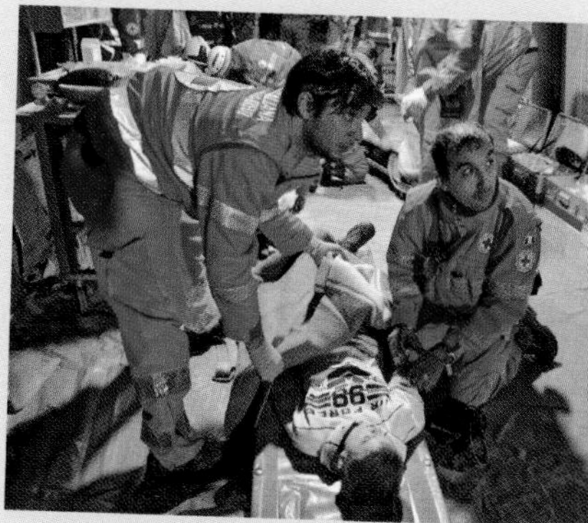

- enorme tensione
- infinita super-felicità
- persona ferita
- affetti
- collega
- adrenalina

La vita di un infermiere delle ambulanze è fatta di ore vuote e di ore anche troppo piene...

Se sbagliamo, è finito tutto... Se facciamo la cosa giusta, la vita continua...

Palestra di italiano

1 **Completa la storia di Alessandro e Sofia inserendo i verbi tra parentesi. Puoi scrivere i verbi anche nel cruciverba.**

Se Alessandro e Sofia (*avere*, 8 orizzontale) .... un po' più di soldi, (*volere*, 4 verticale) .... cambiare vita e andar via dalla periferia: (*cercare*, 6 orizzontale) .... subito una casetta in campagna, così Sofia (*potere*, 11 orizzontale) .... avere un giardino e Alessandro (*essere*, 2 verticale) .... libero di suonare la chitarra senza disturbare i vicini.
Se (*essere*, 1 verticale) .... un po' più ricchi... (*essere*, 10 orizzontale) .... bellissimo, ma non è così. Che fare, allora?
Alex (*dovere*, 9 verticale) .... anzitutto cambiare lavoro: se (*cercare*, 18 orizzontale) .... con più coraggio un nuovo posto e se (*parlare*, 15 orizzontale) .... un po' meglio l'inglese, (*avere*, 7 verticale) .... delle buone possibilità.
Sofia invece (*fare*, 13 orizzontale) .... la cosa giusta se (*aprire*, 5 orizzontale) .... un negozio di erboristeria, di piante medicinali, che lei (*potere*, 11 orizzontale) .... anche coltivare nel suo giardino, perché è davvero bravissima con le piante! Se (*avere*, 3 orizzontale) .... la forza per convincere Alex, (*essere*, 2 verticale) .... possibile!
Ma finora hanno sempre avuto paura di sbagliare.
Speriamo che in futuro (*essere*, 16 verticale) .... più coraggiosi, (*avere*, 14 verticale) .... la forza di rischiare, (*capire*, 17 orizzontale) .... che il futuro è nelle loro mani, (*trovare*, 12 verticale) .... amici che li aiutino a rompere con il passato.

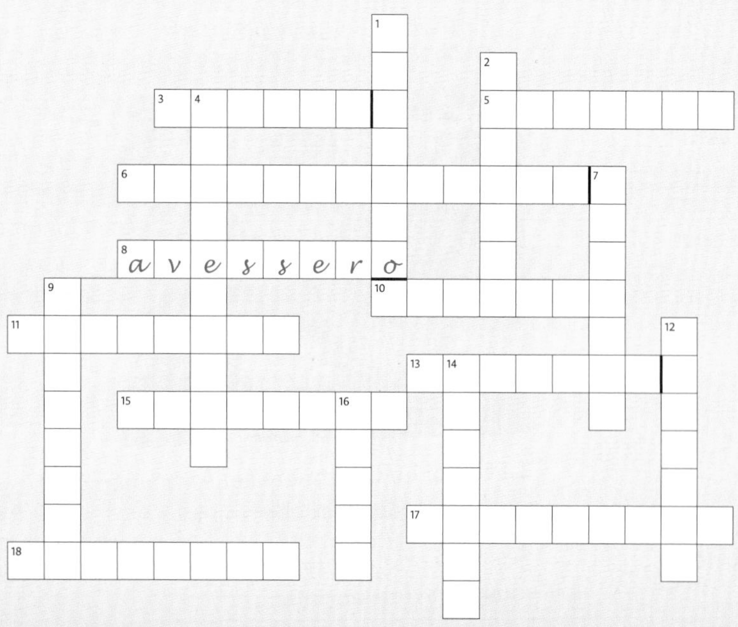

2 Trasforma queste ipotesi reali usando il futuro.

a. Se stasera *sono* a casa *posso* finalmente dormire in pace.
Se stasera sarò a casa potrò finalmente dormire in pace.

b. Se tu *vieni* da sola, *posso* dirti quello che penso di lui.

c. Se ci *sono* possibilità reali, *cerco* di venire.

d. Se tu *vai* alla partita, *vengo* volentieri.

e. Se io *posso*, ti *presto* i soldi che ti servono.

f. Se tu *vieni*, io ti *preparo* una buona cena.

3 A voce, trasforma le ipotesi dell'ES. 2 usando il congiuntivo e il condizionale.

In queste frasi le **ipotesi** sono **reali**: qui ti chiediamo di usare **congiuntivo + condizionale** perché in questo modo sono più formali, ma è corretto anche lasciarle al **presente** o al **futuro**.

a. *Se stasera fossi a casa potrei finalmente dormire in pace.*

4 Fai delle ipotesi possibili e impossibili usando il congiuntivo e il condizionale.

In queste frasi le **ipotesi** sono **possibili** (anche se non si realizzano facilmente) oppure sono **impossibili**: in questo caso devi usare per forza **congiuntivo + condizionale.**

a. io • dimagrire — usare • il vecchio abito blu
Se io dimagrissi, userei il vecchio abito blu.

b. tu • essere • più giovane — capire • i miei problemi

c. lei • essere • meno bella — avere • meno successo

d. noi • governare • l'Italia — dire no • al lavoro nero

e. voi • avere • più esperienza — capire • la mia preoccupazione

f. loro • vincere • alla lotteria — comprare • una casa

5 A voce, trasforma le ipotesi dell'ES. 4, mettendo prima la conseguenza e poi la causa.

a. *Userei il vecchio abito blu, se io dimagrissi.*

6 Trasforma le ipotesi dell'ES. 4 al passato.

a. *Se io fossi dimagrito, avrei potuto usare il vecchio abito blu.*
b. *Se tu fossi stato* ..., *avresti capito* ...
c. *Se* ..., *avrebbe* ...
d. ...
e. ...
f. ...

7 A voce, trasforma le ipotesi dell'ES. 10, mettendo prima la conseguenza e poi la causa.

a. *Avrei potuto usare il vecchio abito blu, se io fossi dimagrito.*

8 **Completa queste ipotesi... un po' assurde.**

Scrivi il nome di sei compagni.

1. .... **3.** .... **5.** ....

2. .... **4.** .... **6.** ....

Adesso completa queste ipotesi.

- Se 1 (*essere*) ....fosse.... un fiore, (*essere*) sarebbe ....
- Se 2 (*essere*) .... un colore, (*essere*) ....
- Se 3 (*venire*) .... dallo spazio, il suo pianeta d'origine (*essere*) ....
- Se 4 (*fare*) .... un esperimento chimico, (*diventare*) ....
- Se 5 (*essere*) .... uno strumento musicale, (*essere*) ....
- Se 6 (*essere nato*) .... mille anni fa, (*essere diventato*) ....

9 **Completa queste riflessioni sulla base di quello che ti suggeriscono le foto. Usa il periodo ipotetico.**

a. Se potessi fare un bel viaggio ....

....

....

b. Se vincessi la lotteria ....

....

....

c. Se trovassi il coraggio ....

....

....

d. Se avessi un lavoro sicuro ....

....

....

e. Se potessi cambiare una cosa al mondo ....

....

....

f. Se tornassi indietro nel tempo ....

....

....

10 **Completa le ipotesi di questo prof di italiano inserendo il congiuntivo imperfetto dei verbi irregolari tra parentesi; tra gli esercizi online trovi un cruciverba in cui puoi inserire questi congiuntivi.**

Se io (*stare*) ....stessi.... meglio, resterei a scuola per aiutare gli studenti; vorrei che loro (*fare*) .... gli esercizi con attenzione, che (*essere*) .... sicuri di quello che scrivono. Mi piacerebbe anche che tu, Angelo, che sei il più bravo, (*dare*) .... una mano a quelli che sono meno bravi, che tu (*essere*) .... più generoso... anzi. Vorrei che tutti voi, che siete bravi, (*dare*) .... un aiuto ai vostri compagni, che (*essere*) .... pronti ad aiutare. Vorrei che noi (*dire*) ....: "Siamo un gruppo unito", vorrei che noi (*comporre*) .... una squadra, tutti insieme, vorrei che ognuno (*bere*) .... alla salute di tutti, non ciascuno per sé!

11 Completa le frasi usando i verbi tra parentesi al congiuntivo... e la tua fantasia!

a. Lucia e io speriamo che voi (*potere*) ....
b. Sai, ho paura che Sebastiano (*stare perdendo*) ....
c. Mi sembra che Marcella (*pensare*) ....
d. Mi piacerebbe che tu e Fabio (*essere*) ....
e. Sono proprio contento che Graziano (*avere*) ....
f. Secondo me è importante che tu (*fare*) ....
g. Dicono che innamorarsi (*essere*) ....
h. Non so se lui (*potere*) ....
i. Credo che Giacomo (*stare facendo*) ....

12 Trasforma questi periodi ipotetici di registro informale in italiano formale usando il congiuntivo e il condizionale: qui c'è prima la condizione e poi la conseguenza.

a. Se lo sapevo non venivo. *Se l'avessi saputo non sarei venuto.*
b. Se venivate con noi vi divertivate di più. ....
c. Se ascoltavate i nostri consigli non andavate in quella pizzeria. ....
....
d. Se non volevate venire bastava dirlo. ....

13 Trasforma questi periodi ipotetici di registro informale in italiano formale usando il congiuntivo e il condizionale: qui c'è prima la conseguenza e poi la condizione.

a. Bastava girare a destra se lo sapevamo. *Sarebbe bastato girare a destra se l'avessimo saputo.*
b. Stavate più tranquilli se venivate con noi. ....
c. Non prendevate freddo se seguivate il nostro consiglio. ....
....
d. Non venivo fin qui se lo sapevo. ....
....

14 Hai fatto qualcosa di sbagliato... prova a pensare come sarebbe stato se avessi fatto il contrario.

I positivi diventano negativi, e viceversa; *poco* diventa *di più*, *troppo* diventa *di meno* ecc.

a. Ho studiato poco e all'esame non ce l'ho fatta. *Se avessi studiato di più, all'esame ce l'* .... *fatta.*
b. Ho bevuto troppo e sono stato male. *Se* .... *di meno non* ....
c. Non ho rispettato le regole e la polizia mi ha fermato.
....
d. Ho corso per due ore e adesso sono stanchissimo.
....
e. Sono stato poco sincero e lei mi ha lasciato. ....

15 Crea delle frasi su questi argomenti usando espressioni come *vedersela brutta*, *farcela*, *cavarsela*, *è andata* + avverbio. In alcuni casi puoi usare più forme.

a. Hai fatto la gara di nuoto e hai vinto.
Me la sono vista brutta ma ho vinto.
....
b. Hai fatto la gara di nuoto ma non hai avuto successo.
....
....
c. A metà della gara di nuoto hai avuto delle difficoltà.
....
....
d. Quando hai delle difficoltà sai reagire e riesci sempre a uscire da una situazione brutta.
....
....

16 **Crea dei periodi ipotetici basandoti su queste foto.**

a. ....

....

....

b. ....

....

....

c. ....

....

....

d. ....

....

....

e. ....

....

....

f. ....

....

....

LESSICO RILEVANTE PRESENTATO IN U2

- artigiano • partita IVA • (il / la) dirigente • quadro • impiegato • operaio • ufficio • stipendio netto / lordo • lavoro nero • permesso di soggiorno • (lo) incidente • sindacato • guardia di finanza • versare i contributi • avere il diritto di • donna in carriera • pendolare

- posto vacante • risorse (umane) • ruolo • di bell'aspetto • prendere servizio • licenziare • rimborso • territorio limitrofo • spesa a carico di... • gratis • concorso • bando • articolo • (il) comma • requisito • domanda • data di scadenza • entro il giorno... • carta libera / legale • copia autentica • (la) pubblicazione • essere in possesso • *post lauream* • allegare • attribuire un punteggio • colloquio • (la) commissione • pregio, difetto, testardo, riflessivo • valutare • graduatoria • contratto • firmare • complimenti!

- fiera • addebito • (la) donazione • (la) organizzazione senza scopo di lucro, (la) organizzazione non governativa • gestire, (la) gestione • progetto • fattibilità • burocrazia, procedura • (la) legge, regolamento

Vai al *Lessico* di U1.

Rileggi le parole, sottolinea a matita quelle che non ricordi e cercane il significato - ma non scriverlo vicino alle parole, scrivilo nella tua memoria!
Tra qualche settimana ti chiederemo di tornare su quell'attività per verificare se ti ricordi le parole che avevi sottolineato... e dove puoi cancellare il segno a matita.

Trovi altri esercizi in
www.bonaccieditore.it

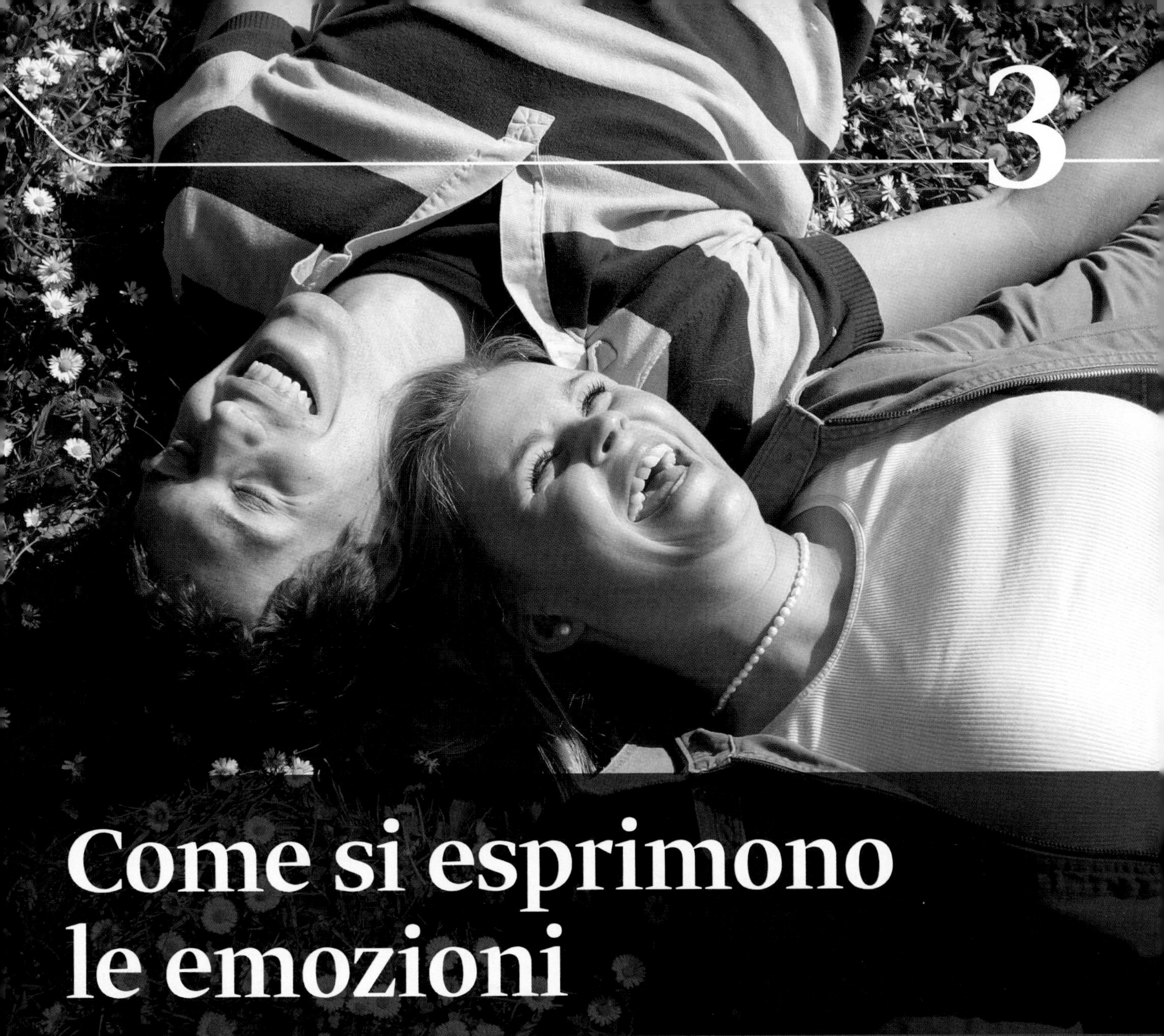

3

Come si esprimono le emozioni

Nelle prime due unità abbiamo parlato della società italiana: il rapporto tra uomo e donna, il lavoro ecc. In questa unità cambiamo completamente il punto di vista: da quello sociologico a quello psicologico. Imparerai a esprimere le tue emozioni in italiano.

Imparo l'italiano per:

- esprimere affetto, amicizia, amore, astio, odio
- esprimere esasperazione
- esprimere l'incapacità di comprendere il senso delle cose
- esprimere paura
- esprimere rabbia
- esprimere volontà e desideri in maniera diretta e gentile
- fare congratulazioni e condoglianze

Ricorda che il libro continua online

So come funzionano:

- congiuntivo dopo alcuni verbi e congiunzioni
- condizionale
- *conoscere* e *sapere*
- futuro nel passato e futuro anteriore
- plurale dei participi passati nelle frasi impersonali generiche
- verbi che reggono l'infinito

Conosco alcune cose dell'Italia:

- Emergency
- il Romanticismo
- Lampedusa e l'immigrazione

P13 / Tredici | L'amore

Comprensione & produzione

1 **Osserva le immagini e con il tuo compagno parlate del tipo di *amore* che mostrano. Poi leggi i paragrafi e collegali alle immagini.**

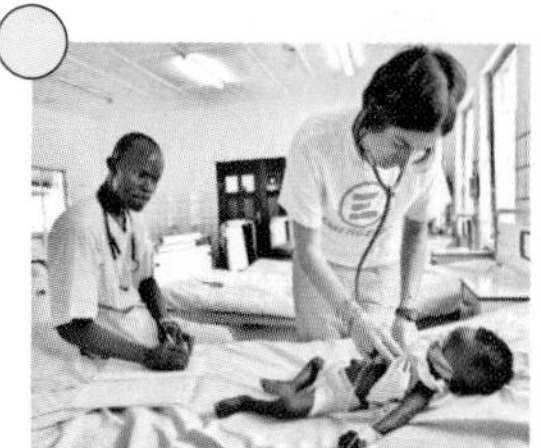

(A) C'è l'amore di chi ha dato o ricevuto sia la vita biologica, come nel caso dei figli, sia quella psicologica, come nel caso dei figli adottivi (*adottare* significa prendere come proprio figlio un bambino nato da altri genitori). Genitori e figli *si amano* oppure *si vogliono bene*: tutti e due i verbi vanno bene.
Genitori e figli si amano, si vogliono bene.

(B) C'è l'amore che non nasce dall'attrazione fisica o dall'essere una famiglia, ma dallo stare bene insieme: è l'amicizia. Tra amici si parla raramente di *amore*; si usano piuttosto le espressioni *affetto* e *voler bene*.
*Gli amici **provano** amicizia, affetto, simpatia e si vogliono bene.*

(C) C'è una forma di amore che non ha radici biologiche o psicologiche, un amore per persone sconosciute, per le quali si prova *interesse, pietà, desiderio di dare aiuto, solidarietà*. È l'amore dei medici che lavorano in situazioni di guerra, dei volontari che aiutano i carcerati (le persone che sono in prigione, in *carcere*), i barboni (le persone che non hanno una casa, "senzatetto", e spesso hanno la barba lunga, il *barbone*), gli ammalati.
I medici e i volontari provano solidarietà, interesse, desiderio di impegno sociale.

(D) C'è l'amore, la passione, il desiderio fisico e psicologico degli innamorati che si dicono *ti amo, ti voglio, ti desidero, sei tutta la mia vita*. Le canzoni, i film e i romanzi parlano soprattutto di questo tipo di amore.
Gli innamorati si amano e si desiderano.

Provare un sentimento

Provare significa "fare un tentativo", "cercare di fare qualcosa", ma se è unito a parole come *amore, amicizia, affetto, simpatia, interesse* (ma anche *odio, antipatia*) significa "sentire quel sentimento".

2 **Ascolta l'AUDIO 24 (trovi la trascrizione online) in cui si parla di varie forme di *amore*. Per ogni conversazione scrivi la lettera del tipo di amore corrispondente.**

- Conversazione 1 tipo di amore (C)
- Conversazione 2 tipo di amore ( )
- Conversazione 3 tipo di amore ( )
- Conversazione 4 tipo di amore ( )
- Conversazione 5 tipo di amore ( )
- Conversazione 6 tipo di amore ( )
- Conversazione 7 tipo di amore ( )
- Conversazione 8 tipo di amore ( )
- Conversazione 9 che tipo di affetto descrive? ....

(A) Genitori e figli si amano, si vogliono bene.
(B) Gli amici provano amicizia, affetto, simpatia e si vogliono bene.
(C) I medici e i volontari provano solidarietà, interesse, desiderio di impegno sociale.
(D) Gli innamorati si amano e si desiderano.

Confronta le tue risposte con il tuo compagno e poi riascolta le conversazioni (a casa puoi riascoltare e leggere le conversazioni).

3 **Scrivi il biglietto di auguri che accompagna il regalo che hai preparato per il compleanno di una persona cara. Parla del tuo amore e del tuo affetto.**

a. Regali un anello alla persona che ami. ....

b. Regali una sciarpa a tua madre, che ha sempre freddo. ....

c. Regali un libro al tuo migliore amico o alla tua migliore amica. ....

d. L'ultimo giorno del corso, la classe regala un mazzo di fiori all'insegnante. ....

Analisi & sintesi

4 **Ognuna delle conversazioni dell'ES. 2 ha un elemento linguistico interessante: lavoriamoci insieme.**

CONVERSAZIONE 1

Sai... ho avuto una vita molto fortunata, mi *pare* che (*essere*) .... giusto aiutare chi è stato più sfortunato. E poi *ci vuole* qualcuno che (*dare*) .... una mano, no?

Nella frase devi inserire i congiuntivi di *essere* e *dare* perché, come ricorderai, dopo i verbi di opinione (come *parere*) e di necessità (come *volerci*) serve sempre il congiuntivo.

CONVERSAZIONE 2

Vorrei che tu (*essere*) .... qui.

Nella frase devi inserire il congiuntivo di *essere* perché, come ricorderai, i verbi di volontà (come *volere*) vogliono il congiuntivo. Osserva:

- **Voglio che** tu **sia** *sincero con me.*
  → i due verbi sono al presente indicativo, perché si tratta di una cosa certa: "voglio";
- **Vorrei che** *tu* **fossi** *qui.*
  → esprime un desiderio; quindi, dopo il condizionale presente, usi il congiuntivo passato.

Crea due coppie di frasi con *voglio che / vorrei che...* e *non voglio che / non vorrei che...*

CONVERSAZIONE 3

a. *Prima che* (*arrabbiarsi*) .... molto, spiegami perché non sei andato a scuola! / *Senza che* tu (*arrabbiarsi*) ...., te lo spiego subito.

Le frasi introdotte da *prima che* e *senza che* vogliono il congiuntivo. Completa queste frasi:

- Dimmi che non è vero, *prima che* io (*mettersi*) .... a piangere.
- *Senza che* tu (*piangere*) .... te lo dico subito: non è vero. Io non amo lei, amo te!

b. *Chiunque* ti (*conoscere*) .... sa che sei intelligente.

Il pronome *chiunque* (come *qualunque* e *dovunque*) è seguito dal congiuntivo.

c. Puoi capire la matematica *purché* tu (*studiare*) ....

Purché è una delle congiunzioni che richiedono il congiuntivo: ne trovi tante, in queste pagine!

d. *Non sopporto che* tu mi (*mentire*) ...., che tu mi (*dire*) .... che vai a scuola e invece non ci vai.

Il verbo *non sopportare* spiega che certe azioni fanno arrabbiare, fanno star male, e richiede il congiuntivo.

e. Anche tu mi vuoi bene, lo sai che così non si fa. *Non serve che* te lo (*dire*) .... io...

Come certamente hai capito, anche qui ci va il congiuntivo, come con tutti i verbi che indicano necessità: *servire, aver bisogno, esserci il bisogno, essere utile / necessario, occorrere, bastare.*

Completa questo testo:

Per avere bei voti a scuola bisogna che tu (*studiare*) ....: non è necessario che tu (*passare*) .... tutto il giorno sui libri, occorre che tu (*stare*) .... attento a scuola, basta che poi a casa tu (*ripassi*) .... quello che hai ascoltato a scuola.

CONVERSAZIONE 4

Dovunque (*andare*) .... fa casini, da qualche tempo.
Non so che cosa gli (*avere*) .... preso. *Bisogna che* noi amici gli (*stare*) .... molto vicini, altrimenti *temo che* (*finire*) .... nei guai.

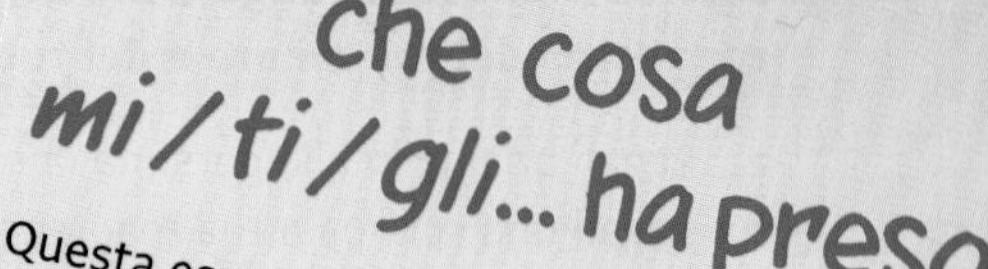

Questa espressione esprime sorpresa per un comportamento strano: *che cosa hai fatto!?* È spesso preceduta da *non sapere* e riguarda sempre una cosa che è stata fatta, quindi al passato.

finire nei guai

Se una persona si comporta in maniera sbagliata può avere problemi, cioè può *finire nei guai*. Un *guaio*, spesso *un bel guaio*, è un'esperienza spiacevole, come una multa, una punizione, finire in carcere ecc.

Conosci già, da U1 e U2, l'uso del congiuntivo dopo i verbi di necessità (*bisogna che...*) e di opinione (*temo che...*), e anche dopo il verbo *sapere* al negativo (*non so che cosa...*). Come vedi, anche dopo il pronome *dovunque* (come anche con *qualunque* e *chiunque*) ci va il congiuntivo. Lentamente, *Passo* dopo *Passo*, scopriremo molti pronomi, verbi o connettori che richiedono il congiuntivo. Sono tanti, ma non preoccuparti: piano piano imparerai a sentire, dal suono, che senza il congiuntivo le frasi non funzionano bene!

CONVERSAZIONE 5

A meno che voi non la (*smettere*) .... di fare battute.

A meno che è un modo molto diretto e chiaro di mettere una condizione. Si può anche dire *se non la smettete di fare battute*, ma la forma *a meno che* è molto più forte di *se...* e vuole il congiuntivo!

CONVERSAZIONE 6

È la donna *più* coraggiosa che (*conoscere*, al passato, cioè *avere* + participio passato) ....

Quando c'è un superlativo con *più* / *meno...*, con cui si esprime un'opinione o una valutazione, il verbo che segue è al congiuntivo:
Crea delle frasi usando:
- *il / la più interessante*: ....
- *il / la meno importante*: ....

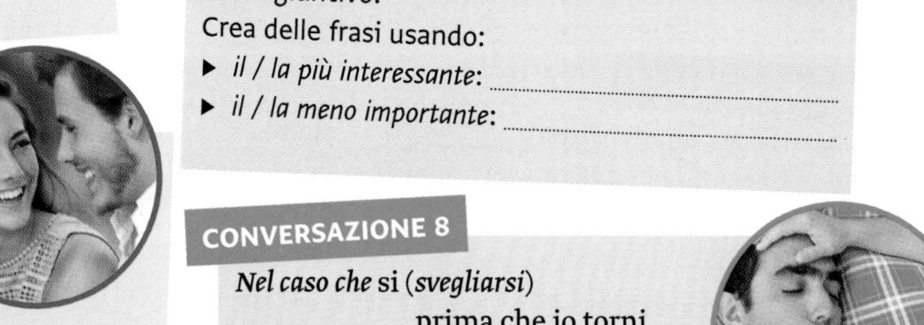

CONVERSAZIONE 7

a. Anche a me *piacerebbe* che tu ci (*venire*) ...., e mi *piacerebbe* ancora di più che (*potere*) .... sposarci.

Vorrei, mi piacerebbe, sarebbe bello se sono espressioni di desiderio che richiedono il congiuntivo.

b. Ma *anche se* (*dovere*) .... aspettare mille anni, alla fine vivremo insieme!

Anche se, come *prima che* e *senza che*, è seguito dal congiuntivo imperfetto perché introduce un periodo ipotetico; ma mentre con i due ultimi connettori *devi* usarlo sempre, con *anche se* puoi usare l'indicativo, soprattutto nell'italiano parlato: *Anche se devo aspettare mille anni...*

Riscrivi le frasi usando il periodo ipotetico con il congiuntivo imperfetto e il condizionale.
- Anche se tu vieni, io non ti apro la porta!
  → *Anche se tu venissi* ....
- Non ti ascolto, anche se urli come un matto!
  → ....

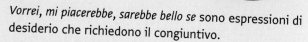

CONVERSAZIONE 8

Nel caso che si (*svegliarsi*) .... prima che io torni, fagli provare la febbre.

Come i connettori che abbiamo ricordato nella conversazione 7, anche con *nel caso che...* (che significa *se*) si usa il congiuntivo. In italiano formale si dice *nel caso in cui*, mentre parlando si sua spesso *nel caso che*.

CONVERSAZIONE 9

Giorno dopo giorno è nato un vero ...., e credo di poter dire che vi ....

In questa farse non devi inserire dei congiuntivi ma due di queste parole o espressioni: *amore* / *affetto* e *amo* / *voglio bene*. Se si parla di *amore* tra innamorati e familiari si usa il verbo *amare*; tra amici si usa *affetto* o *amicizia* e il verbo di solito è *voler bene*.

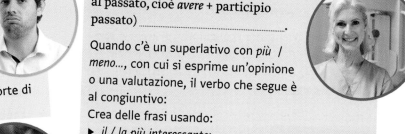

5 **Riascolta l'AUDIO 24: adesso capirai molto di più. A casa puoi utilizzare l'AUDIO 24 CON PAUSE per ripetere o per fare un dettato.**

P13 | Guardiamoci intorno

L'amore di Emergency per il mondo che soffre

Dal sito www.emergency.it abbiamo preso queste informazioni che sono un bell'esempio dell'eccellenza italiana, ma tu puoi andare sul sito per saperne di più.

Leggi il testo e inserisci i due congiuntivi mancanti di *essere* e *avere*. Poi rispondi alle domande.

EMERGENCY
www.emergency.it
Ogni 2 minuti curiamo una persona. Da 21 anni.

Emergency è un'associazione italiana indipendente e **neutrale**[1], nata nel 1994 per offrire cure medico-**chirurgiche**[2] **gratuite**[3] e di alta qualità alle **vittime**[4] delle guerre e della povertà. Dalla sua nascita a oggi, Emergency ha curato oltre 7 milioni di persone.
Emergency vuole diffondere una cultura di pace, solidarietà e rispetto dei diritti umani. Crediamo che il "diritto a essere curato" .... un diritto fondamentale di ciascun uomo e ciascuna donna.

Perché tutti abbiano diritto a cure mediche gratuite, *Emergency* garantisce cure gratuite e di alta qualità a chiunque ne .... bisogno, senza differenze politiche o religiose.
Emergency costruisce e gestisce ospedali e posti di primo soccorso dedicati alle vittime di guerra, ma anche **centri di maternità e centri pediatrici**[5] e molte altre strutture mediche.

L'impegno di Emergency è possibile grazie al contributo di migliaia di volontari e di persone che la finanziano.
Tutte le strutture di Emergency sono progettate, costruite e gestite da uno staff internazionale specializzato, impegnato anche nella formazione del personale locale.

da www.emergency.it

1. **neutrale**: nelle situazione di guerra, Emercency non sta dalla parte di nessun partito o Stato.
2. **chirurgiche**: la *chirurgia* riguarda le *operazioni*; *operare* significa fare un taglio nel corpo per poter arrivare al cuore, ai polmoni ecc. e curarli.
3. **gratuite**: le operazioni di Emergency sono *gratuite* o *gratis*, cioè non richiedono pagamento.
4. **vittime**: sono persone colpite da tragedie, come guerre, malattie, povertà ecc.
5. **centri di maternità e centri pediatrici**: un *centro* è una struttura che si può occupare di *maternità*, cioè aiuta le donne a partorire, oppure di *pediatria*, cioè aiuta i bambini.

a. A chi si rivolge Emergency e in quali situazioni lavora? ....
b. Che cosa significa dire che Emergency vuole diffondere il rispetto dei "diritti umani"? ....
....
c. Emergency sceglie chi curare? ....
d. Chi finanzia Emergency? ....
e. Negli ospedali di Emergency c'è solo staff internazionale? ....

Se tu dovessi immaginare di creare una struttura sanitaria di alto valore umano, la faresti simile o diversa da Emergency? Secondo te Emergency avrebbe diritto al Premio Nobel per la Pace?
Discuti questi ultimi punti con i compagni, poi prepara un articolo di giornale e un servizio televisivo su Emergency e sii pronto a recitare il tuo testo davanti a tutta la classe, se l'insegnante te lo chiede.

P14/Quattordici | Un amore a pezzi

Comprensione & produzione

1 L'amato/a promette, promette, promette, e poi non mantiene le promesse... quindi l'amore finisce a pezzi, come una vaso che cade a terra.

È un'esperienza che molti, se non tutti, abbiamo fatto: è terribile. Ed è quello che è successo alla donna che scrive questa mail. Ti diamo alcune parole chiave per la comprensione.

Leggi la mail e sottolinea le promesse non mantenute.

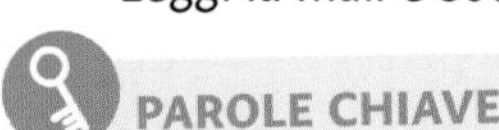

- **promettere, mettersi a, smettere di, mettere su casa**: anzitutto, ricorda che il participio passato di *mettere* e dei suoi derivati è *messo*; *promettere* significa "dire che si farà certamente una cosa" e le *promesse* vanno *mantenute*, cioè rispettate; *mettersi a* e *smettere di* significano "cominciare a fare un'azione" o "finire di fare un'azione"; *mettere su casa* significa "andare a vivere insieme"
- **hai promesso che avresti smesso**: il significato della frase è facile da capire, ma troverai vari casi di una struttura come questa, che si chiama *futuro nel passato*:
  - *hai promesso* è un'azione che avviene nel ○ presente ○ passato ○ futuro
  - *che avresti smesso* è un'azione che, rispetto al momento della promessa, avviene ○ nello stesso momento ○ in un momento successivo, nel futuro
- **giurare**: il *giuramento* è una promessa molto importante; talvolta si dice *giuro sui miei figli / sul mio amore*: significa "che io perda *i miei figli / il mio amore* se non mantengo la promessa"

Amore mio...
Che cosa strana è la vita: ti scrivo per dirti che **tra noi è finita** e inizio la mail con "amore mio"...
Sono anni che ti chiamo "amore mio", tutti gli anni in cui mi hai riempito di promesse non mantenute.
So che quando mi prometti una cosa tu ci credi veramente, ma un'ora dopo te la dimentichi, la promessa, e **io ci sto male.**
Quante volte hai promesso che avresti smesso di bere? Invece, anche ieri sera mi hanno telefonato per dirmi che eri ubriaco.
Mi hai promesso che avremmo messo su casa insieme, e invece viviamo ancora separati.
Ieri pomeriggio mi **hai assicurato** che saresti venuto a cena da me, e io, stupida, sono tornata dal lavoro di corsa, ho preparato la cena con amore, mi sono fatta bella e mi sono messa ad **aspettare che** tu suonassi il campanello, ho immaginato i tuoi passi lungo la scala, ti ho immaginato quando saresti arrivato nel corridoio e mi saresti apparso davanti, bello, sorridente e innamorato. E invece ho passato la sera a chiamarti inutilmente al cellulare, e alla fine mi hai mandato un SMS con quelle poche parole crudeli: "Sono fuori con amici, ci vediamo domani".
No, amore mio. Non ci vediamo più. Mille volte mi hai detto che le cose sarebbero state diverse, e mille volte hanno continuato a essere come prima.

tra noi è finita
Significa "il nostro amore è finito". Quando il soggetto non è espresso, si usa il femminile, come se il soggetto fosse *questa cosa*.

Sono anni che...
L'azione avviene da anni, è durata per anni (→ **post it per tre anni**).

Ci sto male
Ci sta al posto di *in questa situazione*. *Starci bene / male / comodo/scomodo* ecc. sono espressioni informali.

sicuro → assicurare
Come in *abbellire*, *arricchire*, *arrossire*, il prefisso *a-* raddoppia la consonante iniziale dell'aggettivo per diventare verbo.

aspettare che...
Come vedi, il verbo *aspettare* è seguito da un verbo al congiuntivo.

Hai giurato che saresti stato più presente, e invece sei sempre più assente.
Il messaggio di ieri sera è stato **la goccia che ha fatto traboccare il vaso**. Ti ho creduto **per tre anni**, perché sono tre anni che stiamo insieme... TRE ANNI! Adesso non ti credo più. Non credo che ci sarà un domani migliore dell'oggi. Hai i tuoi amici, hai le tue partite di calcio, hai le tue bottiglie di vino. Non hai più me.
Ti prego, non scrivere, non telefonare, non chiedere scusa, non fare promesse che non sai mantenere. Dopo questa mail, cancello il tuo indirizzo dalla rubrica delle mail, il tuo numero dalla rubrica del cellulare.
Con grande amarezza per quello che avrebbe potuto essere e non è stato, addio.

la goccia che...

Quando un vaso è pieno, basta una goccia d'acqua per farlo *traboccare*, cioè per far uscire l'acqua. L'espressione indica un'azione che fa "esplodere" una situazione.

per tre anni...

L'azione è durata tre anni, ma sta finendo: quindi si usa il passato (*ti ho creduto*), a differenza di *sono tre anni che...* (→ **post it *sono anni che***).

ti prego

Pregare significa parlare con Dio; in questi casi, è un modo forte di dire "per piacere", "per favore", "ti chiedo fortemente di...".

2 Facciamo il punto (espressione che significa "facciamo la sintesi di quello che sappiamo").

a. La donna è ancora innamorata o ha smesso di amare l'uomo? Da che cosa lo capisci?
b. La donna non vuole più vedere l'uomo: perché? Solo a causa della cena mancata?
c. Lui fa qualcosa che la fa star male: che cosa?
d. Che cosa non deve più fare lui?

3 Promesse mantenute e non mantenute.

Nella mail hai sottolineato le promesse non mantenute, che contengono le forme **indicativo passato prossimo + condizionale passato**: insieme alla classe, verifica se hai capito bene che cosa è successo nel passato e che cosa sarebbe dovuto succedere nel futuro (e non è successo, perché questa forma si usa quasi sempre per le azioni che non si sono realizzate).

4 Tra compagni ci si fanno molte promesse.

Ricorda al tuo compagno tre cose che ha detto che avrebbe fatto e invece...
Poi, insieme a un gruppetto di compagni, trova una promessa fatta ma non mantenuta dal tuo insegnante, che dovrà rispondere a tutte le vostre osservazioni!

Analisi & sintesi

5 Il futuro nel passato.

Nella mail (→ ES. 1) abbiamo visto l'uso del **condizionale passato** (o composto) per indicare il **futuro nel passato**. Completa le frasi usando i verbi tra parentesi e aggiungendo quelli che servono, secondo la tua fantasia.

a. Avevi detto che (*venire*) *saresti venuto* e invece ....
b. Ti avevo promesso che (*rimanere*) ...., invece ....
c. Mi aveva giurato che mi (*sposare*) ...., però ....
d. Avevo immaginato che tu (*essere*) .... sincero, e invece ....
e. Ero sicuro che la prof di matematica mi (*chiamare*) .... alla lavagna per fare un esercizio, ma ormai l'ora di matematica è finita e sono salvo!

Il futuro nel passato
Quando si sta raccontando qualcosa al passato e si parla di un'azione che in quel momento doveva ancora succedere, si fa il **futuro nel passato**. Per questa forma molte lingue usano il condizionale semplice; l'italiano invece usa il **condizionale passato** (o composto): **condizionale presente** dei verbi *essere* e *avere* (ausiliari) + **participio passato del verbo base**.

*Ieri mattina **avevo promesso** che **sarei venuto** nel pomeriggio, ma...*
ieri: di mattina — *ieri*: nel pomeriggio

6 Il condizionale: il modo della gentilezza.

POTREI PROVARE A FARLO IO.
SCUSATE, DOVREI FARE UNA TELEFONATA.
PER FAVORE, VORREI UN PO' D'ACQUA.

Come vedi nelle vignette, l'uso del **condizionale** indica **gentilezza**, soprattutto con verbi come ***potere***, ***dovere***, ***volere***, che spesso sono molto diretti, forti.

Scrivi delle frasi esprimendo:

a. *una richiesta gentile*: ....

....

b. *un desiderio*: ....

....

c. *un'opinione su che cosa bisogna fare*: ....

....

d. *il consiglio di non fumare*: ....

....

7 Il condizionale: il modo dell'incertezza.

a. Completa queste frasi che indicano:

1. *dubbio*: Non so se Anna (*essere*) sarebbe contenta di andare a vivere a Milano.
2. *una notizia non certa*: Il killer (*essere*) .... un ragazzo di vent'anni circa.
3. *una previsione incerta*: Il temporale (*dovere*) .... finire presto.

b. Scrivi tre frasi:

1. *esprimendo un dubbio*: ....
....
2. *raccontando una notizia non certa*: ....
....
3. *facendo una previsione incerta*: ....
....

8 Il condizionale: il modo dei desideri che non si sono realizzati.

Osserva l'esempio: ***Volevo*** *andare in vacanza, ma non avevo i soldi.* → ***Sarei voluto*** *andare in vacanza ma non avevo i soldi.*

Completa queste frasi che raccontano un desiderio non realizzato.

a. Mi (*piacere*) sarebbe piaciuto andare a New York, ma non ho mai avuto abbastanza soldi.

b. Lucio la amava e (*essere*) .... felice di sposarla, ma lei non ha voluto.

c. Ha comprato un macchina normale, ma (*preferire*) .... una jeep.

d. Se fosse stato ricco, (*volere*) .... studiare pianoforte, ma doveva lavorare otto ore al giorno per vivere.

e. Lo (*sposare*) .... perché l'amavo, ma lui amava un'altra donna.

9 Un'ora dopo te la dimentichi, la promessa!

a. Chiedi all'insegnante di pronunciare, da attore o attrice da Oscar, questa due frasi:

1. *Fai una promessa e un'ora dopo la dimentichi!*
2. *Un'ora dopo te la dimentichi, la promessa!*

Quale delle due frasi è più forte, più espressiva? Certamente la 2, dove il cuore della frase, cioè la promessa, viene messo all'inizio o alla fine, dove è sostituito da pronomi come *lo*, *la*, *li*, *le*, *ne*, *ci*.

b. Completa le frasi.

1. Dove **hai parcheggiato** la macchina?
   → La macchina, dove l'hai parcheggiata?
   → Dove l'hai parcheggiata, la ....?
2. Che cosa hai fatto del mio amore?
   → ...., che cosa ne hai ....?
3. Hai rovinato la mia vita!
   → ...., l'hai rovinata!
4. Hai rubato i miei anni migliori!
   → I miei anni migliori, ... hai rubati!
5. Non hai mantenuto le tue promesse!
   → ....

i verbi in -care e -gare / -ciare e -giare

- I verbi in **-care** (come *dimenticare*) e **-gare** hanno bisogno di una **h** per conservare il suono duro della *c*/*g*:
  *cer**care** → cerc**h**iamo, cerc**h**erò, cerc**h**erei* ecc.
  *le**gare** → leg**h**i, leg**h**erai, leg**h**erei* ecc.
- I verbi in **-ciare** e **-giare** (come *parcheggiare*) perdono la **i** se la desinenza che viene aggiunta incomincia con una *e*:
  *annun**ciare** → annunciamo, annuncerò, annuncerei* ecc.
  *man**giare** → mangia, mangerà, mangerei* ecc.

P14 | Guardiamoci intorno

L'Italia divorzia di meno

In Italia per anni e anni le separazioni e i divorzi sono cresciuti; poi, nel 2014, hanno cominciato a calare: come mai?
Secondo alcuni, perché sempre più spesso gli italiani convivono senza sposarsi, e quando si separano non divorziano, visto che non si sono mai sposati...
Secondo altri, invece, si divorzia meno perché con la crisi economica iniziata nel 2008, che ha portato disoccupazione e impoverimento, è difficile separarsi, pagare due affitti anziché uno, avere due macchine, e così via.
Secondo altri ancora, il motivo è che ci si sposa dopo qualche anno di convivenza: quindi quando lo fanno (in media a 32 anni lui, 31 lei), i due sposi si conoscono già bene, hanno trovato un loro equilibrio nella vita in comune, vogliono avere dei figli e quindi creano una famiglia "ufficiale". Quindi si divorzia di meno perché quando ci si sposa si è più maturi.
Quanto dura un matrimonio? Secondo l'ISTAT (l'Istituto Italiano di Statistica) si divorzia intorno al 16° anno di matrimonio.

Com'è un divorzio visto dalle persone più deboli, i figli? Un giornale italiano («Il fatto quotidiano») nel 2014 ha raccolto le parole di molti figli di divorziati. Ne scegliamo alcune, adattandole al livello B1 (puoi ascoltarle nell'AUDIO 25).

NON È POSSIBILE RACCONTARE IL SENSO DI IMPOTENZA...

1

Quando i miei genitori si sono separati avevo 19 anni: non ero una bambina, quindi. E tuttavia è stato un **trauma**[1]. Io sono figlia unica e i miei non mi hanno mai fatto mancare nulla, non ho mai visto mio padre e mia madre **litigare**[2], ma non li ho mai visti nemmeno abbracciarsi o darsi un bacio, una carezza. E così, sempre nella massima educazione, è andata anche la separazione, a sessant'anni, dopo trenta di matrimonio! Non è possibile raccontare il **senso di impotenza**[3] davanti alla propria famiglia che si rompe...

MI SENTIVO UN PESO, UN PROBLEMA...

2

La separazione dei miei genitori è avvenuta quando avevo 13 anni. La sensazione di essere un peso e un problema, quindi la causa della loro separazione, è stata la prima cosa che ho provato. Oggi sono passati sei anni da quel giorno e li ringrazio per non avermi fatto vivere in una famiglia **finta, inesistente**[4]. È stato meglio così.

I FIGLI DEI DIVORZIATI SONO DESTINATI A DIVORZIARE...

3

Non dimenticherò mai il giorno in cui il mio primo grande amore mi ha detto "ho sentito in televisione che i figli di divorziati **sono destinati**[5] a divorziare anche loro".
Per diverso tempo ho avuto paura che fosse davvero così, e allora cercavo di stare con altri figli di separati più che con amici "normali" che ogni sera cenavano con mamma e papà. Ci capivamo di più. Sapevamo che cosa vuol dire passare la vigilia di Natale con la mamma e il Natale a 200 chilometri da casa, con il papà...

1. **trauma**: evento molto forte e doloroso.
2. **litigare**: due persone *litigano* quando hanno uno scontro in cui urlano, si offendono, si accusano.
3. **senso si impotenza**: l'*impotenza* è l'incapacità di fare qualcosa per cambiare le cose, per fermare un'azione.
4. **finta, inesistente**: una cosa *finta* sembra esistere, ma in realtà non esiste, cioè è *inesistente*.
5. **sono destinati**: il *destino* è la forza che, secondo molte tradizioni, governa le nostre azioni: noi crediamo di decidere ma è il destino che decide per noi.

QUINDICESIMO PASSO

P15/Quindici | La storia di una vita

Comprensione & produzione

1 Gioie e dolori della vita.

A che cosa ti fa pensare questo titoletto? Che occasioni ci possono essere per le *congratulazioni* o le *felicitazioni*, nelle occasioni belle della vita, e per le *condoglianze*, in cui condividiamo il dolore di qualcuno? Confronta le tue risposte con la classe.

Leggi i biglietti e scrivi, vicino a ogni messaggio, l'occasione in cui gli zii li hanno scritti a Erica, Marco o Michela. Prima leggi le parole chiave.

attesa di un bambino • laurea, matrimonio, maturità • morte di una persona cara • nuovo posto di lavoro • promozione

PAROLE CHIAVE

- **a patto che, a condizione che**: sono sinonimi di *purché*; indicano una condizione e vogliono il congiuntivo
- **neo**: il prefisso *neo* significa *nuovo*, in questo caso la "nuova dottoressa"
- **abituare, abituarsi**: abbiamo un'*abitudine* quando una cosa si ripete e quindi la consideriamo come naturale, ci aspettiamo che accada
- **augurio, augurare**: dire a qualcuno che si spera che le cose gli vadano bene, che sia felice
- **benché, malgrado, sebbene**: sono sinonimi di *anche se* e vogliono il congiuntivo
- **bisogna, occorre**: significano *è necessario*; in questi casi sono seguiti dall'infinito, ma se sono seguiti da una frase con un soggetto sono seguiti dal congiuntivo, come hai visto in P13
- **mazzo**: un gruppetto di *chiavi* o di *fiori*
- **lasciare**: ha vari significati: *tuo papà ci ha lasciati* significa "morire"; *lascia perdere lo studio* significa "smettere", "non fare una cosa"; *lasciami andare via* significa "permettere" di andare via
- **primario**: è il direttore di un reparto di un ospedale

Cara Erica,
abbiamo sempre creduto in te, e questo 100 alla maturità ci dice che avevamo ragione. Ci congratuliamo con te e i tuoi genitori.
Sappiamo che da sempre desideri andare in Spagna. Qui trovi un voucher per un volo a Madrid: devi solo scegliere la data, a patto che tu prometta che per un mese lasci perdere lo studio e ti diverti e basta!
E a condizione che prima tu venga due o tre giorni da noi, che non ti vediamo da un anno.
gli zii

Congratulazioni alla neo-dottoressa! Hai concluso una fase della tua vita, adesso ti auguriamo grandi successi e belle soddisfazioni in un lavoro che ti piaccia.
In questi anni ci hai abituato a pensarti come la migliore studentessa della famiglia - adesso facci abituare all'idea di avere in famiglia il miglior dottore del mondo.

zia Mariuccia e zio Franco

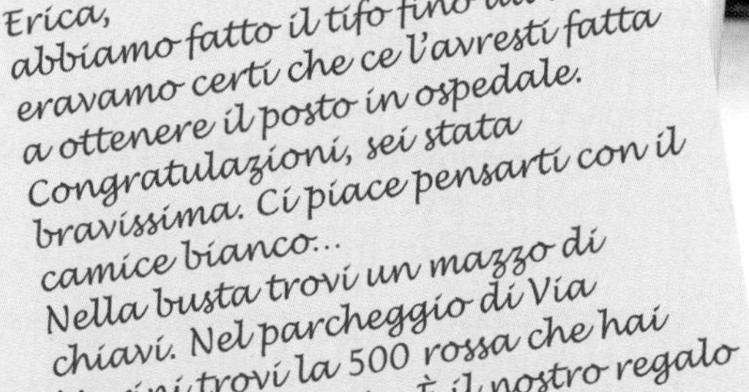

Erica,
abbiamo fatto il tifo fino all'ultimo, eravamo certi che ce l'avresti fatta a ottenere il posto in ospedale.
Congratulazioni, sei stata bravissima. Ci piace pensarti con il camice bianco...
Nella busta trovi un mazzo di chiavi. Nel parcheggio di Via Marini trovi la 500 rossa che hai sempre desiderato. È il nostro regalo per la nostra nipotina preferita.

gli zii

Cara,
ci ha detto tua madre che hai deciso di sposarti. Conosciamo poco Marco, ma i tuoi ci dicono che è un bravo ragazzo ed è quello che meriti.
Facci sapere al più presto la data del matrimonio, così ci organizziamo: benché tu sia maggiorenne, non ti diamo il permesso di sposarti se non ci siamo anche noi!

zia Mariuccia e zio Franco

Cara Miki,
abbiamo sempre creduto in te, e ora questo 100 alla maturità ci dice che avevamo ragione. Ci congratuliamo con te e con Erica e Marco, che hanno sostenuto i tuoi sforzi.
Sappiamo che vorresti andare in Spagna. Qui trovi un voucher per un volo a Madrid: anche a tua mamma, quando ha fatto la maturità, abbiamo regalato un volo. E forse era proprio a Madrid... ma alla nostra età non ricordiamo più bene le cose. Vieni a trovarci un giorno.

zia Mariuccia e zio Franco

2 **Hai letto i biglietti di felicitazioni e di condoglianze: e se invece fossero state telefonate? Ascolta le telefonate nell' AUDIO 26 (trovi la trascrizione online).**

3 **Un tuo amico ha fatto una cosa importante.**

Con il tuo compagno, immagina una situazione un po' pazza, originale, divertente, in cui un amico ha avuto successo. Scrivete il testo della telefonata e siate pronti a recitarla davanti alla classe. Poi trasformate la telefonata in una mail.

Le parole delle condoglianze sono sempre troppo vuote, sono sempre insufficienti. Anche tuo papà ci ha lasciati. Noi siamo solo i vecchi zii, e sebbene il nostro amore per voi tre sia totale, sappiamo che non possiamo sostituire mamma e papà.
Ma vi siamo vicini e se possiamo fare qualcosa per te, per Marco e per la piccola Miki basta una telefonata.

zia Mariuccia e zio Franco

La maggior parte dei nostri amici diceva che per una donna era impossibile diventare primario, e invece avevi ragione tu: hai ottenuto la promozione in cui hai sempre creduto e che ti sei meritata.
Congratulazioni vivissime.

zia Mariuccia e zio Franco

Cari Erica e Marco,
felicitazioni vivissime! Quando nascerà esattamente? Vogliamo esserci. Malgrado ci siano due nonne, vedrete che c'è bisogno anche della zia-nonna. E poi ho bisogno io, di essere lì: come posso perdere il momento più bello della vostra vita? Questo mazzo di fiori è solo il simbolo del profumo che il vostro bambino porterà nel mondo!

zia Mariuccia

Cara Erica,
bisogna lasciare che i morti partano tranquillamente, non dobbiamo trattenerli con il nostro dolore. Lasciamo che volino via e continuino a vivere nel nostro ricordo. Questa è la vita. Amavo moltissimo tua mamma, era la mia unica sorella... ma non dobbiamo pensare a noi, occorre pensare al tuo papà che ora è solo. Tu, Marco e la piccola Michela potete dare un senso alla sua vita.

zia Mariuccia

4 ***La maggior parte* e altre indicazioni di quantità.**

a. Nelle congratulazioni per aver vinto il concorso come primario, zia Mariuccia scrive: «*La maggior parte* dei nostri amici .... che per una donna era impossibile diventare primario.»
La maggior parte indica "tante persone", ma il verbo va al ◯ singolare ◯ plurale.

b. Lo stesso avviene con altre indicazioni generiche di quantità:
1. *Il 20% degli* italiani (*scrivere*) .... ancora biglietti di congratulazioni o condoglianze, ma *la grande maggioranza* (*preferire*) .... usare il telefono.
2. *Una gran quantità di* italiani (*usare*) .... i telegrammi per gli auguri nei matrimoni o le condoglianze nei funerali

5 **Un modo particolare: l'infinito.**

Di solito l'infinito è preceduto da una preposizione, ma con alcuni verbi la preposizione non serve, come hai visto nei biglietti alle pagine precedenti:

L'infinito

L'infinito è la **forma base** dei verbi.
- Alcune volte viene usato come **nome**, di solito con l'articolo (*il* ***dovere***, *il* ***potere***) ma anche senza articolo (***Alzarsi*** *presto è faticoso*; ***Mangiare*** *troppo fa male*).
- Quando è **verbo**, l'infinito è quasi sempre usato con una preposizione (*È ora* ***di*** *andare*; *Vieni* ***a*** *vedere*; *C'è poco* ***da*** *fare*; *È venuto* ***per*** *parlarmi*), tranne con alcuni verbi.

a. **verbi modali**, cioè ...., ..., ...:
- Come .... perdere il momento più bello della vostra vita?
- Non .... pensare a noi, occorre pensare al tuo papà che ora è solo
- Sappiamo che .... andare in Spagna.

b. verbi che esprimono **desiderio**, **piacere**:
- Sappiamo che da sempre .... andare in Spagna.
- Mi .... pensarti con il camice bianco...

c. verbi .... e ...., che si usano per convincere qualcuno a **fare qualcosa** o a **lasciarci fare qualcosa**:
- .... sapere al più presto la data del matrimonio, così ci organizziamo
- Per un mese .... perdere lo studio e ti diverti e basta!

d. verbi che indicano **necessità** se sono usati all'**impersonale**, cioè senza un soggetto:
- .... pensare al tuo papà che ora è solo.

Attenzione: se dopo questi verbi c'è un soggetto, allora il verbo va al congiuntivo, come sai già dai *Passi* precedenti:
Bisogna lasciare che i morti .... tranquillamente, non dobbiamo trattenerli con il nostro dolore.
Lasciamo che .... via e continuino a vivere nel nostro ricordo.

conoscere / sapere

Per i verbi *conoscere* e *sapere*, molte lingue usano un unico verbo, come *to know* in inglese. Anche in italiano questi verbi sono spesso **sinonimi**: ***conosco*** / ***so*** *le regole dell'italiano*.

In alcuni casi, però, *conoscere* e *sapere* **non sono sinonimi**:
- puoi usare solo ***conoscere*** quando parli di persone, luoghi, musiche ecc.: significa che sai chi sono, come sono fatte, dove si trovano ecc.; la sequenza è sempre ***conoscere*** **+ nome** (***Conosci*** *Giovanni?*; *Non* ***conosco*** *Mosca*);
- usi ***sapere*** quando vuoi dire "essere capace di", anche se spesso dopo non c'è un verbo (che è sottinteso): ***So*** *l'italiano* significa "so parlare in italiano", "sono capace di parlare in italiano"; ***So*** *le regole* significa "so usare le regole", "sono capace di usare le regole".

CONOSCIAMO POCO MARCO, MA SAPPIAMO CHE È UN BRAVO RAGAZZO.

P15 | Guardiamoci intorno

Il *metro* dei sentimenti

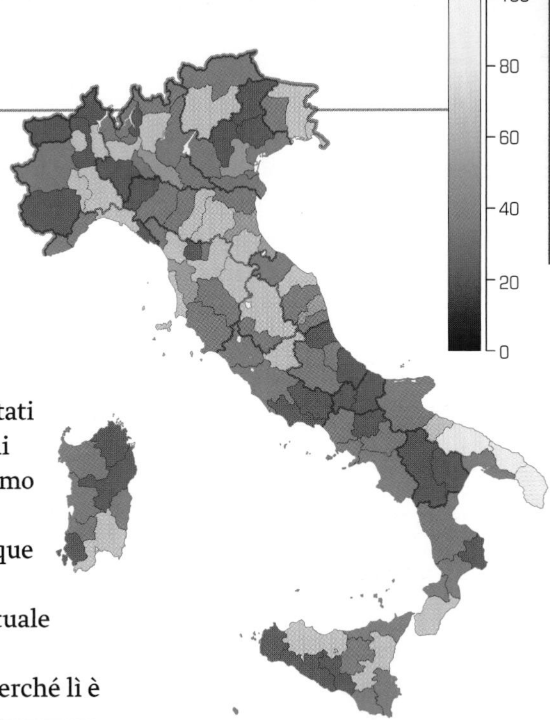

Se cerchi in rete *sentimeter* (che si pronuncia come *centimetre*, in inglese) entri in un sito dove un gruppo di ricerca dell'Università di Milano cerca di misurare il sentimento dei *social media* e di internet sui principali temi in discussione in un certo periodo. C'è una categoria che si chiama *Italia* dove trovi delle analisi che riguardano il nostro Paese. In questa pagina, trovi anche l'analisi della *felicità* degli italiani: ogni anno l'ONU organizza una giornata della felicità, e il «Corriere della Sera» pubblica un e-book con i risultati dell'analisi del sentimento attraverso i messaggi su Twitter. Per anni la media di *felicità* è stata sopra il 60%, poi con la crisi economica siamo scesi fino al 53% nel 2015, e in questi anni stiamo risalendo un po'. Ma dove si è più felici? Da anni la Puglia è al primo posto, o comunque vicino ai primi posti, insieme all'Umbria. Nella cartina le zone più chiare sono le province più felici, quelle più scure hanno la percentuale più bassa di "sentimento positivo".
L'analisi mostra che la felicità è maggiore nelle città medie, forse perché lì è migliore la qualità dell'ambiente, degli ospedali e del tempo libero (cinema, librerie, ristoranti, teatri); e mostra anche che le province più ricche non sono sempre quelle più felici. Ma ci sono anche degli effetti curiosi: per esempio, la festa degli innamorati a San Valentino (14 febbraio) fa crescere del 2,1% il sentimento di felicità, la festa delle donne (8 marzo) aumenta il sentimento del 5,1%, mentre l'inizio dell'ora legale, a fine marzo, porta depressione, facendo scendere del 4,1% la felicità. Ma Natale è sempre Natale: il giorno più felice dell'anno!
Studiare i *social media* ci mostra anche il livello di serenità a seconda dell'ora del giorno: tra le 6:30 e le 7:45 del mattino il sentimento più forte è quello negativo, che poi migliora tra le 8 e 9, dopo il caffè con i colleghi e le battute tra i compagni di scuola; torna un po' di benessere verso mezzogiorno, quando si mangia qualcosa con gli amici, e poi si corre verso l'altro momento negativo della giornata, intorno alle 5-6 di sera. Siamo convinti che questi ultimi dati siano uguali anche nel tuo Paese: infatti a nessuno piace alzarsi presto! Ma non è per questi dati che ti abbiamo parlato di questo sito: è per consigliarti di consultarlo, così puoi capire come l'Italia reagisce alle cose che succedono nel mondo, anche nel tuo Paese.

PAROLE CHIAVE

- **province**: in Italia ci sono 20 regioni, circa 100 province e 8000 comuni: le province non hanno potere amministrativo
- **ora legale**: in primavera l'ora viene anticipata per avere giornate con più luce solare
- **benessere**: stare bene
- **consultare**: andare a vedere che cosa dice un sito, un esperto, un medico ecc.

La felicità nei modi di dire

I modi per dire che si è molto felici sono tanti. Tra i vari puoi trovare spesso:
- **è felice come un re**: è facile capire che cosa significa
- **è felice come una Pasqua**: forse richiama la felicità dei cristiani per la resurrezione di Gesù
- **è al settimo cielo**: nel modello del mondo di Tolomeo, la Terra era al centro e intorno c'erano dei cieli: il più alto era il settimo, e dopo c'era solo Dio
- **tocca il cielo con un dito e sta da dio**: hanno la stessa natura divina

C'è poi un proverbio interessante: ***Gente allegra, il ciel l'aiuta.***
Qui il *cielo* significa "Dio" o la "fortuna".

Scioglilingua

Ecco uno scioglilingua, da ripetere in fretta per tre volte:
Lucio e Decio lisciano dodici mici felici.

Lucio e *Decio* sono due nomi latini; *lisciare* un micio significa "fare carezze" a un gattino.

Il piacere dell'italiano | 5

Amore e morte, l'emozione più potente

Per i Greci, *Eros* è l'amore e *Thanatos* è la morte. L'amore è l'emozione che crea la vita, l'impotenza è l'emozione che si prova di fronte alla morte: Freud, che ha messo il sentimento amore-morte al centro della sua teoria sulla sessualità, ci ha fatto notare che da 2500 anni la lotta tra queste due emozioni domina la letteratura, il teatro, la musica e l'arte.

Sigmund Freud

Death and life di Klimt, del 1915

Negli stessi anni di Freud e di Klimt (il pittore che più di tutti ha dipinto il sentimento di amore-morte e di cui qui a destra vedi un quadro del 1915), c'è un artista italiano che descrive con la musica il momento in cui amore e morte si toccano - e le voci che cantano quel momento risuonano ancora oggi in tutti i teatri d'opera del mondo. L'artista è Giacomo Puccini, nato a Lucca, in Toscana, nel 1858, e morto a Bruxelles nel 1924: per trent'anni è stato uno dei musicisti più famosi al mondo.

Giacomo Puccini

Ti proponiamo di leggere i testi di due arie di Puccini: una della *Bohème* (1896) e una di *Tosca* (1900). Forse conosci anche la famosissima aria *Vincerò, vincerò, vincerò* (il titolo in realtà è *Nessun dorma*), dell'ultima opera di Puccini, *Turandot* (1924), in cui l'innamorato che non supera le prove volute dalla principessa cinese deve morire.
Prima di entrare nei testi, leggi la trama delle due opere, per poterli capire meglio.

LA BOHÈME

Siamo alla fine dell'Ottocento, a Parigi, in una soffitta (l'ultimo piano di un edificio, sotto il tetto) dove fa molto freddo perché è quasi Natale. Qui abitano tre ragazzi - un poeta, un pittore, un filosofo - che hanno tante idee ma pochi soldi.
Rodolfo, il poeta, si innamora di Mimì, la sua vicina di casa (trovi le schede sul loro incontro tra le opere online) e i due diventano amanti. Ma dopo qualche mese la gelosia di Rodolfo porta alla loro separazione e Mimì diventa l'amante di un altro uomo.
Ma Mimì è malata e alla fine rimane sola. Gli amici la trovano per strada e la portano in soffitta, dove la donna ritrova Rodolfo. Lei si addormenta e gli amici escono per cercare un medico e qualcosa che la aiuti a guarire. Mimì apre gli occhi, dice che ha finto di dormire (cioè non dormiva, era una recita) perché voleva restare sola con Rodolfo per dirgli che lo ama mentre ormai sente la morte nel corpo.

TOSCA

Siamo alla fine del Settecento, a Roma, dove il Papa è come un re. In Francia c'è la Rivoluzione, il Papa ha paura delle idee rivoluzionarie e la polizia del Papa controlla tutti.
Un pittore, Mario, aiuta un rivoluzionario a nascondersi; la polizia lo prende e lo condanna a morte.
Il capo della polizia propone un accordo all'amante di Mario, la cantante Tosca: se farà l'amore con lui, Mario non morirà. Tosca prima dice di sì, poi si rifiuta e uccide il capo della polizia.
Nell'aria che leggerai nella pagina a fronte, Mario sta per essere ucciso, ha un'ora di tempo per ricordare la sua vita, per scrivere una lettera... e qui lui ricorda quando Tosca veniva a trovarlo, di notte, entrando dal giardino.

Sono andati? (da **La Bohème**)

La semplicità del testo dell'ultimo atto della Bohème *è incredibile. È una semplicissima dichiarazione d'amore: «sei il mio amore e tutta la mia vita» è una frase che tutti abbiamo detto, prima o poi nella vita. Ma Mimì sa che sta morendo, e ne parla in maniera delicata, altrettanto semplice: lei non è più all'inizio della sua vita, all'*aurora *(il momento in cui la notte finisce e inizia il giorno), ma è al* tramonto *(il momento in cui il giorno finisce e inizia la notte).*

Mimì Sono andati? Fingevo di dormire
perché **volli**[1] con te sola restare.
Ho tante cose che ti voglio dire,
o una sola, ma grande come il mare,
come il mare profonda ed infinita...
Sei il mio amore e tutta la mia vita!
Rodolfo Ah, Mimì,
mia bella Mimì!
Mimì Son bella ancora?
Rodolfo Bella come un'**aurora**[2].
Mimì Hai sbagliato il **raffronto**[3].
Volevi dir: bella come un **tramonto**[4].

1. **volli**: *volli* è il passato remoto di *volere*.
2. **aurora**: l'alba, il momento in cui incomincia il giorno.
3. **raffronto**: confronto, paragone.
4. **tramonto**: il momento in cui il sole tramonta e il giorno muore.

Ascolta la musica (in rete trovi l'edizione eccezionale con Anna Netrebko): all'inizio ci sono tutti i temi musicali dei momenti felici, ma quando Mimì parla d'amore, l'orchestra suona una musica tristissima, è una "marcia funebre" (la musica dei funerali), in cui si uniscono *Eros* e *Thanatos*.
Se vuoi, puoi ascoltare anche il resto dell'aria, i pochi minuti prima della fine; in questo caso ti conviene prima vedere la scheda online su *Mi chiamano Mimì?* e *Che gelida manina*, che descrive il momento in cui i due giovani si sono conosciuti: qui viene ripetuta quella stessa musica e loro parlano del loro primo incontro.

E lucevan le stelle (da **Tosca**)

*Mario ricorda i suoi incontri con Tosca, e l'emozione è mostrata attraverso tutti i sensi: la vista (*lucevan*), l'olfatto (*olezzava, fragrante*), l'udito (*stridea, sfiorava*), il tatto (*mi cadea fra le braccia, baci, carezze*). L'emozione dell'*Eros *viene creata lentamente e di colpo arriva lo scontro con* Thanatos.

E **lucevan**[1] le stelle...
e **olezzava**[2] la terra...
stridea l'uscio dell'orto...[3]
e un passo **sfiorava la rena...**[4].
Entrava **ella**[5], **fragrante**[6],
mi **cadea**[7] fra le braccia...

Oh! dolci baci, o **languide carezze**[8],
mentr'io fremente[9]
le belle forme disciogliea dai veli[10]!
Svanì per sempre il sogno mio d'amore...

L'ora è **fuggita...**[11]
e muoio **disperato**[12]!
E non ho amato mai tanto la vita!

1. **lucevan**: facevano luce, brillavano.
2. **olezzava**: profumava, aveva un buon odore.
3. **stridea l'uscio dell'orto**: la porta (*uscio*) dell'orto ("giardino con verdure") faceva rumore.
4. **sfiorava la rena**: camminava leggero sulla sabbia, sulla terra.
5. **ella**: forma classica per indicare *lei*.
6. **fragrante**: profumata.
7. **cadea**: cadeva.
8. **languide carezze**: dolci e sensuali abbracci.
9. **mentr'io fremente**: mentre io, pieno di desiderio.
10. **le belle ... veli**: liberavo il suo bel corpo (*belle forme*) dai vestiti (*veli*).
11. **Svanì**: è finito.
12. **fuggita**: passata in fretta.
13. **disperato**: senza al speranza (di vivere e rivedere Tosca).

Mario è solo di fronte all'amore e alla morte, e la sua solitudine è raccontata dalla musica: è accompagnato solo dal clarino, uno strumento debole e delicato. Poi, quando arriva il ricordo dell'*Eros*, tutta l'orchestra suona insieme a Mario, e quando lui muore l'orchestra continua - la vita va avanti e non si preoccupa della morte di un uomo, uno dei tanti...
La versione più famosa è quella di Luciano Pavarotti, ma sono belle anche le versioni di Placido Domingo, di José Carreras, di Roberto Alagna, che trovi in rete. Sentirai che ogni cantante interpreta quest'aria in maniera differente. Quale ti piace di più? Perché?

1 Il tuo parere.

Ti sono piaciute queste due arie?
Ti hanno dato il senso dello scontro tra amore e morte? Ti hanno dato emozione? Hai voglia di vedere *Tosca* e *La Bohème*?
Discuti di questi temi con i compagni.

2 Un dettaglio linguistico.

Hai scoperto due cose dell'italiano classico:

- Oggi si usa il pronome *lei*; un secolo fa si usava ....
- Oggi l'imperfetto è facile da riconoscere perché ha sempre la lettera .... nella desinenza; nell'italiano classico, l'imperfetto poteva anche essere senza questa consonante, come in ....

P16/Sedici | Paura, rabbia, impotenza

Comprensione & produzione

1 Leggiamo una telefonata.

Che senso ha, ti chiederai, *leggere* una telefonata? Ha senso perché la telefonata originale è urlata, con un rumore assordante tutto intorno, ed è continuamente interrotta: difficile da capire anche per un madrelingua. Guarda la foto: è facile immaginare quello che è successo. Il ragazzo con lo zaino sulle spalle si è salvato, gli hanno dato un casco (il cappello di plastica, per proteggere la testa) e sta aiutando un soccorritore.
Che emozioni ha provato durante questo evento, secondo te? Discutine con i compagni e pensa a come si possono esprimere queste emozioni.

2 L'inizio della telefonata.

Leggi, cerca di capire che cosa è successo e come è la situazione; poi confronta la tua comprensione con la classe. Prima di leggere, eccoti alcune parole chiave.

PAROLE CHIAVE

- **paura**: è l'emozione di chi teme che possa succedergli qualcosa di male; il *terrore* è una paura fortissima, che ti blocca e non ti lascia ragionare
- **botto / botta**: un *botto* è un rumore breve ma fortissimo, come l'esplosione di una bomba; una *botta* è un colpo su una parte del corpo: fa male, ma non è grave
- **frenare**: diminuire fortemente la velocità; nei mezzi di trasporto c'è il pedale del *freno*
- **addosso**: sopra
- **respirare**: far entrare aria nei polmoni
- **bruciare**: il fuoco *brucia* le cose, ma qui il verbo indica che i polmoni fanno male come se nell'aria che si respira ci fosse il fuoco; anche una ferita *brucia*, fa male
- **fumo, polvere**: dopo un'esplosione c'è *polvere*, cioè una nuvola fatta di piccolissime parti di terra, muri crollati ecc.; se c'è il fuoco, c'è anche una nuvola di *fumo*

Pronto pronto... c'è molto rumore, non ti sento... comunque so che tu mi senti: stai tranquilla, sono vivo, non mi è successo niente. Ho solo tanta paura: non riuscivo neanche ad accendere il cellulare da quanto mi tremano le mani. [...]
Sì, sto bene, sono in metropolitana... È stato terribile... c'è stato un botto fortissimo, non nella mia carrozza, ma più indietro... poi il treno ha frenato e siamo finiti tutti uno sull'altro. Per fortuna io ero seduto e mi sono caduti addosso solo quelli che erano seduti vicino a me... [...]
Pronto pronto... [...]
Sì, sì, sto bene, ma qui c'è tanto rumore, tutti piangono e urlano. Ho tanta paura, anche se ormai siamo fuori dal treno; per fortuna eravamo quasi in stazione... poi c'è stato fumo, tanto fumo, respiravo a fatica, adesso va un po' meglio, ma i polmoni bruciano; c'è anche tanta polvere... [...]
Sì, sì sto bene, sono salvo. Scusa, ma devo spostarmi, hanno aperto un passaggio... [...]

3 La telefonata continua.

Il ragazzo ha detto che hanno aperto un *passaggio*, cioè una "via di uscita". Adesso, quindi, quale sarà la situazione? Mentre il ragazzo rassicura la persona con cui sta parlando al telefono, qualcuno gli dice che cosa ha causato l'esplosione: che cosa può essere stato?

È stato un *attentato terroristico*: delle persone hanno deciso di mettere una bomba sul treno per uccidere e ferire degli innocenti (cioè persone che non hanno alcuna responsabilità, nessuna colpa) e per creare *terrore*.
A questo punto, nasce la seconda emozione del titolo del *Passo*, la ....

Per esprimere la sua rabbia il ragazzo usa delle parole forti, da non usare in una conversazione normale: leggi le parole chiave.

Ecco, qui si respira un po' meglio. [...]
Stai tranquilla, sono a posto, ho solo qualche graffio; mi fa male un polso, avevo paura che fosse rotto, invece è solo la botta che... Aspetta... stanno dicendo che è stata una bomba. Una bomba! Ma chi è lo stronzo che mette una bomba e lo fa apposta per uccidere gente normale... non dovrebbero morire degli innocenti. Se ne trovo uno gli spacco la faccia, cazzo! [...]
Ciao, devo spostarmi, ciao. Ti richiamo.

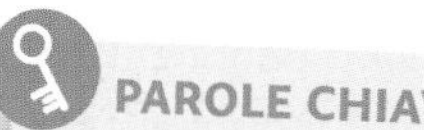

PAROLE CHIAVE

- **stronzo**: è un insulto e indica una persona cattiva
- **spaccare la faccia**: significa voler rompere la faccia a qualcuno
- **cazzo**: indica l'organo sessuale maschile, ma è anche un'esclamazione volgare molto usata in Italia, tipica delle persone arrabbiate, *incazzate*

4 L'ultima parte della telefonata: due ore dopo.

Nella foto alla pagina precedente vedi che il ragazzo sta aiutando i medici. Non è né un medico né un infermiere: che cosa può fare per aiutare? Parlane con la classe, immaginando quello che faresti tu nella stessa situazione. Immagina quale emozione potresti provare, dopo la paura e la rabbia: ....

PAROLE CHIAVE

- **ammaccato**: quando prendi una *botta*, se non si rompe niente hai una *ammaccatura*, che spesso diventa scura
- **tamponare il sangue**: tenere chiusa una ferita per non far uscire il sangue
- **lacrime**: acqua che esce dagli occhi quando si piange
- **incazzatura**: espressione volgare per indicare una rabbia molto forte
- **pazzo**: è chi ha perso la ragione
- **rubare**: prendere qualcosa che non è della persona che ruba, il *ladro*; si possono rubare dei soldi, un telefono, ma anche un amore o la vita

Eccomi di nuovo. [...] Il polso è solo ammaccato, non è rotto. Mi ha visitato un medico. Sto aiutando a raccogliere i feriti - cioè non proprio a raccoglierli, questo lo fanno gli infermieri: io aiuto a tamponare il sangue, tengo su la testa a quelli che sono a terra, cerco di parlare con loro, di tenerli svegli...
È terribile, terribile, non ha senso...
Io cerco di parlare con i feriti, ma mi vengono giù le lacrime, anche se non sto piangendo.
Ho il cuore che esplode per il dolore, l'incazzatura, la rabbia, per..., come dire..., non riesco a capire il perché di tutto questo... Che senso ha?
Che senso ha la vita se un pazzo può divertirsi a rubarla? Mi sembra che tutto sia un grande vuoto senza senso.
Qui l'unica cosa vera sono le **urla** dei feriti e le **grida** dei disperati che hanno visto morire un amico, una persona a cui volevano bene... Ho paura che sarà sempre peggio... non capisco, non riesco neanche a piangere...

urla, grida

Urlo e *grido* al plurale, se riguardano esseri umani, diventano *urla* e *grida*.

5 Facciamo il punto sulle telefonate, cioè scriviamo le cose di cui siamo sicuri.

a. Il ragazzo era in treno.
b. Improvvisamente ha sentito un .... e il treno ....
c. Il ragazzo è salvo, anche se gli fa male il ....
d. La prima parte della telefonata è dominata da un'emozione: ....
e. Poi il ragazzo scopre che è stata una bomba e l'emozione cambia, diventa ....
f. Due ore dopo, in una seconda telefonata, il ragazzo dice che sta ....
g. Mentre dà una mano ai feriti, gli occhi continuano a essere pieni di ...., anche se lui non sta piangendo.
h. Nella terza telefonata l'emozione che domina diventa il senso di ....

Racconta quello che è successo, basandoti su questi appunti.

6 Un'intervista al telegiornale.

Un giornalista (tu) dà la notizia di quello che è successo: dice che ci sono dei morti e dei feriti anche se non si sa ancora quale sia il numero esatto. Poi intervista un ragazzo italiano che era sul treno (il tuo compagno), che racconta quello che ha visto e dice come si sente e quali emozioni ha provato. Siate pronti a recitare l'intervista per la classe.

7 **Cerca di entrare nell'anima di questo ragazzo, di cui non conosciamo neanche il nome.**

Dividete la classe in sei gruppi, due per ciascuna parte della telefonata. Provate a recitare la telefonata come se foste voi il ragazzo che era sul treno: ogni gruppo sceglie il miglior attore, che sappia dare voce alla *paura*, alla *rabbia* e al senso di *impotenza* di fronte al caso e alla morte.
Poi reciterete due volte ogni parte delle telefonate e sceglierete i tre compagni che sono riusciti a esprimere meglio le emozioni del ragazzo ferito.

apposta

Fare qualcosa *apposta* significa che la si vuole proprio fare, che si è deciso di farla, che non è casuale.

Analisi & sintesi

8 **Una sintesi un po' delicata.**

C'è un aspetto delle lingue che è difficile da trattare: le parolacce, le esclamazioni volgari. Queste espressioni sono molto usate, soprattutto quando si esprimono emozioni, e a metà percorso del B1 possiamo parlarne senza problemi.

a. Completa questa frase delle telefonate.
   1. Ma chi è lo .... che mette una bomba e lo fa **apposta** per uccidere gente normale...

   L'espressione che hai scritto si usa anche come insulto diretto a una persona che si disprezza, come vedi nella vignetta.

SEI UN GRANDISSIMO...

SONO MOLTO, MOLTO ....

b. Completa queste frasi delle telefonate.
   1. Se ne trovo uno gli spacco la faccia, ...!
   2. Ho il cuore che esplode per il dolore, l'...................., la rabbia...

   *C***o* (questa parola si trascrive spesso così) si usa anche per rafforzare domande (*Che c***o vuole da me?*) o per dire un *no* molto deciso (*Io non vengo lì, col c***o che ci vengo!*).
   Una *c***ata* è una cosa sciocca, un errore, una cosa fatta male; una persona *inc***ata* è molto arrabbiata, ha un'*inc***atura*.
   Spesso, in discorsi meno volgari, si usa una parola che assomiglia un po' a *c***o*, cioè *cavolo*... che non c'entra con il cavolo, una verdura!
   Quindi le persone sono *incavolate* e gli errori sono *cavolate*.

9 ***Paura*, *rabbia* e senso di *impotenza*: facciamo il punto su come esprimere queste emozioni.**

Completa queste frasi delle telefonate.

a. Non mi è successo niente. Ho solo ....
b. Mi fa male un polso, ... che fosse rotto (con il congiuntivo *avere paura* esprime un'opinione).
c. È stato .... c'è stato un botto fortissimo.
d. Non dovrebbero .... degli innocenti.
e. Se ne trovo uno ....
f. Ho il cuore che .... per il dolore.
g. .... il perché di tutto questo... Che senso ha?
h. .... la vita se un pazzo può divertirsi a rubarla? Mi sembra che tutto sia .... senza senso.
i. Ho paura che ....…
j. ...., non riesco neanche a piangere...

La paura nei modi di dire

Insieme ai compagni, cerca di capire il significato di questi modi di dire, poi indica a quale spiegazione si riferisce ciascuno di essi scrivendo il numero corrispondente.

MODI DI DIRE

- (3) **ha paura anche dell'aria / della sua ombra**
- ( ) **non ha paura neanche dell'inferno / del Diavolo**
- ( ) **è .... da far paura** (nei puntini puoi mettere qualunque aggettivo)
- ( ) **è diventato giallo / blu di paura; era mezzo morto di paura**
- ( ) **la paura fa Novanta**

SPIEGAZIONI

1. Non ha paura di niente, di nessuno.
2. Ha preso una paura tremenda, che lo ha bloccato.
3. Ha paura di tutto.
4. È *molto*...
5. Nel lotto, la lotteria tradizionale di Napoli, un sogno che fa paura corrisponde al numero più alto. Quindi significa che la paura è totale e ci impedisce di fare altro.

P16 | Guardiamoci intorno

Il volto della paura

Il mito greco di Apollo e Dafne è stato dipinto e scolpito in molte opere d'arte.
Apollo è il dio della bellezza, dell'arte e della musica, ma come tutti gli dei del mondo classico è talvolta un violento, che prende le donne anche con la forza.
Dafne è una bellissima ninfa, cioè una dea dell'acqua, che vive in un bosco. Apollo la vede, se ne innamora, la vuole, ma lei fugge nel bosco; alla fine lui la prende e lei, per non essere violentata, si trasforma in un albero di alloro.
La statua più famosa su questo mito è *Apollo e Dafne* di Gian Lorenzo Bernini, scolpita tra il 1622 e il 1625: se vai a Roma, puoi vedere questa scultura (e altri capolavori di Bernini) nella Galleria Borghese.
Quindi non ti facciamo vedere tutta la statua, che scoprirai a Roma, ma solo il volto di Dafne: anche se è un volto di marmo, la paura che mostra è viva proprio come se Dafne fosse una donna vera.

Che cosa è la paura?

La paura è un'emozione fondamentale per la vita: è un modo per evitare i pericoli. Ci fa paura quello che potrebbe farci male, come un coltello, un animale, una persona violenta; abbiamo paura delle situazioni in cui potremmo trovare dei pericoli, per esempio un bosco, la notte, e così via.
Quindi la paura è un'emozione positiva che protegge la nostra vita.
Ma se la paura è troppa diventa negativa: il terrore e il panico sono emozioni che prendono tutta la nostra mente e noi non siamo più capaci di ragionare. Il *terrore* ci lascia *impietriti*, cioè "di pietra", come una statua: restiamo fermi, incapaci di difenderci, di scappare. Il *panico* ci fa fare cose assurde, come quando c'è un incendio o un terremoto e tutti vogliono scappare in disordine e così bloccano la porta.
Infine c'è la paura nascosta nella mente, la *fobia* che ci impedisce di toccare alcune cose (per esempio i ragni, i serpenti ecc.), di stare in luoghi chiusi o aperti, affollati o deserti, di avere una vita normale: sono paure che vengono dal nostro passato e restano nascoste nella mente fin quando qualcuno o qualcosa, lentamente, ce le fa scoprire e, forse, vincere.

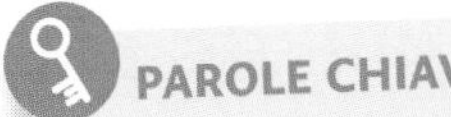

PAROLE CHIAVE

- **dio / dea, dei / dee**: se si parla di Dio, anche con i nomi Allah e Yaveh, si usa Dio con la maiuscola; in religioni in cui non c'è un dio unico si usa *dio / dei* e *dea / dee* con la minuscola
- **capolavoro**: opera d'arte di valore enorme
- **evitare**: non incontrare, non fare qualcosa
- **pericolo**: è pericolosa una cosa che può farci male
- **scappare**: come *fuggire*, vuol dire "andar via correndo" per evitare un pericolo

1 Tu e la paura.

- Hai mai provato il terrore e il panico?
- Hai paura del buio, della troppa gente, degli spazi vuoti, degli spazi chiusi, cioè le varie *fobie*?
- Hai delle paure strane, di cui non conosci neppure la causa?

Racconta queste cose al tuo compagno e ascolta il suo racconto. A casa, poi, scrivi un testo su questo tema: l'insegnante ne correggerà alcuni.

P17 / Diciassette | Parlare con se stessi

Comprensione & produzione

1 Il diario.

Sul francobollo tedesco che vedi qui a fianco c'è la foto di Anna Frank, l'autrice del più famoso *diario*. Con i compagni cerca di capire che cosa è un *diario*: come si dice questa parola nella tua lingua?

In passato molte persone, soprattutto adolescenti e giovani, **tenevano un diario**: era un modo per parlare con **se stessi**, per riflettere **tra sé e sé** sulle esperienze della giornata e sul senso delle cose, della vita, dell'amore ecc. Oggi questo senso di riservatezza, di privacy, è scomparso con l'arrivo dei social network, in particolare di Facebook, dove il proprio diario viene condiviso con altri.
È così anche nel tuo Paese? Tu hai mai tenuto un diario? Che cosa scrivevi o scrivi? Se hai smesso, perché lo hai fatto? Se continui a tenerlo, perché lo fai? Racconta la tua esperienza al tuo compagno e ascolta il suo racconto.

sé, se stesso, se

Il **pronome personale** *sé* ha **l'accento** se è da solo, per non confonderlo con la congiunzione *se*; nella forma *se stesso*, si può scrivere **senza accento**.
Tra sé e sé significa "in privato", "senza parlarne con altri".

tenere un diario

Il diario è la **cronaca della propria giornata** (*dies* in latino, da cui *diario*). Se indichi quello che fai in un dato momento, dici che *scrivi il tuo diario*, ma se parli della tua abitudine a scrivere un diario, usi un verbo che indica **continuità**, come ***tenere*** (*tengo* e *tengono* sono forme irregolari del presente).

2 Questa ragazza scrive un diario in una situazione molto, molto particolare.

Nella pagina accanto trovi una pagina del diario di Patrizia, una ragazza di Roma che in questo momento è a Lampedusa. Forse qualcuno in classe ricorda dove è l'isola di Lampedusa, e forse ricorda anche perché è diventata famosa: se ne parla spesso nei telegiornali, perché è stata proposta per il Nobel per la Pace.

a. Lampedusa è l'isola dove ....

....

Per avere conferma → P 17 GUARDIAMOCI INTORNO.

b. Guarda la foto: secondo te, che cosa fa Patrizia?
È una ○ volontaria ○ poliziotta
○ rappresentante del governo.
Perché hai scelto questa risposta?

Leggi la pagina del diario per farti un'idea della ragione per cui Patrizia è a Lampedusa e di come sta. Non cercare di capire tutto subito, lavoreremo un bel po' sul diario di Patrizia.

3 Facciamo il punto su alcune informazioni che trovi nel diario di Patrizia.

a. Patrizia è a Lampedusa da .... mese e lavora come ....

b. Deve restare ancora .... mesi, e dopo dovrà tornare a Roma perché i volontari ....

c. Vede cose terribili, ma .... vorrebbe andare via, alla fine dei tre mesi, perché ....

d. Nel diario c'è un'espressione molto colloquiale: *chi se ne frega?* Riesci a capire che cosa vuol dire? Vuol dire che a Patrizia interessa prendere dei 30 agli esami (30 è il voto massimo all'università) o che non le interessa più? C'è una forma molto colloquiale come questa anche nella tua lingua? Scrivila qui, poi confrontati con i compagni che parlano la tua stessa madrelingua: ....

e. Patrizia riesce ad avere dei contatti stabili con le persone che aiuta? ....

f. Che cosa vuol dire *amare*, secondo quanto ha capito di sé Patrizia? ....

....

g. Come si sente Patrizia quando va a letto dopo venti ore di lavoro? ....

obbligati

Nei **discorsi generali** si usa il **plurale** anche se si parla di una persona singola. Nell'ES. 1 hai trovato un altro esempio simile: *Un diario è un modo di parlare con **se stessi**.*

Oggi è un mese esatto che sono qui, ho ancora due mesi di tempo. Per fortuna non vogliono che i volontari stiano più di tre mesi, altrimenti non avrei più il coraggio di andarmene... Vedo delle cose terribili, bambini con le labbra rotte dal sole e dall'acqua salata, gente che piange perché il mare si è mangiato amici, parenti... Ma non voglio andare via: aiutare questa gente dà senso alla mia vita.
Tra due mesi, quando avrò visto tutto il dolore che si può vedere senza impazzire, vorrò ancora restare o scapperò via felice di tornare a Roma, di dimenticare tutto? E quando sarò tornata a casa e avrò ripreso la vita universitaria, che cosa resterà di questa esperienza? Dopo che avrò vissuto tre mesi tenendo insieme emozioni - e sono emozioni che nessun video può dare - e ragione, sarò in grado di tornare a fare il solito tran tran? Lezioni, biblioteca, serate con gli amici, nottate a studiare per gli esami, brindisi e congratulazioni se prendo 30... chi se ne frega?
In questo mese ho imparato che cosa vuol dire amare, almeno per me - anche se "amo" delle persone che vedo solo per poche ore, per pochi giorni, e con le quali non riesco quasi mai a scambiare due parole, perché non sanno l'inglese. Per me "amare" vuol dire "dare" senza "chiedere". Vuol dire andare a letto distrutta dopo una giornata di venti ore di arrivi di disperati, però andare a letto in pace con me stessa.

4 Le domande che si pone Patrizia.

Scrivere una pagina di diario serve per riflettere tra sé e sé, per ragionare con calma, per **essere obbligati** a pensare lentamente. E così nascono domande come queste.

a. Tra due mesi, quando avrò visto tutto il dolore che si può vedere senza impazzire, vorrò ancora .... o .... via felice di tornare a Roma, di dimenticare tutto?

b. E quando sarò tornata a casa e avrò ripreso la vita universitaria, ...?

c. Dopo che avrò vissuto tre mesi tenendo insieme emozioni e ragione, ... tran tran?

Come risponderesti, tu? Parlane con il tuo compagno, poi discutine con la classe.

tran tran

Il *tran tran* è la vita quotidiana, ripetitiva, sempre uguale a se stessa.

5 Patrizia telefona alla sua migliore amica.

Ascolta l'AUDIO 27 (trovi la trascrizione online) seguendo la pagina di diario con gli occhi, poi ascolta di nuovo senza leggere: dovresti capire molto e, forse, tutto.

6 Crea con il tuo compagno una telefonata simile a quella che hai ascoltato nell'AUDIO 27.

Analisi & sintesi

7 Il futuro anteriore.

a. Completa queste parti della pagina di diario.

1. Tra due mesi, quando (*vedere*) ....*avrò visto*.... tutto il dolore che si può vedere senza impazzire, (*volere*) .... ancora restare o scapperò via felice di tornare a Roma, di dimenticare tutto?

2. E quando (*tornare*) .... a casa e riprenderò la vita universitaria, che cosa (*restare*) .... di questa esperienza?
3. Dopo che (*vivere*) .... tre mesi tenendo insieme emozioni e ragione, (*essere in grado*) .... di tornare a fare il solito tran tran?

Hai inserito due tipi di futuro, uno dei quali viene prima dell'altro: è il *futuro anteriore*.

b. Nelle tre frasi qui sopra quale azione viene prima? Te le diamo in ordine alfabetico:
1. *vedere / volere* ....
2. *restare / tornare* ....
3. *essere in grado / vivere* ....

QUANDO **AVRÒ CAPITO** COME FUNZIONA IL FUTURO ANTERIORE **STARÒ** MOLTO MEGLIO!

Il futuro anteriore

Non è un caso molto frequente, ma talvolta devi parlare di azioni che farai in futuro, e una di queste avviene prima dell'altra.

Osserva questa frase del diario:

prima — *poi*

*Quando **avrò ripreso** la vita universitaria, / che cosa **resterà** di questa esperienza?*

La frase completa è più complessa, cioè è fatta di tre azioni:

prima — *poi* — *dopo*

*Quando **sarò tornata** a casa / e **avrò ripreso** la vita universitaria, / che cosa **resterà** di questa esperienza?*

L'azione principale (nell'esempio *restare*) va al futuro semplice; quelle che vengono prima vanno al futuro anteriore, che si costruisce con l'ausiliare al futuro e il participio passato del verbo base.

In italiano parlato, se non c'è un'indicazione di tempo (come *tra due mesi*), spesso si usa il presente al posto del futuro anteriore: *Quando **torno** a casa e **riprendo** la vita universitaria, che cosa **resterà** di questa esperienza?*

8 Inserisci nelle frasi la forma del futuro semplice e del futuro anteriore.

a. Quando (*tornare*) sarò tornata a Roma, (*avere*) .... bisogno di un bel po' di tempo per pensare a quest'esperienza.
b. Dopo che (*vivere*) .... qui per tutta l'estate, (*sentirsi*) .... più lampedusana o romana?
c. Se (*lavorare*) .... bene, spero che mi (*prenderanno*) .... per altri tre mesi, dopo Natale.
d. Hanno detto che mi (*chiameranno*) .... loro, se gli (*dare*) .... l'impressione di essere una persona equilibrata.

Scioglilingua

Trovi gli *stranieri* (*forestiero* è una parola oggi poco usata e significa "persona che viene da fuori") anche in uno scioglilingua, che devi provare a ripetere tre volte in fretta:

Un forte forestiero resta forse nella foresta

9 Giorni e giornate, sere e serate, notti e nottate.

COMUNQUE, NON HO INTENZIONE DI PASSARE TUTTA LA **GIORNATA** A CERCARE DI CAPIRE IL FUTURO ANTERIORE!

Completa queste frasi del *Passo*.

a. Era un modo per parlare con se stessi, di riflettere tra sé e sé sulle esperienze della .... (→ ES. 1)
b. Lezioni, biblioteca, ... con gli amici, ... a studiare per gli esami... (→ DIARIO)
c. Vuol dire andare a letto distrutta dopo una .... di venti ore di arrivi di disperati, però andare a letto in pace con me stessa. (→ DIARIO)

- *Giorno*, *notte*, *mattina*, *sera* sono indicazioni chiare, che descrivono **un certo momento** del giorno.
- *Giornata*, *nottata*, *mattinata*, *serata* sono espressioni meno concrete, perché uniscono **un momento a un'emozione**, a quello che si vive in quel momento.

P17 | Guardiamoci intorno

A Lampedusa il Nobel per la Pace?

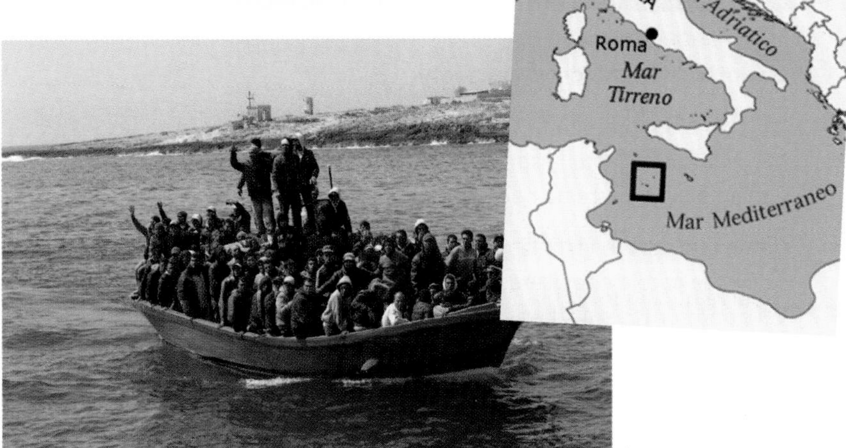

Lampedusa è una piccola isola, più vicina all'Africa che all'Italia: dista 113 km dalla Tunisia. È lunga poco più di 3 km e ha 6000 abitanti. Per secoli è stata un punto di passaggio per le popolazioni del Mediterraneo: Lampedusa è stata dei Fenici, che andavano dal Libano (la loro terra) a Cartagine (la grande colonia che per un secolo è stata importante come Roma); poi è stata greca, romana e infine araba. Tutte queste culture hanno lasciato il loro segno nell'isola.
Da vent'anni Lampedusa è la porta d'entrata in Europa per chi viene dall'Africa come clandestino o rifugiato politico.
Da anni Lampedusa è anche al centro di un cimitero invisibile, con migliaia e migliaia di persone che sono morte su barconi vecchi e strapieni nel viaggio dalla Libia o dalla Tunisia verso l'Italia e l'Europa.
Per questa ragione l'artista Mimmo Paladino ha regalato all'isola questa scultura, fatta con un materiale speciale che riflette la luce del sole o della luna e la trasforma in un grande faro: è la *Porta d'Europa*. Si trova sulla punta dell'isola ed è quindi la prima cosa che vedono dalla barca coloro che cercano di raggiungere l'Europa.

Già nel 2011 era stata fatta la proposta di assegnare il Premio Nobel per la Pace agli abitanti di Lampedusa, e nel 2016 in molti Paesi d'Europa è iniziata una campagna per assegnare il Nobel, insieme a Lampedusa, anche a Lesbo, l'isola greca di fronte alla Turchia dove arrivano le migliaia di persone che scappano dalle guerre del Medio Oriente: un'isola piccola e povera, dove la popolazione greca, come quella lampedusana, ha aiutato migliaia di persone, dando acqua, cibo, coperte, e ha salvato persone che stavano per annegare.

PAROLE CHIAVE

- **faro**: è una torre sulla costa, con una grande luce, che si vede da lontano e serve come guida per le navi
- **assegnare**: dare un premio, un titolo di onore
- **coperta**: una stoffa molto calda, che si usa a letto sopra il lenzuolo, e che gli immigrati usano sulle spalle per proteggersi dal freddo
- **annegare**: morire nell'acqua per mancanza di aria

Il regista Gianfranco Rosi, che ha vinto l'Orso d'oro al Festival di Berlino del 2015 con un film ambientato a Lampedusa, *Fuocoammare* (in siciliano, "fuoco sul mare"), ha spiegato così perché il Nobel sarebbe una cosa giusta:

«I lampedusani in questi vent'anni hanno accolto[1] senza mai fermarsi le persone che sono arrivate, i migranti[2]. Ho vissuto lì un anno e non ho mai sentito da nessuno parole di astio[3] e di paura nei confronti degli immigrati. Le uniche volte in cui li vedo reagire con rabbia è quando ci sono troppe notizie negative sui giornali: "disastro a Lampedusa", "i pesci mangiano i cadaveri", "arrivano i terroristi".
Questo stato d'animo appartiene non solo a Lampedusa ma alla Sicilia e ai siciliani. Negli ultimi tempi sono arrivate migliaia di persone e non ho sentito nessuno a Palermo o a Catania parlare di barriere[4]. Quelle barriere fisiche e mentali che alcuni stati d'Europa innalzano, vergognosamente, oggi.»

1. **hanno accolto**: *accogliere* significa ricevere con generosità, far entrare qualcuno in una casa, in un Paese.
2. **migranti**: persone che emigrano, che lasciano un Paese a causa della povertà o delle guerre.
3. **astio**: forte antipatia insieme a rabbia.
4. **barriere**: muri o strutture che impediscono di passare, che separano.

P18/ Diciotto | Che cosa è per te la notte?

Comprensione & produzione

1 La notte: il regno delle emozioni.

La *notte* è il momento in cui le emozioni diventano più forti della ragione. In questa Unità Didattica, in cui hai ascoltato e letto l'espressione di emozioni, non può mancare un *Passo* in cui leggi e scrivi qualcosa di tuo: abbiamo scelto il tema della notte, le emozioni che ti provoca, quello che senti.

Come può essere vista la notte? Solo come luogo della paura? Chi è la *regina* della notte?
Scrivi tre parole che useresti parlando del fascino, cioè della bellezza magica, della notte. Poi le tre parole di tutti vengono scritte sulla lavagna, così potete condividere il vostro lessico.

....

2 Questi sono gli *incipit*, cioè gli inizi, di alcune famose poesie sulla notte.

Leggili insieme al tuo compagno; l'insegnante chiarirà i vostri dubbi.

Poi ascolta le poesie nell'AUDIO 28, e riascoltale nell'AUDIO 28 CON PAUSE. Quest'ultima versione ti serve per imparare bene la musica e il ritmo dei versi, in modo che alla fine alcuni di voi potranno recitare questi *incipit* davanti a tutta la classe.

(1)

Che fai tu, luna, in ciel? dimmi, che fai,
silenzïosa luna?
Sorgi la sera, e vai,
contemplando i deserti; **indi ti posi.**
Ancor non sei tu **paga**
di **riandare i sempiterni calli?**
Ancor **non prendi a schivo**, ancor **sei vaga**
di **mirar** queste valli?

Giacomo Leopardi, *Canto notturno di un pastore errante dell'Asia*, 1830

ti alzi dall'orizzonte
guardando infine, scompari dietro l'orizzonte
stanca
rifare sempre la stessa strada
non ti annoi hai voglia
guardare

(2)

Vaghe stelle dell'Orsa, io non **credea**
tornare ancor **per uso a contemplarvi**
sul paterno giardino scintillanti,
e **ragionar** con voi dalle finestre
di **questo albergo ove abitai fanciullo**,
e **delle gioie mie vidi la fine.**

Giacomo Leopardi, *Le ricordanze*, 1829

belle stelle dell'Orsa Maggiore o Orsa Minore credevo
a guardarvi per abitudine
parlare
questa casa dove ho abitato da bambino
dove ho visto la fine della mia felicità

(3)

Dolce e chiara è la notte e senza vento,
e **queta sovra** i tetti e in mezzo agli **orti**
posa la luna, e di lontan **rivela**
serena ogni montagna. O donna mia,
già tace ogni sentiero, e **pei balconi**
rara traluce la notturna lampa.

Giacomo Leopardi, *La sera del dì di festa*, 1820

quieta, calma sopra giardini con verdure e frutti
si appoggia, sta mostra
la luce della lampada usata di notte passa
appena attraverso (*pei*) le finestre (*balconi*)

4 **L**a cosa più **superba** è la notte
quando cadono gli ultimi **spaventi**
e l'anima **si getta** all'avventura.

bella, eccezionale
paure
si lascia andare senza preoccupazioni

Ada Merini, *La cosa più superba*, 2000

5 **A**nche la notte ti somiglia,
la notte **remota** che piange
muta, dentro il cuore profondo,
e le stelle passano stanche.

lontana
incapace di parlare, silenziosa

Cesare Pavese,
Anche la notte ti somiglia, 1951

3 Creiamo insieme una poesia sulla notte.

Ci sono da fare vari passi, ma sono semplici.

a. Sottolinea le parole sulla notte che hai trovato nelle poesie e copiale in due liste: da una parte le parole sul *fascino* (cioè l'incanto magico) della notte, dall'altra le parole sul *lato oscuro*, pauroso e pericoloso della notte. Queste parole potranno esserti utili.

fascino della notte	lato oscuro della notte

b. Alla lavagna ci sono le parole di tutta la classe (→ ES. 1): scegli quelle che ti piacciono di più e aggiungile alle due liste che hai preparato.

c. Adesso nei due schemi qui sotto scrivi *a matita* le parole che ti piacciono di più, quelle che esprimono meglio la tua emozione della notte: stai creando una brevissima poesia.

Titolo:
La notte, la mia grande nemica

2 aggettivi: ....
....
3 verbi: ....
....
un verso a tuo piacere: ....
....

Titolo:
La notte, la promessa dell'amore

2 aggettivi: ....
....
3 verbi: ....
....
un verso a tuo piacere: ....
....

d. Lavora con il tuo compagno. Mettete insieme i vostri aggettivi e verbi: dovete conservare 3 aggettivi e 3 verbi in totale; e solo un verso conclusivo! Adesso, dopo aver cancellato le parole eliminate, le due poesie dello schema qui sopra sono uguali sul tuo libro e su quello del tuo compagno.

e. Lavorate insieme a un'altra coppia. Anche in questo caso nello schema qui sotto devono restare solo i numeri delle parole indicate.

Titolo:
La notte, la mia grande nemica

3 aggettivi: ....
....
3 verbi: ....
....
un verso a tuo piacere: ....
....

Titolo:
La notte, la promessa dell'amore

3 aggettivi: ....
....
3 verbi: ....
....
un verso a tuo piacere: ....
....

f. Alla lavagna, l'insegnante scrive gli aggettivi e i verbi della poesia *negativa*.

g. Tutti insieme dovete scegliere 3 aggettivi e 3 verbi tra tutti quelli scritti alla lavagna: scegliete quelli che esprimo meglio la paura dell'ignoto, della notte; potete anche decidere di conservare 2 versi finali, se sono belli e se stanno bene insieme. Copia la poesia finale nello schema qui sotto.

h. Adesso fate la stessa cosa sulla poesia *positiva*. Copia la poesia finale nello schema qui sotto.

In quale delle due poesie ti riconosci di più? Perché? Sii pronto a discuterne con la classe.

Titolo: *La notte, la mia grande nemica*	Titolo: *La notte, la promessa dell'amore*
....	....
....	....
....	....
....	....
....	....
....	....

4 **Tre lune diverse.**

V. VAN GOGH

E. MUNCH

C.D. FRIEDRICH

a. Quale ti dà maggiore emozione, o ti ricorda un'emozione?
b. Perché preferisci un quadro rispetto agli altri due?
c. C'è un quadro che non ti dice nulla? Perché? Cerca di spiegarlo al tuo compagno.

Infine, scoprite qual è il quadro preferito nella classe e vedete se le ragioni di questa preferenza sono le stesse.

Analisi & sintesi

5 **Le parole che *esprimono* sono diverse dalle parole che *descrivono*.**

a. Scrivi il numero della poesia (→ ES. 2) a cui si riferiscono queste *parafrasi*.

◯ La notte è il momento più bello, quando finalmente le paure se ne vanno e siamo pronti ad affrontare ogni avventura.

◯ Luna, anche se non vorresti parlare, dimmi che cosa fai nel cielo? Ti alzi la sera, passi sopra i soliti posti, infine tramonti – ma hai ancora voglia di rifare sempre la stessa strada, non ti sei stancata di guardare questo mondo, ne hai ancora voglia?

◯ Penso che la notte sia un po' come te, è lontana, piange in segreto, mentre le stelle passano, lentamente.

◯ Questa notte è tranquilla e luminosa, perché la luna è alta sui tetti e sui giardini e illumina le montagne. Amore mio, dappertutto c'è silenzio e si vede appena un po' di luce attraverso le finestre.

◯ Stelle dell'Orsa, che si vedono con difficoltà, non pensavo che sarei tornato a guardarvi brillare sul giardino del palazzo di famiglia, e che sarei tornato a parlare con voi dalle finestre di questa casa dove ho abitato da bambino e dove è finita tutta la mia felicità.

b. Secondo te, le parafrasi hanno:

1. lo stesso contenuto descrittivo delle poesie originali? ◯ sì ◯ no
2. la stessa forza espressiva delle poesie originali? ◯ sì ◯ no

Perché? Discutine con la classe.

6 I sinonimi: parole con lo stesso significato?

Ci sono parole che hanno lo stesso significato, indicano la stessa cosa, descrivono la stessa sensazione, ma quasi sempre hanno una *connotazione* diversa, hanno cioè una carica di emozione diversa. In un'Unità Didattica dedicata all'espressione delle emozioni, è necessario approfondire questo aspetto.

a. Partiamo proprio dal verbo *approfondire* e dall'aggettivo da cui deriva: *profondo*.

1. Mimì, nella *Bohème* (→ **IL PIACERE DELL'ITALIANO 5**), parla di una cosa *come il mare profonda*: in questo caso *profondo* comunica:
   - ◯ una grande dimensione, una cosa enorme, come la profondità del mare
   - ◯ una dimensione molto personale, nella profondità della propria mente
2. Cesare Pavese parla del *cuore profondo*; si riferisce a:
   - ◯ una grande dimensione, una cosa enorme, come la profondità del mare
   - ◯ una dimensione molto personale, nella profondità della propria mente

b. Anche la parola *cuore* ha un doppio significato: spiegalo sulla base delle due immagini.

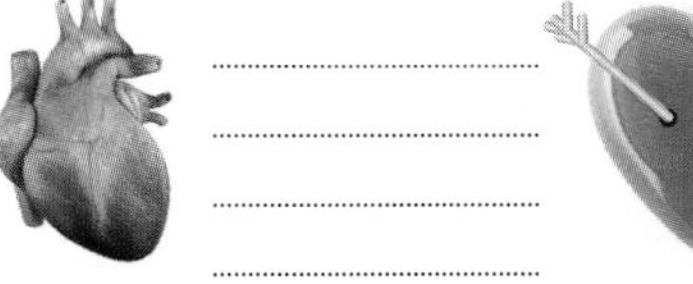

....
....
....
....

....
....
....
....

Per esprimere quello che sentiamo nel *cuore*, usiamo quasi sempre parole **concrete**, realistiche, come *profondo*, ma le usiamo nel loro significato **simbolico**.

7 Senti la differenza?

I poeti romantici, come Leopardi, usano parole che oggi, nel XXI secolo, non si usano più. Ma per descrivere alcune emozioni o sensazioni, quelle "vecchie" parole potrebbero essere più belle delle nostre...

a. «contemplando i deserti» (→ *Canto notturno*) e «tornare ancor per uso a contemplarvi» (→ *Le ricordanze*)
Contemplare vuol dire "guardare con attenzione e rispetto", come si guarda qualcosa di sacro. Nei due versi, prova a usare "guardare" al posto di *contemplare*: la sensazione emotiva che riceve il lettore (tu!) è la stessa?

b. «già tace ogni sentiero» (→ *La sera del dì di festa*)
I *sentieri*, cioè le stradine di campagna, non possono parlare e non possono tacere, quindi il significato del verso è "non c'è più rumore, non ci sono più voci nei sentieri". Prova a leggere il verso usando "non c'è più rumore in" anziché *tace*: comunica la stessa sensazione di silenzio?

c. «di lontan rivela / serena ogni montagna» (→ *La sera del dì di festa*)
Rivela significa "mostra". Il verbo *rivelare* si usa quando Dio parla agli uomini, ai profeti biblici, a Maometto: è un "parlare" che dà nuova conoscenza, è un "parlare" sacro, *divino* (cioè "di Dio", dal latino *divus*). Secondo te, dire *da lontano mostra* ha la stessa forza di *da lontano rivela?*

d. «di lontan rivela / serena ogni montagna» (→ *La sera del dì di festa*)
Dire *serena* significa che non ci sono nuvole, cioè che il cielo è sereno, quindi la luna illumina le montagne; ma significa anche che le montagne sono *serene*, parola che nel significato simbolico vuol dire che sono tranquille, cioè non sono tristi... Quale aggettivo ti dà di più il senso della natura viva, *illuminata* o *serena*?

e. «Che fai tu, luna, in ciel? dimmi, che fai, silenzïosa luna?» (→ *Canto notturno*)
Questi due versi hanno lo stesso effetto di "Luna, dimmi che fai tu in cielo; luna silenziosa, dimmi che cosa fai"? Per sentirlo devi recitarli ad alta voce e scoprirai che l'ordine delle parole, cioè il ritmo, è parte della musica - e la musica è emozione. Sei d'accordo?

f. «Dolce e chiara è la notte e senza vento» (→ *La sera del dì di festa*)
Anche qui nota l'ordine delle parole. "La notte è dolce e chiara e senza vento" dice la stessa cosa, ma manca quel momento di pausa dopo *notte*. Senti la differenza?

g. «silenzïosa luna» (→ *Canto notturno*)
Infine, l'emozione dipende anche dal suono delle parole. *Silenzïosa* è uguale a *silenziosa*; ma Leopardi aggiunge quella "dieresi", cioè due puntini sulla *ï* per indicare che la pronuncia non è *si-len-zio-sa*, con 4 sillabe, ma *si-len-zi-o-sa*, allungando di una sillaba e rallentando il ritmo. Pronuncia la parola, con e senza la dieresi: in quale caso è più lenta, dolce ed espressiva, secondo te?
Discuti le tue opinioni con la classe.
A pagina 109 trovi una foto di quello che Leopardi vedeva dalla sua finestra e che lo ha tanto ispirato.

L'invenzione di una lingua per dar voce alle emozioni

Andrea Camilleri è uno degli autori italiani più letti in Italia e più tradotti nel mondo; scrive romanzi storici e romanzi gialli, questi ultimi basati sul personaggio del Commissario Montalbano - che però è una copia di Camilleri, dei suoi valori morali, della sua visione del mondo, delle sue emozioni. Montalbano è un uomo molto razionale quando fa il poliziotto, ma anche molto, molto emotivo quando si arrabbia e si commuove, quando si lascia andare al piacere del cibo o del mare.
Per raccontare tutto questo, Camilleri ha inventato una sua lingua, che integra italiano e siciliano: «C'è chi dice che adopero il siciliano come l'uva passa [*cioè l'uva seccata al sole, che si mette in molti cibi mediterranei*]: ne lascio cadere qualche chicco [*grano d'uva*] su una struttura in italiano. Non è così. La cosa è più complessa. Io utilizzo le parole che mi offre la realtà per descriverla in profondità», dice Andrea Camilleri in un'intervista («Il Secolo XIX», 16 ottobre 2002).

Leggi le *emozioni* di Montalbano nella lingua di Camilleri e noterai come queste pagine sono cariche di sensazioni. Alcune parole, anche se in siciliano, sono comprensibili; altre te le spieghiamo noi.

Il piacere di parlare dei propri pensieri e sentimenti

Gli **confidò**[1] cose che mai aveva detto a nessuno, **manco a Livia**[2]. Il pianto **sconsolato**[3] di certe notti, con la testa sotto il cuscino perché suo padre non lo sentisse; la disperazione mattutina quando sapeva che non c'era sua madre in cucina a preparargli la colazione o, qualche anno dopo, la **merendina**[4] per la scuola. Ed è una mancanza che non viene mai più colmata, te la porti **appresso**[5] fino in punto di morte.

da *Il ladro di merendine*

E cominciò a parlare. Un monologo che durò quasi un'orata, senza pianti, senza lagrime, ma doloroso come i **singhiozzi**[6] di Livia. E le disse cose che non aveva mai voluto dire a se stesso, **come feriva per non essere ferito**[7], come da qualche tempo aveva scoperto che la sua solitudine stava **cangiandosi da forza in debolezza**[8], come **gli fosse amaro pigliare atto di**[9] una cosa semplicissima e naturale: invecchiare. Alla fine, Livia disse semplicemente: "Ti amo".

da *L'odore della notte*

1. **confidò**: parlò (al passato remoto).
2. **manco a Livia**: neppure a Livia, cioè alla sua donna.
3. **sconsolato**: che non poteva essere consolato, calmato.
4. **merendina**: qualcosa da mangiare a metà mattinata.
5. **appresso**: dietro.
6. **singhiozzi**: pianti.
7. **come ... ferito**: le disse del modo in cui faceva male agli altri per non soffrire lui.
8. **cangiandosi ... debolezza**: cambiando da qualcosa che gli dava forza in qualcosa che lo rendeva debole.
9. **gli fosse ... atto di**: gli fosse difficile accettare.

Il piacere del cibo

Appena aperto il frigorifero, la vide. La **caponatina**[1]! **Sciavuròsa**[2], colorita, abbondante, riempiva un piatto **funnùto**[3], una **porzione**[4] per almeno quattro pirsone. Erano mesi che la cammarera Adelina non gliela faceva trovare. Il pane, nel sacco di plastica, era fresco, **accattato**[5] nella matinata. Naturali, spontanee, **gli acchianarono**[6] in bocca le note della **marcia trionfale dell'*Aida***[7].

da *La gita a Tindari*

Gustare un piatto fatto come Dio comanda è uno dei piaceri solitari più raffinati che l'omo possa godere, da non **spartirsi**[8] con nessuno, manco con la pirsona alla quale vuoi più bene.

da *Gli arancini di Montalbano*

1. **caponatina**: una salsa di verdure cotte.
2. **Sciavuròsa**: odorosa, profumata.
3. **funnùto**: fondo, da minestra.
4. **porzione**: quantità.
5. **accattato**: comprato.
6. **gli acchianarono**: gli sono salite.
7. **marcia trionfale dell'*Aida***: una musica di trionfo, di vittoria, in un'opera di Verdi.
8. **spartirsi**: condividere.

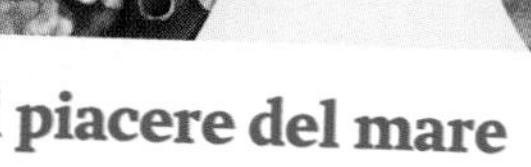

Il piacere del mare

Principiò[1] a nuotare a bracciate lente e larghe. Il **sciauro**[2] del mare era violento, **trasiva**[3] **pungente**[4] nelle narici, pareva **sciampagna**[5]. E Montalbano squasi **s'imbriacò**[6], perché continuò a nuotare e a nuotare, la testa finalmente libera da ogni **pinsèro**[7], **compiacendosi**[8] d'essere addiventato una specie di **pupo**[9] meccanico.

da *Il giro di boa*

1. **Principiò**: cominciò (al passato remoto, come molti dei verbi che seguono).
2. **sciauro**: odore, profumo.
3. **trasiva**: entrava.
4. **pungente**: forte.
5. **sciampagna**: champagne.
6. **s'imbriacò**: si ubriacò; ci si ubriaca quando si beve troppo vino.
7. **pinsèro**: pensiero.
8. **compiacendosi**: con la sensazione piacevole.
9. **pupo**: personaggio del teatro tradizionale siciliano, fatto di legno e mosso con dei fili.

Il potere delle parole

Il potere delle parole è evidente in questa foto, che trovi (insieme a mille altre) se cerchi in rete *ermo colle*. Il significato di *ermo* è "solitario".

Oggi nessuno usa più questa parola, ma se dici *ermo colle* tutti sanno che stai facendo riferimento a *L'Infinito* di Leopardi e al fatto che le cose immaginate sono più belle di quelle che si vedono (e lui vedeva questo paesaggio dalla sua finestra, da dove guardava la luna nelle poesie che hai letto poco fa!).

L'infinito inizia così:

Sempre caro mi fu quest'ermo colle
e questa siepe, che da tanta parte
dell'ultimo orizzonte il guardo esclude.

Significa: "Ho sempre amato questa collina solitaria e questo gruppo di piante che mi impediscono di vedere gran parte dell'orizzonte più lontano": Leopardi le ama perché lo obbligano a *immaginare* quel che c'è al di là dell'*ermo colle*, e ciò che viene immaginato è più bello della realtà.

Palestra di italiano

1 Crea delle frasi a partire dai verbi che trovi all'inizio di ogni item, come nell'esempio. Usa il congiuntivo.

a. *pensare* / essere intelligente → *Penso che sia intelligente.*
b. *sembrare* / suonare il campanello della porta → ……
c. *avere bisogno* / dare una mano → ……
d. *servire* / andare a prendere i bambini a scuola → ……
e. *essere necessario* / Lucia / andare dal medico → ……
f. *non sapere se* / Lucia / essere andata dal medico → ……
g. *non sopportare* / Lucia / stare male e non andare dal medico → ……
h. *piacere* / tu venire → ……
i. *essere* la persona più importante / io conoscere → ……

2 Crea delle frasi a partire dai pronomi e dalle congiunzioni che trovi all'inizio di ogni item. Usa il congiuntivo.

a. *prima che* / tu andare via / io chiamare la nonna → *Prima che tu vada via, chiamo la nonna.*
b. *senza che* / tu tornare di nuovo / basta telefonare → ……
c. *chiunque* / conoscere Paolo / sapere che è onesto → ……
d. *dovunque* / andare / lui essere triste → ……
e. *qualunque* ragazza / lui vedere / innamorarsi → ……
f. *purché* / tu fare attenzione / potere andare da solo → ……
g. *anche se* / stare bene / restare in casa → ……

3 In italiano informale talvolta si usa l'indicativo al posto del congiuntivo. Riscrivi in modo più formale la parte della frase dove usi il congiuntivo.

a. Penso che *sei* molto stupido a trattare Anna in questo modo. *Penso che tu sia molto stupido.*
b. Mi pare che tu *sei* sempre arrabbiato, sempre pronto a urlare... ……
c. Hai bisogno di qualcuno che *dà* una mano a te e ad Anna. ……
d. Devi capirlo, prima che lei ti *manda* via da casa. ……
e. Non sopporto che tu *stai* qui a dirmi che tutto va male: fai qualcosa! ……
f. Non so che cosa ti *ha* preso: una volta eri più attivo. ……
g. Chiunque ti *conosce* un po', sa che non sei sempre stato così. ……
h. Adesso, dovunque tu *vai*, finisci nei guai. ……

Proverbi italiani su medici, malati e ospedali

Insieme ai compagni, cerca di capire il significato di questi quattro proverbi, poi indica a quale spiegazione si riferisce ciascuno di essi scrivendo il numero corrispondente.

MODI DI DIRE

- ◯ **una grande paura nessun medico la cura**
- ◯ **una mela al giorno leva il medico di torno**
- ◯ **con lacrime e lamenti non si cura il mal di denti**
- ◯ **da ospedale e cimitero si esce sempre più sincero**

SPIEGAZIONI

1. I luoghi dove accompagniamo i malati (*ospedali*) o le persone morte (*cimiteri*) ci fanno diventare più sinceri perché ci mettono di fronte alla fragilità della vita.
2. Se si mangia una mela al giorno si resta in buona salute.
3. Un medico può curare il corpo, ma non i problemi psicologici.
4. Se si vuole risolvere un problema, è inutile lamentarsi e piangere: non serve a niente.

4 **Nella mail dell'amore che finisce (→ P14) hai trovato questi futuri nel passato: completali e poi verifica le frasi rileggendo il testo.**

a. Quante volte hai promesso che (*smettere*) ...*avresti smesso*... di bere?
b. Mi hai promesso che (*mettere*) .... su casa insieme.
c. Mi hai assicurato che (*venire*) .... a cena da me.
d. Ti ho immaginato quando (*arrivare*) .... nel corridoio e mi (*apparire*; participio passato: *apparso*) .... davanti.
e. Mille volte mi hai detto che le cose (*essere*) .... diverse.
f. Hai giurato che (*essere*) .... più presente.

5 **Completa le frasi con delle conclusioni a tuo piacere, poi confrontale con quelle del tuo compagno. Fai attenzione ai connettori in corsivo, che chiedono il verbo al congiuntivo.**

1. Cara, vengo volentieri, *a patto che* tu *arrivi puntuale.*
Cara, vengo volentieri, *benché* tu ....

2. Dovrei arrivare per le 8, *sebbene* ....
Dovrei arrivare per le 8, *purché* ....

3. Va bene, mangiamo insieme, *a condizione che* ....
Va bene, mangiamo insieme, *malgrado* ....

Tre di questi connettori servono a porre condizioni: ...., ..., ...
Gli altri tre introducono una frase che indica che quel che si fa è uno sforzo, che le condizioni sono difficili: ...., ..., ...

6 **Da tanto tempo!**

a. Indica che l'azione dura da anni, seguendo l'esempio.
1. La conosco da anni. → *Sono anni che la conosco.*
2. È così: ci conosciamo da sei anni. → ....
3. E siamo andati a vivere insieme quattro anni fa. → ....
4. Ma da alcuni mesi abbiamo dei problemi. → ....

b. Adesso continua usando la forma ***per* + tempo**, che significa che ormai l'azione è finita, non dura più.
1. In questi anni abbiamo parlato di tutto. → *Per anni*
2. In questi anni abbiamo cercato di essere sinceri. → ....

Modi di dire Il mondo è bello perché è vario

Il titolo è un proverbio che si usa spesso per indicare la propria sorpresa di fronte alle differenze culturali.

- C'è un altro proverbio che ha più o meno lo stesso significato: **Paese che vai usanza che trovi**.
- C'è anche chi ha paura delle differenze e consiglia di scegliere **Moglie e buoi dei paesi tuoi**. Si parla di *buoi*, quindi è chiaramente un proverbio del mondo contadino. Significa: è meglio che la famiglia e le cose con cui si vive (gli animali, per esempio) siano ben conosciute, cioè non vengano da un altro Paese.
- A proposito di altri Paesi: **Mandare a quel paese** non è un'espressione che spiega un'azione semplice (dire a qualcuno che deve andare in un altro Paese), ma è un insulto: **Va' a quel paese!** Significa che non si vuole più parlare, che non si vuole più vedere una persona.

7 **Completa le frasi scrivendo la preposizione davanti ai verbi all'infinito. Attenzione: in alcuni casi la preposizione non serve.**

- Giacomo, è ora ...*di*... mettersi a studiare; ci sono tanti modi .... imparare, ma giocare ai videogiochi non è il migliore! Dài, devi .... studiare almeno un'ora prima di cena, se vuoi .... essere pronto domani a scuola.
- Mamma, sai che gioco ai videogiochi .... rilassarmi. Un po' di relax prima .... studiare non fa male. Tra cinque minuti vado .... fare una corsetta fuori, dieci minuti .... muovere un po' i muscoli, poi ritorno e prometto che mi metto .... studiare e faccio il bravo studente!
- Ok, vai prima .... correre. L'importante è che ti ricordi che devi anche .... fare il bravo studente.

8 **Rileggi i messaggi di congratulazioni e condoglianze in P15 e trova queste informazioni.**

a. Che voto ha preso Erica all'esame di maturità? ....
b. Dove vivono gli zii di Erica? ....
c. Come sono vestiti i medici in ospedale? ....
d. In quale occasione gli zii regalano a Erica un voucher per un volo? E la macchina? E il mazzo di fiori? ....
....
e. Quante sorelle ha zia Mariuccia? ....
f. Perché tanti pensavano che Erica non sarebbe diventata primario? ....

9 **Come racconti le emozioni negative? Completa queste frasi parlando di te.**

a. Mi fanno paura ....
b. Una volta ho provato vero terrore: ....
c. Una cosa che mi fa arrabbiare è ....
d. Nella mia lingua l'esclamazione più forte per esprimere la rabbia è ....

LESSICO RILEVANTE PRESENTATO IN U3

Queste parole sono legate al mondo delle emozioni che abbiamo raccontato.

- provare, sentire, (lo) amore / odio, amicizia, affetto, simpatia / antipatia, (il) (dis)interesse, solidarietà, • volontario, volontariato • coraggio, coraggioso • aiutare, dare una mano, accogliere
- paura, (il) terrore, panico, fobia • rabbia, impotenza • piangere, lacrima
- divorzio, (la) separazione, (gli) alimenti, (il) coniuge • equilibrio, maturo • povero, impoverire, impoverimento
- congratularsi per, (le) congratulazioni (*sempre plurale*) • felicitarsi per, (le) felicitazioni (*sempre plurale*) • augurio, augurare • (le) condoglianze (*sempre plurale*) • amare, amarezza
- stupido • stronzo, figlio di puttana • spaccare la faccia • cazzo!, incazzato, incazzatura, cavolo!, incavolato • chi se ne frega, fregarsene

Queste parole non sono specifiche delle emozioni, ma le hai trovate nei racconti di questa Unità Didattica.

- assordante • zaino, casco • (lo) urlo / (le) urla, (il) grido / (le) grida • addosso, botto / botta • bruciare, frenare, fumo, polvere
- mettere, promettere, smettere, mettersi a, mettere su casa • mentire, sgridare, finire nei guai, rubare • carcere, (la) prigione
- dipingere, scolpire, marmo • violenza, violento, violentare • dio, dea, dei, dee • alloro
- abituare, abitudine • annegare • apparire, apparso • assegnare un premio • dare il permesso • fare il punto • meritare di / che • pregare (chiedere un favore)
- eccellenza • neutrale • cura, curare, gratuito
- mazzo (di chiavi, di fiori) • a patto che, a condizione che

Vai al *Lessico* di U2.

Rileggi le parole, sottolinea a matita quelle che non ricordi e cercane il significato - ma non scriverlo vicino alle parole, scrivilo nella tua memoria!
Tra qualche settimana ti chiederemo di tornare su quell'attività per verificare se ti ricordi le parole che avevi sottolineato... e dove puoi cancellare il segno a matita.

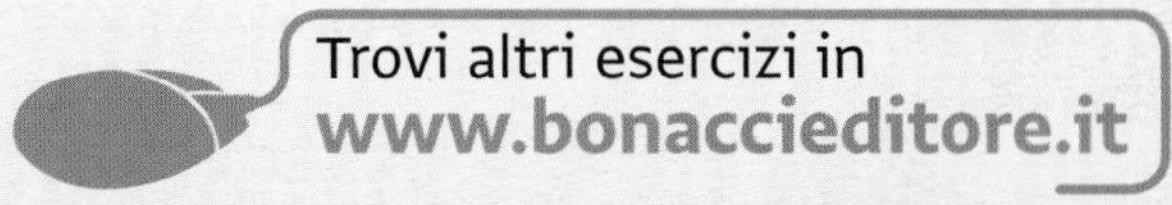
Trovi altri esercizi in
www.bonaccieditore.it

4

I problemi della vita quotidiana

La lavatrice che si rompe e bisogna comprarne una nuova; i figli che creano problemi a scuola e bisogna aiutarli; il mutuo della casa che aumenta perché la Banca Centrale Europea ha aumentato gli interessi bancari; la baby sitter che si ammala all'improvviso; la necessità di ridurre le spese familiari e poi un weekend in cui ci si dovrebbe rilassare, e invece i problemi della vita quotidiana vengono con noi!
Dopo le emozioni di U3, in questa Unità Didattica esploreremo la realtà della vita quotidiana.

Imparo l'italiano per:

- acquistare qualcosa e organizzare la consegna a domicilio
- discutere animatamente, litigare e poi fare la pace
- esprimere frustrazione a causa di inconvenienti
- parlare delle difficoltà economiche e dei problemi familiari
- parlare di forme geometriche e di misure
- parlare di guasti, rotture, e leggere istruzioni per montare qualcosa
- riferire a qualcuno quello che ci è stato detto

Ricorda che il libro continua online

So come funzionano:

- *a forza di*, *invece di* + infinito
- comprensione attraverso *script*, inferenza e *transfer*
- *dopo*, *prima*, *in modo*, *senza* + infinito o congiuntivo
- gerundio
- impersonale
- infinito
- passivo
- plurali in *-co/-go*, *-ca/-ga*, *-cia/-gia*

Conosco alcune cose dell'Italia:

- gli italiani e le malattie mentali
- il *design* e l'*export* italiano
- il movimento anti "usa e getta"
- la vita quotidiana delle persone

P19/ Diciannove | C'è un guaio: la lavatrice

Comprensione & produzione

STRATEGIE
Un aiuto alla comprensione: gli *script*

Uno *script* è il testo di un film, di un dramma teatrale ecc.: gli attori devono seguire lo *script*.
Nella comunicazione di tutti i giorni usiamo molti *script*, come se fossimo attori con le battute scritte: per esempio al bar si saluta, si ordina, si chiede il conto, si paga; se arriva un amico mentre siamo al bar lo salutiamo, gli offriamo qualcosa, lui può accettare o rifiutare ecc.
Pensare agli *script*, cioè immaginare che cosa può succedere, è una cosa che ti abbiamo chiesto di fare spesso.
In questa unità cerchiamo di farti usare gli *script* in maniera più efficace.

1 Paola, la signora che fa le pulizie a casa di Valeria, la chiama al telefono: «Signora, c'è un guaio!».

Sulla base del titolo del *Passo* e delle immagini hai già capito qual è il *guaio*. Paola, la colf (cioè la "collaboratrice familiare", la "donna delle pulizie") telefona alla padrona, Valeria, e le dice che la lavatrice ha un **guasto**. L'acqua è uscita, sta facendo un **danno** al piano di sotto, e la signora del piano di sotto è corsa su ad avvisare, urlando. Un vero **casino**! Hanno asciugato l'acqua con asciugamani e lenzuola.

Sulla base di questa descrizione della situazione, insieme al tuo compagno prova a scrivere sul quaderno una traccia del dialogo.

guaio, casino
guasto, danno

- ***Guaio*** e ***casino*** indicano che c'è un problema; *casino*, con l'accento sulla i, è una parola molto informale, che si usa quando si è molto stressati.
- ***Guasto*** e ***danno*** indicano una *causa* (un *guasto* è la rottura di un tubo, di un motore ecc.) e un *effetto* negativo.

2 **Leggi la trascrizione della telefonata e completa a matita le battute di Valeria seguendo le indicazioni tra parentesi.**

Valeria (*Risponde al telefono*) ....
Paola Sono io, signora...
Valeria (*Saluta Paola e chiede perché la chiama al lavoro*) ....
Paola Signora, c'è un guaio. Stavo stirando e qualcuno si è messo a suonare il campanello **come un matto**. Sono corsa, era la Gualandi...
Valeria (*Chiede se la Gualandi è la signora del piano di sotto*) ....
Paola Sì, proprio lei. Era tutta agitata, gridava e gridava... Alla fine ho capito: dal nostro bagno pioveva dentro al loro. Siamo corse in bagno e... la lavatrice ha avuto un guasto... l'acqua veniva fuori da sotto...
Valeria Oh mio dio. (*Dice che sa che la lavatrice era vecchia e quindi la cosa non la sorprende*) ....
....
(*Chiede che cosa hanno fatto*) ....
Paola Per prima cosa l'ho spenta. Ma pur essendo stata spenta, la lavatrice ha continuato a perdere un po' d'acqua. Abbiamo preso degli asciugamani e delle lenzuola e abbiamo raccolto l'acqua.
Valeria OK. (*Chiede se l'acqua ha fatto molti danni a casa dei Gualandi*): ....
....
Paola Non so: la signora è andata giù appena abbiamo asciugato un po'...
Valeria Ok. (*Dice che adesso la chiama al telefono*) .... (*Dice di cercare di asciugare tutto per bene*) .... (*Dice che arriverà appena può; ha un ultimo appuntamento tra una decina di minuti*) ....
(*Dice che sarà a casa tra un'ora*) ....

come un matto

In maniera eccessiva, come se fosse matto, a causa di un forte stress.

Adesso ascolta l'**AUDIO 29** (trovi la trascrizione online) per verificare se hai intuito correttamente che cosa può dire Valeria. A casa puoi riascoltare la telefonata usando l'**AUDIO 29 CON PAUSE**, per scrivere esattamente le battute. Se sono differenti non vuol dire che le tue siano sbagliate: ci sono tanti modi per dire la stessa cosa!

3 **Valeria telefona a Martino, suo marito: «È successo un casino!».**

Valeria dice al marito che **sta correndo a casa**. Martino le chiede come mai quel pomeriggio non lavora e Valeria gli racconta quello che è successo.
Gli dice anche di non preoccuparsi: andrà a comprare una lavatrice nuova e poi passerà a prendere i bambini a scuola. Martino chiede perché non fa aggiustare la lavatrice, ma lei spiega che i loro elettrodomestici hanno ormai dieci anni – li hanno comprati quando si sono sposati – e presto si romperanno anche frigo, lavastoviglie, microonde...
Lui chiude la telefonata scherzando: se dopo dieci anni le cose sono vecchie e si gettano via, lui che è suo marito da dieci anni non vuole essere gettato via...

sta correndo a casa

Spesso *correre* significa che **si fa una cosa in tutta fretta,** anche se non si corre ma si guida l'auto o si prende un taxi. Valeria potrebbe anche dire "volo a casa!".

Con il tuo compagno, leggi la trascrizione della telefonata e completa a matita.

Valeria Ciao, 'more ....
Martino Come mai ....?
Valeria Non posso: è successo ....
Martino Oh cavolo! Un guaio...
Valeria Non preoccuparti: correndo un po' ....
Martino Perché una nuova? ....
Valeria L'hai detto: è vecchia. ....!?
Martino Oh oh! Sono dieci anni che sono tuo marito: ....

Adesso ascolta l'**AUDIO 30** (trovi la trascrizione online) per verificare se hai intuito correttamente che cosa possono dire Valeria e Martino. A casa puoi riascoltare la telefonata usando l'**AUDIO 30 CON PAUSE**, per scrivere esattamente le battute. Se sono differenti non vuol dire che le tue siano sbagliate: ci sono tanti modi per dire la stessa cosa.

4 **Valeria e il commesso del negozio di elettrodomestici parlano della nuova lavatrice. Insieme al tuo compagno, prova a creare un possibile dialogo seguendo le indicazioni fra parentesi (trovi la trascrizione online).**

Valeria (*Dice che ha capito... forse! Commenta che le lavatrici hanno troppa elettronica*) ....
....

Commesso (*Dice che è più semplice di quanto sembri e che i comandi, cioè i pulsanti, sono friendly*) No, usandola vedrà che ....

Valeria (*Dice che pensando ai problemi dell'elettronica ha dimenticato una cosa importante. Spiega che la lavatrice va in bagno dentro un mobile, ma lei è corsa via da casa e ha dimenticato di prendere le misure*) Ah, scusi, ...
....
....

Commesso (*Dice che non c'è problema perché i vari elettrodomestici hanno una misura standard: 60 cm x 60 cm*) ....
....

Valeria Ah, perfetto. (*Chiede che cosa può fare con la vecchia lavatrice*) ....

Commesso (*Dice che possono portarla via loro, per 50 euro*) ....
(*Dice che se chiama l'ACRU - Azienda Comunale dei Rifiuti Urbani, che si occupa delle immondizie della città - prima delle 16, cioè subito, la portano via gratis, cioè senza alcun pagamento*) ....
....

Valeria Ok, chiamo subito. Vengono domani?

Commesso Insistendo un po'... (*Dice che in questo modo loro possono portare la lavatrice nuova nel pomeriggio di domani*) ....
(*Chiede se c'è qualcuno in casa tra le 16 e le 17*) ....

Valeria (*Dice che potrà esserci lei*) ....
(*Dice che cerca subito il numero dell'ACRU per chiamare*) ....

Commesso Non serve cercarlo: ecco qui. 800.45.46.888

> **800**
>
> I numeri che iniziano con 800 sono **gratuiti.**

Adesso ascolta l'**AUDIO 31** (trovi la trascrizione online) per verificare se hai intuito correttamente che cosa possono dire Valeria e il commesso. A casa puoi riascoltare la conversazione usando l'**AUDIO 31 CON PAUSE**, per scrivere esattamente le battute. Puoi anche verificare la tua pronuncia registrando sullo smartphone la voce dello speaker italiano e la tua ripetizione.

5 **C'è stato un guasto a un elettrodomestico, alla macchina, al computer ecc.**

Crea il dialogo in cui informi la persona che vive con te (il tuo compagno) che c'è stato un guasto. Siate pronti a recitare il dialogo di fronte alla classe.

Analisi & sintesi

> **in tutta fretta**
>
> *Avere fretta* significa che si devono **fare molto in poco tempo.** *In tutta fretta* è una forma superlativa, e il suo contrario è *con tutta (la) calma (del mondo).*

6 **Il gerundio.**

a. Insieme alla classe, prova a ricordare come si forma il gerundio e completa.

1. parl**are** → parl**ando**
2. cred**ere** → cred..........
3. fin**ire** → ....
4. dorm**ire** → ....

b. Adesso cerca di ricordare per che cosa si usa il gerundio. Completa queste frasi dei dialoghi. Per ora non occuparti dei cerchietti.

	tempo	causa	limite	condizione	modo
1. Stavo *stirando* e qualcuno si è messo a suonare il campanello.	○	○	○	○	○
2. .... quanti anni ha quella lavatrice, non mi sorprende.	○	○	○	○	○
3. Pur .... stata spenta, la lavatrice ha continuato a perdere un po' d'acqua.	○	○	○	○	○
4. Sono io. Sto .... a casa.	○	○	○	○	○
5. .... un po' riesco ad andare a comprarne una nuova.	○	○	○	○	○
6. .... vedrà che è più semplice di quanto sembri.	○	○	○	○	○
7. .... da casa **in tutta fretta** ho dimenticato di prendere le misure...	○	○	○	○	○
8. Vengono domani? .... un po'...	○	○	○	○	○

Ricorda che il gerundio si usa sempre in frasi "secondarie", cioè in frasi che non possono essere usate da sole ma sono sempre precedute o seguite da una frase "principale", dove c'è l'azione principale.
La frase secondaria con il gerundio può indicare *causa*, *modo*, *tempo* ecc.: per capire il significato del gerundio può essere utile sostituirlo con una **congiunzione + verbo**, come nella didascalia della vignetta.

Essendo vecchia (*siccome, poiché, dato che è vecchia*), la lavatrice si è rotta.

Lavorando (*quando, mentre si lavora*) con elettrodomestici, bisogna staccare la corrente.

Alcune caratteristiche del gerundio

- L'uso più comune del gerundio è quello di indicare **contemporaneità**: *Stavo **camminando** e ho visto un incidente.* Questa forma si usa:
  - con i **verbi** che indicano **azione**, ma non con quelli che indicano sentimento: *mentre stavo mangiando* è possibile, **mentre stavo volendo bene* non è possibile;
  - con il **presente** e l'**imperfetto**, ma non con i tempi che usano l'ausiliare: *mangiavo* → *stavo mangiando* è possibile, ma *ho mangiato* → **sono stato mangiando* non è possibile.
- Si può fare il **passivo** del gerundio, come hai visto nell'espressione *pur **essendo stata spenta***: così come in tutti i passivi, l'ausiliare è sempre ***essere***.
- Esiste anche il **gerundio passato**, composto con l'ausiliare ***avere*** per i verbi transitivi (che possono avere un oggetto) e ***essere*** per i vebri intransitivi:
  mangiare (verbo transitivo) → ***avendo mangiato***
  andare (verbo intransitivo) → ***essendo andato/a/i/e*** (con l'ausiliare *essere* il participio si accorda con il soggetto).

7 Completa le frasi con il gerundio.

a. In queste frasi ti diciamo che funzione ha il gerundio.
1. **causa**: (*prendere*, gerundio passato) .... freddo, ho il raffreddore.
2. **condizione**: (*rimanere*, gerundio presente) .... al caldo, il raffreddore passerà.
3. **limite**: Pur (*rimanere*, gerundio passato) .... a casa, ho ancora il raffreddore.
4. **tempo**: (*prendere*, gerundio presente) .... le medicine per il raffreddore, non bisogna bere alcolici.
5. **modo**: Il raffreddore passa prima (*fare*, gerundio presente) .... l'aerosol.

b. In queste frasi indica anche la funzione del gerundio.
1. ....: (*uscire*, gerundio presente) .... di casa d'inverno, devi coprirti bene, per non prendere il raffreddore.
2. ....: Pur (*mettere*, gerundio passato) .... sciarpa e cappotto, ho avuto freddo.
3. ....: Lo so, (*restare*, gerundio presente) .... a casa non avrei preso il raffreddore.
4. ....: Non (*potere*, gerundio presente) .... restare a casa, sono uscito e mi sono ammalato.

P19 | Guardiamoci intorno

Basta "usa e getta"!

Martino chiede a Valeria perché non possono aggiustare la lavatrice anziché gettarla via[1].

Da almeno cinquant'anni tutta l'industria segue la logica "usa e getta": si usa un prodotto fino a quando funziona, poi lo si getta via e se ne compra uno nuovo.
Secondo molti questa logica è assurda, e così in America è nata *The Repair Association*, un'associazione fatta da persone che hanno l'hobby di *riparare*, cioè di "aggiustare", i guasti di "macchine" di ogni tipo, dal telefonino al frigorifero, dalla stampante al televisore. Il risultato è anzitutto quello di risparmiare[2], di non buttare soldi per comprare un frigo nuovo dopo aver gettato il frigo vecchio e pagato qualcuno perché lo porti via. Ma un altro importante risultato è anche quello di non creare rifiuti[3], visto che[4] ne produciamo già troppi.

In un articolo del marzo 2016 il giornale «la Repubblica» ha riportato i cinque principi di fondo di questo movimento, che è "culturale" prima che "tecnico":

1. possibilità di trovare online la documentazione e i software necessari alle riparazioni[5];
2. possibilità di trovare facilmente le parti di ricambio[6] e gli strumenti necessari per le riparazioni;
3. possibilità di sbloccare[7] e di modificare il software generale e il *firmware*, cioè il software usato da un'azienda (*firm*, in inglese);
4. necessità di avere un mercato libero, che consenta[8] anche di rivendere le cose che sono state aggiustate: oggi molti prodotti (per esempio frigoriferi, computer, stampanti ecc.) si possono acquistare solo in negozi specializzati, mentre chi aggiusta una macchina rotta non può rivenderla;
5. necessità di tenere in considerazione, già durante la produzione, i princìpi di riciclaggio[9] e di riparazione.

Queste sono le basi su cui costruire una politica che non ci veda solo come consumatori, allungando la vita dei prodotti elettronici e quindi riducendo l'inquinamento sull'ambiente: perché *rotto* non vuol dire *da buttare*.

1. gettare via: eliminare, buttare; *buttare* è sinonimo di *gettare*
2. risparmiare: spendere poco, evitando di usare tutti i soldi che si hanno
3. rifiuti: è il complesso delle cose che si buttano via, cioè le *spazzature* o *immondizie*; la gestione dei rifiuti è uno dei principali problemi del nostro secolo
4. visto che: perché
5. riparazione: l'atto di riparare qualcosa, di aggiustare un guasto
6. parte di ricambio: un pezzo di una macchina che può sostituire la parte rotta o che non funziona più
7. sbloccare: aprire (un software, un computer) con una password
8. consentire: permettere, rendere possibile, dare il permesso
9. riciclaggio (riciclo): riutilizzare una cosa, per esempio produrre della carta nuova con la carta vecchia, fondere l'alluminio delle lattine di birra, riutilizzare il vetro ecc.

Gettare e *buttare* nei modi di dire

Unisci le battute alle spiegazioni corrispondenti.

BATTUTE

a. ○ Attento a **non gettare il bambino con l'acqua sporca**.
b. ○ Quando l'ha visto, **gli si è buttata al collo**.
c. ○ È il momento di **buttare / gettare il cuore oltre l'ostacolo**.
d. ○ Ha **gettato la maschera** e si è rivelato un vero stronzo!
e. ○ Non puoi **buttare alle ortiche / al vento** il tuo lavoro!
f. ○ Quando un amore finisce lui **se lo getta dietro le spalle**.
g. ○ Gli ha **gettato in faccia** la verità ed è venuta via.

SPIEGAZIONI

1. Gliel'ha detta in maniera chiara e diretta.
2. Non ci pensa più.
3. Non buttare le cose buone insieme a quelle cattive.
4. Lo ha abbracciato.
5. Bisogna avere coraggio, andare avanti con entusiasmo.
6. Buttare via.
7. Ha smesso di fingere di essere diverso da quello che è.

P20 / Venti | Ma chi scrive le istruzioni?

Comprensione & produzione

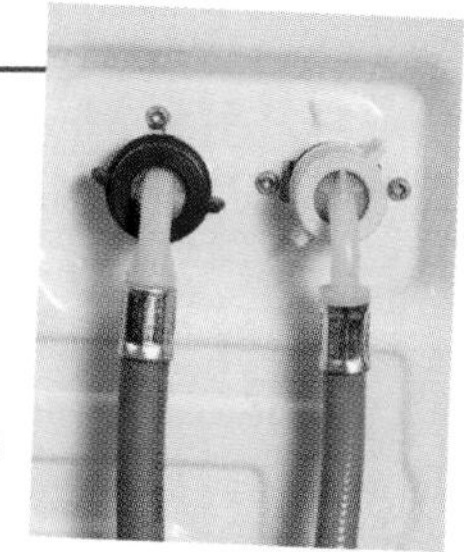

1 Non siamo dei tecnici, ma anche noi capiamo il problema.

Sappiamo che la lavatrice è quadrata, 60 cm × 60 cm (→ P19). Ma dietro la lavatrice ci sono due tubi, come quelli che vedi nella foto a destra. Quindi non basta un mobile quadrato ☐, serve un mobile rettangolare, così ☐▯, perché nello spazio colorato ci va il tubo per caricare l'acqua pulita (*tubo di carico*) e quello per scaricare l'acqua sporca (*tubo di scarico*).

Adesso guarda la faccia del tecnico nella foto a sinistra: secondo te, il mobile dove va messa la lavatrice è fatto bene? ○ sì ○ no

Cerca di immaginare il perché, condividendo con la classe la tua esperienza di tubi e lavatrici.

a. I tubi sono di plastica, quindi ○ si possono ○ non si possono schiacciare.
b. Se si schiaccia un po' il *tubo di carico* ○ si blocca tutto ○ il carico è più lento, ma comunque funziona.
c. Se si schiaccia il *tubo di scarico* il guaio è più serio: la lavatrice vuole scaricare l'acqua, l'acqua esce poco alla volta, il chip di sicurezza della lavatrice interviene e ○ lascia proseguire lo scarico ○ blocca tutto.

Il tecnico spiega queste cose a Valeria, mostrandole una *spia*, cioè una delle luci che si accendono nelle macchine elettroniche per segnalare il funzionamento. Questa spia ha due forme: un cerchio ● che significa che ○ ci sono ○ non ci sono problemi, e un triangolo ▲ che significa che ○ ci sono ○ non ci sono problemi. Ecco cosa dice il tecnico: «Vede questa spia? Quando c'è il cerchio verde, tutto bene; ma quando viene fuori il triangolo rosso, la lavatrice si blocca. Una delle ragioni per cui la lavatrice può essere bloccata dal chip di sicurezza è che l'acqua non si scarichi bene».

STRATEGIE
La strategia del *transfer*

Tu non puoi sapere come sono le spie della lavatrice, perché non hai il manuale di istruzioni, ma hai capito lo stesso che cosa significano ● e ▲.
Lo hai capito perché hai "trasferito" (*transfer*, in inglese) il significato dal linguaggio dei semafori al linguaggio della lavatrice. Nel testo delle istruzioni (→ ES. 4), userai la stessa strategia: per esempio capirai il significato di *pari / dispari* partendo dal linguaggio dei numeri.
Il *transfer* è una strategia molto utile per intuire il significato di una parola o di un segnale, ma devi sempre verificare le tue ipotesi, perché in alcuni casi possono essere sbagliate!

2 Insieme al tuo compagno, immagina il dialogo tra il tecnico e Valeria, usando questa traccia.

Tecnico Dice che il mobile non è molto *spazioso* (che cosa significa questa parola, secondo te?).
Valeria Chiede se la lavatrice ci sta.
Tecnico Dice che *deve* starci. Poi spiega il problema: la lavatrice è quadrata, 60 cm × 60 cm, ma dietro la lavatrice ci sono i tubi di carico e di scarico, quindi il mobile andava fatto con più spazio dietro.
Valeria Chiede se questo può causare qualche problema, se può bloccare la lavatrice.
Tecnico Le dice di non preoccuparsi. Lui deve solo stare attento mentre sposta la lavatrice. Spiega che se si schiaccia il tubo di carico non è un problema: il carico dell'acqua è solo più lento.
Valeria Chiede che cosa può succedere se invece si schiaccia il tubo di scarico.
Tecnico Spiega che il tubo di scarico non deve essere schiacchiato perché altrimenti la lavatrice si blocca.
Valeria Chiede spiegazioni.
Tecnico Spiega il significato delle due spie: quadrato e triangolo. Quando c'è il triangolo la lavatrice si blocca.
Valeria Dice che capisce.
Tecnico Dice che se prima il tubo della vecchia lavatrice era stato montato e funzionava, significa che il tubo può starci. Dice che lui ci lavorerà con attenzione e assicura che tutto funzionerà *a meraviglia*, cioè "perfettamente".

L'insegnante chiede a due o tre coppie di presentare il loro dialogo alla classe.

3 **Ascolta l'AUDIO 32 senza leggere la trascrizione qui sotto. Poi riascolta l'audio leggendo la trascrizione.**

Tecnico Be'... questo mobile non è molto spazioso...
Valeria Ma la lavatrice ci sta?
Tecnico *Deve* starci! Vede, la lavatrice è quadrata, 60 × 60 centimetri, ma dietro la lavatrice ci sono i tubi di carico e di scarico dell'acqua e quindi il mobile andava fatto con più spazio dietro...
Valeria Ma questo può provocare qualche guaio, può bloccare la lavatrice?
Tecnico No, non si preoccupi. Devo solo stare molto attento mentre sposto la lavatrice. Il tubo che carica l'acqua non è un problema: se viene schiacciato un po', la lavatrice carica l'acqua più lentamente, ma non succede niente di grave.
Valeria E il tubo dello scarico?
Tecnico Quello invece deve essere messo in modo che non venga schiacciato, altrimenti la lavatrice si blocca.
Valeria Cioè?
Tecnico Vede questa spia? Quando c'è il cerchio verde, tutto bene; ma quando viene fuori un triangolo, la lavatrice si blocca. Una delle ragioni per cui la lavatrice può essere bloccata dal chip di sicurezza è che l'acqua non si scarichi bene.
Valeria Capisco...
Tecnico Comunque, siccome il tubo della vecchia lavatrice era stato montato in questo spazio, vuol dire che è possibile montarlo di nuovo: adesso ci lavoro e vedrà che funzionerà tutto a meraviglia!

Adesso confronta la trascrizione e il dialogo che hai scritto con il tuo compagno (→ ES. 2) e cerca di capire se le parti diverse sono solo delle normali varianti, cioè dei modi corretti di dire la stessa cosa con parole diverse, o se sono sbagliate. Se hai dei dubbi, chiedi al tuo compagno e poi, se non sapete che cosa rispondere, chiedete all'insegnante.

4 **Valeria sta leggendo il manuale di istruzioni che, come tutti i manuali, è molto difficile da capire!**

Come vedi dalla foto, sulla lavatrice ci sono dei *pulsanti* da *schiacciare* / *premere* e ci sono delle *manopole* da girare, con *spie* di varie forme e colori. Ma Valeria non ricorda più le spiegazioni del tecnico e deve controllare sul manuale di istruzioni. Mentre legge, parla tra sé e sé.

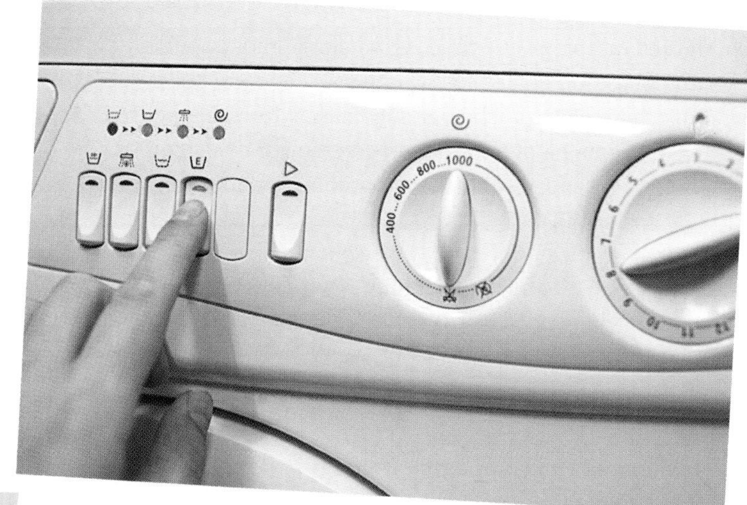

forme

Scrivi quale è il *quadrato*, il *rettangolo*, il *cerchio*, l'*ovale* (fatto come un uovo) e il *triangolo*.

....

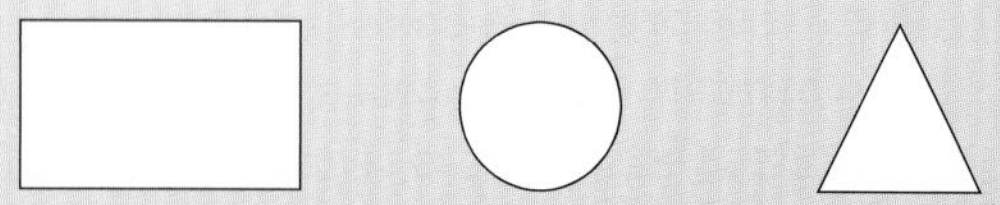

....

PAROLE CHIAVE

- **tessuto**: il materiale di un vestito, di un asciugamano ecc.; può essere stoffa, lana, seta, sintetico ecc.
- **trovarsi**: non c'entra con *trovare* qualcosa che si è perso; significa "essere in un luogo", "esserci" (*si trova = c'è*)
- **punta**: la parte più stretta di un tubo, di un bastone: per esempio, la *punta* della matita è quella che scrive; la punta della freccia è quella a destra ▶
- **lampeggiare**: lo fa una luce, quindi anche una spia, che si accende e si spegne
- **toccare / mi tocca**: *toccare* significa appoggiare le dita o la mano su qualcosa; ma *mi/ti/gli/le/ci/vi/gli tocca* significa "essere obbligati a fare una cosa anche se non si vuole fare"

Ecco la trascrizione di quello che Valeria dice e legge. Insieme alla classe, assicurati di aver capito tutto, poi ascolta l'**AUDIO 33**.

Aahhh! Come cavolo va girata questa manopola!? Uffa, prendiamo le istruzioni... Allora, vediamo che cosa dice:

SELEZIONE DEL TIPO DI LAVAGGIO A SECONDA DEL TESSUTO. PROCEDURA AUTOMATICA

La lavatrice è programmata per due tipi di lavaggio per ogni tessuto: un lavaggio standard, che è indicato dai numeri dispari (1, 3, 5, 7).

Ma insomma! Pensano che uno non sappia quali sono i numeri dispari!?

Accanto a ogni numero dispari si trova un numero pari (2, 4, 6, 8), che può essere selezionato se si desidera un lavaggio delicato. Quando il tipo di tessuto e il tipo di lavaggio sono stati selezionati, la spia centrale della manopola, che con la punta indica la modalità che è stata impostata, comincia a lampeggiare. Se l'impostazione è quella desiderata, premere sulla manopola: la spia diventa verde e il lavaggio comincia.

Be', sì, è più complicato da dire che da fare... E questo che cosa è: *PROCEDURA NON AUTOMATICA*

Noooo! Qui mi tocca prendere il dizionario! Questi manuali sono scritti da tecnici che sanno già quello che devono spiegare e quindi loro capiscono quello che scrivono. Io no!

Analisi & sintesi

5 Il passivo: una sintesi.

Completa queste frasi del manuale di istruzioni (→ ES. 4).

a. La lavatrice .... per due tipi di lavaggio per ogni tessuto.

b. Un lavaggio standard, che .... *dai* numeri dispari.

c. Quando il tipo di tessuto e il tipo di lavaggio ...., la spia centrale della manopola comincia a lampeggiare.

d. Questi manuali .... *da* tecnici che sanno già quello che devono spiegare.

Nelle frasi hai inserito delle **forme passive**, costruite con l'**ausiliare *essere*** e il **participio passato** dei verbo principale.

Il passivo

Per fare il passivo **si invertono soggetto e oggetto**, mettendo in prima posizione quest'ultimo (nei manuali il passivo è molto usato perché dice subito di che cosa si parla):

attivo *I tecnici* ***scrivono*** *i manuali*.

passivo *I manuali* ***sono scritti*** *dai* *tecnici*.

attivo *I numeri* ***indicano*** *un lavaggio standard*.

passivo *Un lavaggio standard* ***è indicato*** *dai* *numeri*.

Il soggetto reale, quello che compie l'azione, si sposta dopo il verbo ed è preceduto dalla **preposizione *da*** (semplice o articolata).

6 Altre caratteristiche del passivo.

a. Con i **tempi semplici**, al posto dell'ausiliare *essere* si può usare ***venire***. Completa queste frasi.

1. Se (il tubo) .... un po', la lavatrice carica l'acqua più lentamente, ma non succede niente di grave.
2. (Il tubo dello scarico) deve essere messo in modo che non ...., altrimenti la lavatrice si blocca.

Attenzione: *venire* non si può usare con i tempi composti: *il tubo è / era / sarà schiacciato → il tubo viene / veniva / verrà schiacciato; il tubo è stato schiacciato → *il tubo viene stato schiacciato* (questa forma non esiste).

b. Per fare il **passato passivo**, devi mettere l'ausiliare ***essere*** al **passato**: in queste frasi trovi un imperfetto e un passato prossimo al passivo.

1. Il tubo della vecchia lavatrice .... in questo spazio.
2. La punta indica la modalità che ....

c. I **verbi modali**, *potere*, *volere*, *dovere*, sono sempre seguiti dall'infinito del verbo; quindi al passivo sono sempre seguiti da ***essere***.

1. Accanto a ogni numero dispari si trova un numero pari, che .... se si desidera un lavaggio delicato.
2. Una delle ragioni per cui la lavatrice .... dal chip di sicurezza è che l'acqua non si scarichi bene.
3. (Il tubo dello scarico) invece .... in modo che non venga schiacciato.

d. Al posto di *dovere* + *essere* si può usare ***andare***.

1. Come cavolo .... questa manopola!?
2. Il mobile .... con più spazio dietro...

Il *design* italiano

Oltre 450 miliardi di euro: è questo il valore delle esportazioni di prodotti che includiamo nel nome *design italiano*, stile italiano.
L'Italia è il secondo Paese industriale in Europa, dopo la Germania e prima della Francia e del Regno Unito, e ha un'economia basata sulle esportazioni di prodotti di valore.
I principali tipi di prodotti che vengono esportati sono:

a. i macchinari e i motori industriali, ma anche le parti che servono per fare altre macchine;
b. i veicoli, cioè le automobili (basta ricordare Ferrari, Maserati, Lamborghini, Alfa Romeo, Fiat) o le moto (come la Vespa o la Ducati);
c. l'alta moda, dai vestiti, alle scarpe, ai gioielli: pensa che l'esportazione di gioielli vale circa 11 miliardi!;
d. il *design* per la casa: elettrodomestici, cucine, bagni, oggetti per la tavola e per l'illuminazione.

Come noti, tranne il punto *a*, negli altri casi abbiamo sempre una combinazione di alta tecnologia e di stile, quello che nel mondo si chiama *Italian design* o *Italian style* o *Made in Italy*.
In alcuni casi le caratteristiche di questi prodotti sono "artistiche": le lavatrici a strisce bianche e nere o a pois, i frigoriferi di vari colori, le forme perfettamente geometriche di oggetti per la tavola. In altri casi la qualità più importante è l'innovazione nell'idea stessa del prodotto per la casa: se vai alla sezione *Arte applicata e design* del Moma, il *Museum of Modern Art* di New York, ti rendi conto che metà dei prodotti sono italiani, dalla Vespa che settant'anni fa ha inventato una nuova idea di moto, alle radio o ai televisori pensati come sculture, come opere d'arte.
Forse questo è uno degli aspetti dell'Italia che si nota di meno nel mondo: la tradizione artistica-stilistica e il gusto non sono valori isolati e fermi; al contrario vengono spesso uniti alla tecnologia dell'acciaio, della plastica, dei tessuti ecc.
È proprio l'esportazione di gusto e capacità tecnologica che permette all'Italia di sostenere 60 milioni di abitanti, anche se nel nostro Paese non ci sono petrolio, ferro, carbone, e nemmeno grandi spazi da coltivare.

PAROLE CHIAVE

- **includere**: mettere insieme alcuni prodotti in un'unica categoria
- **macchinario**: una macchina, più spesso un insieme di macchine, per l'industria, per le fabbriche
- **veicolo**: un mezzo di trasporto come automobile, moto e bicicletta
- **illuminazione**: la luce che si fa in un ambiente
- **a strisce, a pois**: decorazioni fatte con linee (*strisce*) e con cerchi (*pois*, parola francese)
- **innovazione**: da *innovare*, "pensare in modo nuovo".
- **rendersi conto**: capire, notare, scoprire qualcosa

P21 / Ventuno | Il figlio ha qualche problema a scuola

Comprensione

1 Ascolta nell'AUDIO 34 la conversazione tra Valeria e l'insegnante di suo figlio Matteo.

Incominciamo con la *comprensione globale*: scopri perché l'insegnante vuole parlare con Valeria, che è andata a prendere i figli a scuola. Non preoccuparti se non capisci tutto subito: ci ritorneremo più avanti.

2 Ascolta nell'AUDIO 35 la conversazione tra Valeria e suo marito Martino.

È ormai sera e i due figli stanno giocando in giardino. I genitori li guardano e Valeria racconta al marito quello che è successo nel pomeriggio. Ascolta l'audio, senza preoccuparti di comprendere ogni parola. Per ora cerca di capire di che cosa parlano e che cosa si dicono.

3 Lavora insieme al tuo compagno e poi alla classe: insieme fate il punto su quello che avete capito.

a. Matteo si comporta male?

....

b. Gioca normalmente?

....

c. Parla con tutti i compagni?

....

d. In classe c'è un problema di bullismo?

....

e. Che cosa propone l'insegnante?

....

f. All'inizio, come reagisce Valeria alla proposta dell'insegnante?

....

g. Perché la maestra pensa che sia meglio uno psicologo?

....

h. Che cosa può fare lo zio medico, in questo caso?

....

i. Che decisione prende Valeria?

....

j. Che cosa devono provare a ricordare Valeria e Martino?

....

k. Ci sarà l'incontro con lo psicologo? Quando?

....

Ascoltate ancora gli AUDIO 34-35 per verificare le vostre risposte.

Analisi

4 **Ascolta l'AUDIO 36.**

Le due conversazioni sono state registrate in maniera particolare.
Nella trascrizione qui sotto, a sinistra trovi la conversazione tra Valeria e la maestra di Matteo, a destra quella tra Valeria e suo marito Martino.
Nell'audio, ogni blocchetto di un colore a sinistra è seguito subito dal corrispondente blocchetto dello stesso colore a destra.

PAROLE CHIAVE

- **avere l'aria preoccupata**: quando è seguita da un aggettivo che indica uno stato d'animo, *aria* significa "stato d'animo", "aspetto"
- **comportarsi**: agire, fare delle cose; ci si può comportare bene, male, in modo strano ecc.
- **bullo**: ragazzo che a scuola o nei gruppi sportivi umilia un compagno e lo tratta male; il fenomeno si chiama *bullismo*
- **autorizzare, autorizzazione**: dare un'*autorizzazione* significa dare a qualcuno il "permesso di fare qualcosa"
- **ormonale, ormoni**: gli *ormoni* sono delle sostanze che abbiamo nel corpo; quando i bambini crescono, quindi durante la *crescita*, possono avere problemi *ormonali*

Valeria e la maestra di Matteo	Valeria e suo marito Martino
Valeria è andata a prendere i bambini a scuola. L'insegnante di Matteo la ferma un momento: ha l'aria preoccupata.	*Valeria e Martino stanno guardando i bambini che giocano in giardino. Matteo gioca con il fratellino, ma senza entusiasmo.*
Insegnante Scusi se l'ho fermata, ma vorrei parlarle di Matteo... **Valeria** Che cos'ha? Si comporta male?	**Valeria** Martino, guarda Matteo. Vedi che è poco allegro? Oggi pomeriggio la maestra mi ha fermata, voleva parlarmi di lui. Le ho chiesto se si comporta male...
Insegnante No... al contrario! È troppo tranquillo, silenzioso. Lo vedo sempre più isolato, solitario. Non gioca più con gli amici, parla solo con pochi compagni, non con tutti. **Valeria** Oh mio dio. Potrebbe esserci qualche problema di bullismo in classe?	**Valeria** E lei ha detto di no, anzi, è troppo tranquillo, sta da solo, si isola, non sta con gli amici, parla poco e parla solo con alcuni... **Martino** Forse qualcuno fa il bullo con lui?
Insegnante Sono stata molto attenta e non mi pare. Io vorrei chiederle l'autorizzazione a far incontrare Matteo con lo psicologo della scuola...	**Valeria** Ci ha pensato anche lei, ma dice che è stata attenta e che secondo lei non è un problema di bullismo. Mi ha chiesto di autorizzarla a far incontrare Matteo con lo psicologo della scuola.
Valeria Oh... gli psicologi mi fanno paura... Mio fratello è medico, forse potrebbe... **Insegnante** Mi scusi se la interrompo: i medici curano il corpo, e forse un controllo va bene, Matteo potrebbe avere problemi ormonali, con la crescita... ma per queste cose sono meglio gli psicologi specializzati con i bambini. Sanno farli parlare e sanno ascoltarli.	**Valeria** Le ho detto che Francesco è medico, e lei ha detto che un controllo può essere utile, sai, gli ormoni, la crescita... ma pensa che sia meglio uno psicologo specializzato con i bambini.
Valeria Ok, ha ragione, ha ragione... **Insegnante** Grazie, credo sia una cosa utile.	**Martino** Tu che cosa hai detto? **Valeria** Che cosa potevo dire? Che non volevo un incontro tra Matteo e lo psicologo? Ho risposto che va bene.
Insegnante Ma non si preoccupi: sono poche settimane che Matteo si comporta così. Le provi a ricordare se c'è stato qualche problema in casa, tra lei e suo marito, o comunque in famiglia - zii, nonni, amici - e io per domani organizzo l'incontro.	**Valeria** La maestra dice di non preoccuparci, che è da poco tempo che Matteo è così... Dice che dobbiamo pensare se c'è stato qualche problema in casa che può averlo bloccato... **Martino** Ti ha detto quando ci sarà l'incontro? **Valeria** Domani.

5 Discorso *diretto* e *indiretto*.

Nella trascrizione dell'ES. 4, a sinistra c'è il **discorso diretto**, cioè la conversazione tra Valeria e l'insegnante di suo figlio; a destra c'è il **discorso indiretto**, in cui Valeria racconta al marito che cosa si sono dette lei e l'insegnante.

a. Come si passa da una forma all'altra? È fondamentale saperlo fare per poter raccontare quello che è successo durante una conversazione, una telefonata, un incontro ecc.
A sinistra trovi alcune parti della conversazione tra Valeria e l'insegnante di Matteo. A destra completa il racconto di Valeria (in cui abbiamo tolto alcune parti), poi confrontalo con il testo dell'ES. 4; alcune delle forme che userai possono essere diverse da quelle dell'audio, ma non sono sempre sbagliate: chiedi all'insegnante.

Valeria e la maestra di Matteo	Valeria racconta a **Martino**
Insegnante Scusi se l'ho fermata, ma vorrei parlarle di Matteo... **Valeria** Che cos'ha? Si comporta male? **Insegnante** No... al contrario! Lo vedo sempre più isolato, solitario. Non gioca più con gli amici, parla solo con pochi compagni.	Oggi pomeriggio la maestra ...., ... parlarmi di lui. Le .... se si comporta male... E lei ha detto di no, anzi, è troppo tranquillo, sta da ...., si isola, non sta con gli amici, ... poco e parla solo con alcuni...
Valeria Oh mio dio. Potrebbe esserci qualche problema di bullismo in classe? **Insegnante** Sono stata molto attenta e non mi pare. Io vorrei chiederle l'autorizzazione a far incontrare Matteo con lo psicologo della scuola...	Ci ha pensato anche lei, ma **dice** che .... attenta e che secondo lei non è un problema di bullismo. Mi **ha chiesto** di autorizzarla a far incontrare Matteo con lo psicologo della scuola.
Valeria Mio fratello è medico, forse potrebbe... **Insegnante** Forse un controllo va bene, Matteo potrebbe avere problemi ormonali, con la crescita... ma per queste cose sono meglio gli psicologi specializzati con i bambini. **Valeria** Ok, ha ragione, ha ragione...	Le ho detto che Francesco è medico, e lei ha detto che un controllo può essere utile, sai, gli ormoni, la crescita... ma **pensa** che .... meglio uno psicologo specializzato con i bambini. **Ho risposto** che ....
Insegnante Ma non si preoccupi: sono poche settimane che Matteo si comporta così.	La maestra dice di non ...., che è da poco tempo che Matteo è così...

b. Nel racconto di Valeria abbiamo evidenziato in rosso i verbi più usati per raccontare una conversazione. Ricopiali qui nella forma base all'infinito.

.......dire......., ..., ..., ...

c. Osserva come funziona la frase che segue questi verbi. Completa le frasi con *che* oppure *di*.

Mi **ha detto** .... non devo preoccuparmi.	Mi **ha detto** .... non preoccuparmi.
-	Le **ho chiesto** .... dirmi la verità.
Lei **pensa** .... non sia bullismo.	-
Le **ho risposto** .... va bene.	-

Con i verbi *dire*, *pensare* e *rispondere* si preferisce *che* (con *pensare*, inoltre, è meglio usare il congiuntivo). Con *dire* puoi usare anche *di* + infinito del verbo seguente, e questa costruzione si usa anche con *chiedere di fare* qualcosa.

Dal discorso diretto al discorso diretto le parole cambiano

Nel passaggio dal discorso diretto al discorso indiretto le parole cambiano molto! Lo hai certamente capito da solo, ma è meglio focalizzare l'attenzione su alcuni esempi.

*«Dammi il **tuo** libro.»* → *Mi ha detto di dargli il **mio** libro.*
*«Ti presto **questo** libro.»* → *Mi ha detto che mi presta **quel** libro.*
*«**Ti** telefono dopo.»* → *Mi ha detto che **mi** telefona dopo.*
*«Resta **qui** con **me**.»* → *Mi ha chiesto di restare **lì** con **lui** / **lei**.*

6 Alcuni plurali particolari.

a. Completa queste frasi delle due conversazioni (→ ES. 4).

1. Gli ________ mi fanno paura.

2. I ________ curano il corpo.

Psi-cò-lo-go e *mè-di-co* hanno l'accento sulla terzultima sillaba, e al plurale *-co* e *-go* diventano *psicolo**gi*** e *medi**ci***.

b. Se l'accento cade sulla penultima sillaba, come succede spesso in italiano, ricordi come si fa il plurale maschile?

bàn-co → banchi   *pò-co* → ________
là-go → ________   *al-bèr-go* → ________

I nomi femminili hanno sempre la forma in *-che* e *-ghe*.

bàn-ca → banche   *pàn-ca* → ________
drò-ga → ________   *mà-ga* → ________
psi-cò-lo-ga → ________   *so-ciò-lo-ga* → ________
cà-ri-ca → ________   *di-nà-mi-ca* → ________

c. Ma come sempre c'è anche qualche eccezione, come vedi nella vignetta. La maestra dice: «Matteo non gioca più con gli ________».

Produzione

7 Saper passare dal discorso *diretto* al discorso *indiretto* è utile se vuoi raccontare qualcosa in una mail.

Immagina questa situazione: Martino è via per lavoro e Valeria gli racconta quello che è successo scrivendogli una mail. Trasforma la conversazione (→ ES. 4) in una mail, cioè in un discorso indiretto.

8 Valeria racconta a Martino la sua conversazione con il commesso del negozio di elettrodomestici (→ P19, ES. 4, AUDIO 31).

Racconta il dialogo al tuo compagno. Poi l'insegnante chiederà a qualcuno di raccontarlo all'intera classe.

9 Valeria racconta a Martino quello che le ha detto il tecnico che ha montato la lavatrice (→ P20, ES. 3, AUDIO 32).

Racconta il dialogo al tuo compagno. Poi l'insegnante chiederà a qualcuno di raccontarlo all'intera classe.

Psicologi, matti, pazzi nei modi di dire

Cercate di intuire, lavorando insieme, il significato di questi modi di dire.

- Carlo è **uno psicologo della domenica**: è un professionista o un dilettante?
- Carlo è **matto come un cavallo**: è malato di mente o è uno molto allegro e originale?
- **sono cose da matti**: sono cose che fanno i matti o sono cose incredibili e stranissime?
- **mi piace da matti**: mi piace moltissimo o mi fa impazzire, cioè diventare pazzo?

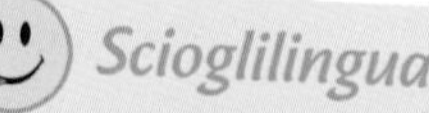

Scioglilingua

Leggi questo scioglilingua:

Il mio cane è pazzo per la pizza,
fa pazzie per un pezzo di pizza.

P21 | Guardiamoci intorno

Gli italiani e gli psicologi

DOTTORE, SONO UN PO' TIMIDO.

DOTTORE, SENTO SEMPRE UNA PRESENZA DOMINANTE AL MIO FIANCO.

ZZZ
MI DICONO TUTTI CHE SONO NOIOSO. CHE COSA POSSO FARE?

SONO 80 EURO.

SONO SCHIZOFRENICO. PAGA L'ALTRA PERSONALITÀ.

Nei film di Woody Allen tutti i personaggi sono in terapia o in analisi, cioè vanno sistematicamente da uno psicologo: tutti ne parlano senza problemi, raccontando agli amici quello che lo psicologo dice loro ecc.
In Italia, invece, chi va dallo psicologo non lo dice quasi mai. Ma in tanti vanno dallo psicologo, anche se non lo dicono: gli iscritti all'Ordine degli Psicologi sono circa 120.000, uno ogni 500 italiani! Comunque, non se ne parla. Anzi, l'idea di mandare un figlio dallo psicologo è quasi una vergogna, una colpa – e la reazione di Valeria nella conversazione con la maestra lo dimostra bene.

Elvira Orrico, una psicologa di Cosenza, ha un blog molto seguito. Ecco le frasi più frequenti che sente nel suo studio, con alcuni commenti.

PAROLE CHIAVE

- **terapia**: è una cura, psicologica o non
- **analisi**: è la cura degli psicologi
- **Ordine**: con la maiuscola, è l'associazione professionale che stabilisce diritti e doveri dei membri; se non si è iscritti all'Ordine, psicologi, medici, avvocati ecc. non possono lavorare
- **sbrigarsela**: cavarsela, essere capaci di superare da soli un problema
- **disagio**: malessere
- **paziente**: è il *cliente* di un medico o di uno psicologo
- **sfogarsi**: esprimere liberamente le proprie emozioni per tranquillizzarsi
- **piagnucolone**: parola che si riferisce soprattutto ai bambini che piangono molto spesso e senza ragione

IO NON HO BISOGNO DELLO PSICOLOGO PERCHÉ SONO ABBASTANZA INTELLIGENTE PER SBRIGARMELA DA SOLO!

L'intelligenza non c'entra con il disagio psicologico. Un bravo psicologo dà una visione esperta ed esterna che consente, soprattutto alle persone intelligenti, di scoprire cose di se stessi che da soli non vedrebbero.

SI VA DALLO PSICOLOGO PER SFOGARSI, QUINDI QUI VENGONO SOLO I PIAGNUCOLONI RICCHI.

Se si ha bisogno di sfogarsi, meglio andare da un amico e risparmiare tempo e denaro. In realtà il lavoro che il paziente fa durante il suo percorso di terapia o analisi è molto duro e faticoso.
Lo psicologo dà un aiuto, ma è il paziente che deve fare il lavoro più duro: non gli basta certo sfogarsi o piagnucolare.

SI VA DALLO PSICOLOGO SOLO SE SI È PAZZI!

La maggior parte dei pazienti di uno psicologo non è pazza, cerca semplicemente un aiuto per le preoccupazioni di tutti i giorni: problemi relazionali, stress da lavoro, la morte di una persona cara, una separazione.

TUTTI GLI PSICOLOGI VOGLIONO PARLARE DEI GENITORI!

La storia familiare è molto importante per capire una persona.

Gli italiani e i problemi mentali

In queste pagine spesso ti abbiamo dato il piacere di testi molto belli - poesie, canzoni, opere - in cui l'italiano è l'oggetto del lavoro dell'artista.
Questi sono testi da leggere; ma se *dopo* averli letti vuoi anche ascoltarli puoi farlo con l' AUDIO 37.

Il museo della follia

Ancora oggi, come hai visto, per molti italiani la psicologia e la psichiatria sono "cose da pazzi" o, come si dice con una parola più forte, da *matti*.
Eppure proprio in Italia è stato costruito il primo *manicomio*, cioè l'ospedale per i *maniaci*, i pazzi, dove oggi c'è anche un museo che mostra e racconta quello che per secoli è stato fatto ai *matti* con l'idea di curarli.
Il manicomio si trovava nel palazzo bianco sull'isola che vedi nell'immagine, che è a dieci minuti da San Marco (il cuore di Venezia) e ancora più vicina al Lido di Venezia, che vedi sullo sfondo. Nel museo c'è una raccolta che va dal documento che parla del primo *matto* rinchiuso a San Servolo nel 1725, agli strumenti di cura psichiatrica dell'Ottocento (che sembrano più strumenti di tortura che di cura), fino alle macchine per elettroshock del Novecento.

Mattio Lovat

Mattio Lovat viveva in una valle alpina, povero come tutti i contadini dell'epoca (siamo tra la fine del Settecento e l'inizio dell'Ottocento, negli anni in cui Napoleone conquista l'Italia).
Dopo la scoperta dell'America era arrivato in Europa il mais, o *granoturco*, che nel Veneto era diventato la base dell'alimentazione: la polenta, una crema di farina gialla di mais, aveva preso il posto del pane. Ma il mais non ha tutte le vitamine necessarie. Gli abitanti della laguna e della costa trovavano le vitamine nel pesce e nella carne, ma nelle Alpi non c'è il pesce, e questa alimentazione insufficiente portava a forme di stupidità che talvolta diventavano vera e propria pazzia.
Mattio Lovat impazzisce, lentamente, e incomincia a farsi del male per "punire" il suo corpo, la sua sessualità. Nel 1805 lascia le montagne, arriva a Venezia e si inchioda su una croce appesa fuori dalla finestra della sua casa; da qui viene portato a San Servolo, dove muore.

Questa storia è stata raccontata in un famoso romanzo di Sebastiano Vassalli (1941-2015), *Marco e Mattio*, di cui ti presentiamo una pagina.

Il giorno 10 d'agosto, venerdì, mentre il barcone della polizia puntava la sua prua verso l'isola di San Servolo che da alcuni anni era la destinazione finale dei **matti furiosi**[1] di Venezia, e che, bassa e bianca com'era, **si distingueva appena**[2] tra le nebbie della laguna, Mattio **prese**[3] la sua decisione: si sarebbe lasciato morire di fame.
Che senso aveva, per lui, continuare a vivere? Soltanto il suo corpo lo teneva legato ad un mondo che non aveva più niente da dargli, e a cui lui non aveva più niente da dare.

1. **matti furiosi**: pazzi pericolosi.
2. **si distingueva appena**: si vedeva a fatica.
3. **prese**: è il passato remoto di *prendere*, la principale forma del passato nei racconti.

Già sarebbe dovuto morire quel 19 luglio in cui **si era crocifisso**[4]: se il **destino**[5] allora non aveva voluto che il suo **sacrificio**[6] arrivasse alla **conclusione**[7] più logica e naturale, bisognava concluderlo in un altro modo. In un modo qualsiasi, perché no? Anche buttandosi nella laguna, **visto che**[8] non sapeva nuotare.
Ma la cosa non era possibile. Per **evitare**[9] che lui scappasse o tentasse di uccidersi, gli **sbirri**[10] lo avevano obbligato a sedersi sul fondo della barca e gli avevano legato le mani. Lo controllavano come un delinquente... ma nessuno avrebbe potuto **impedirgli di rifiutare il cibo**[11] e di fare quella morte per fame a cui lui, come la maggior parte dei suoi compaesani, **si era allenato**[12] per moltissimi anni!
L'isoletta di San Servolo, quando la barca la **toccò**[13], gli **sembrò**[14] l'isola dei morti.
Sempre accompagnato dagli sbirri e con le mani legate, Mattio attraversò quella parte dell'ospedale in cui erano ricoverati gli ammalati ordinari e **arrivò**[15] nel settore dei matti furiosi, che aveva avuto uno sviluppo notevolissimo dopo la caduta della Repubblica, e che si stava avviando ad occupare tutta l'isola.

adattato da S. Vassalli, *Marco e Mattio*, 1992

4. **si era crocifisso**: si era inchiodato alla croce, come Cristo.
5. **destino**: la forza che secondo la tradizione governa la nostra vita.
6. **sacrificio**: mettersi in croce è un *sacrificio*, un'uccisione sacra, fatta in nome di Dio.
7. **conclusione**: punto d'arrivo, fine; *concludere* significa "arrivare alla fine, al punto d'arrivo".
8. **visto che**: poiché, dato che.
9. **evitare**: fare in modo che una cosa non succeda.
10. **sbirri**: poliziotti.
11. **impedirgli ... cibo**: fermare la sua decisione di non accettare cibo, di non mangiare.
12. **si era allenato**: si era esercitato; l'*allenamento* viene fatto dagli sportivi che si esercitano in uno sport.
13. **toccò**: passato remoti di *toccare*.
14. **sembrò**: passato remoto di *sembrare*.
15. **arrivò**: passato remoto di *arrivare*.

Franco Basaglia

Franco Basaglia (1924-1980) è un nome fondamentale nella storia della psichiatria italiana e mondiale. È lui che propone un'idea moderna di *malattia mentale* (le parole *pazzia* e *follia* vengono abbandonate) e che con la forza delle sue idee porta il Parlamento italiano ad approvare, nel 1978, una legge rivoluzionaria, la Legge Basaglia: i manicomi, come quello di San Servolo, vengono chiusi, gli *ospedali psichiatrici* vengono completamene riformati e in gran parte chiusi e i *matti* vengono spostati in piccole strutture, in comunità sparse nelle varie città, dove lentamente ri-imparano a vivere, passano il tempo in laboratori creativi ma anche facendo lavori per i quali ricevono un piccolo stipendio che li rende autonomi e li fa sentire vivi.
Sono *persone*, non sono più *matti*. Non vanno più *calmati* con medicine ma vanno *curati* con i rapporti umani e con l'intervento di psicologi e di psichiatri.
Nel 1973 l'ospedale psichiatrico di Trieste, che Basaglia dirige, viene definito *zona pilota*, cioè punto di riferimento dall'organizzazione Mondiale della Sanità. Sette anni dopo, un destino crudele uccide Basaglia con un tumore proprio nella parte del corpo umano che lui aveva curato per tutta la vita: il cervello.

Un'intervista a Domenico Casagrande per questo manuale

Domenico Casagrande è stato uno stretto collaboratore di Basaglia. Gli abbiamo posto alcune domande.

Domanda Che cosa era un manicomio prima di Basaglia?

Casagrande Nell'Ottocento il manicomio ha la sua ragione molto chiara: quando uno è *matto* entra in manicomio e smette di essere *matto* per trasformarsi in malato, quindi dipende dai medici, che decidono al posto suo. Non è più una persona ma un *oggetto* senza contatti con l'esterno, escluso dalla società.

Domanda E dopo Basaglia?

Casagrande Il paziente è un cittadino, un *diverso* che ha però tutti i diritti e i doveri di un comune cittadino, ed è chiamato a partecipare alla sua cura in un ospedale in cui, oltre al personale, entrano anche volontari. Non si tratta più di un rapporto medico-paziente in un mondo chiuso dove il medico è *la legge*, ma di un rapporto che si apre verso un mondo esterno, in cui ognuno può intervenire con un suo parere. È la città che entra nell'ospedale. Questo rapporto fra "dentro" e "fuori" è il fatto più importante.

Domanda La Legge Basaglia ha più di quarant'anni. Com'è la situazione oggi?

Casagrande In parte stiamo tornando indietro, il *matto* ridiventa il malato, curato con psicofarmaci, anche se esistono ancora situazioni in cui il paziente viene ascoltato e intorno a lui si organizza lo spazio necessario per aiutarlo, ma queste esperienze diventano sempre meno e non si sa cosa possa succedere in futuro...

P22/ Ventidue | Una macchina da guerra

Comprensione & produzione

1 Valeria è davvero una macchina da guerra!

Non preoccuparti, non c'entra la *guerra* vera: l'espressione *è una macchina da guerra* significa che Valeria è un'organizzatrice molto brava, una persona che non si ferma davanti agli ostacoli.
E questo pomeriggio Valeria trova tanti ostacoli davanti a sé! Li racconta in questo messaggio che lascia nella segreteria telefonica di Martino, suo marito.

Valeria racconta a Martino le varie telefonate che ha ricevuto e fatto nella giornata. Ascolta l'AUDIO 38: durante il primo ascolto devi solo scrivere con chi ha parlato al telefono Valeria.

TELEFONATA 1 Stamattina è stata chiamata dalla ....

TELEFONATA 2 Poco fa è stata chiamata di nuovo dalla ....

TELEFONATA 3 Subito dopo Valeria ha chiamato ....

TELEFONATA 4 Subito dopo Valeria ha chiamato ....

TELEFONATA 5 È la telefonata che sta facendo a ....

2 Che cosa hanno detto nelle telefonate? Ascolta ancora l'AUDIO 38 e completa le informazioni.

TELEFONATA 1 la baby sitter dice che ○ andrà ○ non andrà a prendere i bambini.

TELEFONATA 2 la baby sitter dice che ○ andrà ○ non andrà a prendere i bambini.

TELEFONATA 3 la mamma di Valeria dice che ○ può ○ non può andare a prendere i bambini.

TELEFONATA 4 la mamma di Martino dice che ○ può ○ non può andare a prendere i bambini.

TELEFONATA 5 Valeria dice a Martino di ○ andare a prendere i bambini ○ di andare a prendere i bambini e di fare anche altre cose.

3 Verifica le tue risposte dell'ES. 2 riascoltando l'AUDIO 38 e leggendo il testo.

All'inizio dell'audio c'è la risposta automatica della segreteria telefonica, che dice il numero di telefono di Martino. Scrivilo qui ...., poi verifica con i compagni.

pasticceria, merenda

In una *pasticceria*, che di solito è anche un bar, si vendono *paste* o *pastine*, con cui si può *fare merenda*, cioè un piccolo pasto a metà mattina o a metà pomeriggio.

Valeria Ciao, sono io. Ascolta, c'è un problema: la baby sitter ha telefonato stamattina dicendo che non stava bene e che non poteva andare a prendere i bambini a scuola. Le ho spiegato che io oggi non potevo andarci (ricordi? Ho quel cliente che vuole comprare una villa con parco...) e allora mi ha assicurato che sarebbe andata a prenderli lei.
Però mi ha richiamato poco fa e mi ha detto che ha la febbre alta e quindi non andrà a prenderli.
Ho chiamato mia mamma, ma mi ha detto che non ce l'avrebbe fatta a essere a scuola per le quattro e mezza, allora ho chiamato tua madre. Sai com'è, nonna Paola ha paura a salire sull'autobus con i due bambini, allora le ho detto che li porti nella **pasticceria** che c'è di fronte alla scuola: si siedono lì, fanno **merenda**, loro sono contenti e lei è tranquilla... Le ho assicurato che tu passerai verso le cinque e un quarto, ma anche se arrivi un po' dopo non è un problema.

c'è in giro

Questa espressione indica che una cosa è diffusa, cioè è presente in molti luoghi in modo casuale, senza un ordine preciso.

Mi dispiace, ma io proprio non posso...
Ah, scusa, dimenticavo: servono delle aspirine. Ci sono due farmacie vicino alla pasticceria: una verso Piazza Cavour e una verso Viale San Giorgio. **Vedi se puoi** comprare anche un bel po' di arance: ai bambini fanno bene, con l'influenza che **c'è in giro**. E prendi anche un mazzo di fiori per tua mamma, che è sempre così gentile.
Ciao, amore.

vedi se puoi... vedi di...

Non c'entra *vedere* con gli occhi; queste espressioni significano "cercare di," "provare a" fare una cosa.

4 Con il tuo compagno, recita le telefonate senza scrivere il testo.

Per farlo, devi basarti sugli *script* (→ P19), che questa volta ti offriamo noi qui sotto.
L'espressione "saluti di chiusura" non si riferisce solo a *pronto*, *ciao* ecc.: alla fine di una telefonata, infatti, possono anche esserci delle battute gentili, dei ringraziamenti ecc.

TELEFONATA 1 ▸ **Valeria e la baby sitter**

Si salutano | la baby sitter dice perché ha telefonato | Valeria dice che non può andare a prendere i bambini e **insiste** perché ci vada la baby sitter | alla fine la baby sitter dice che andrà lei | saluti di chiusura.

TELEFONATA 2 ▸ **Valeria e la baby sitter**

Si salutano | la baby sitter dice perché ha telefonato | Valeria risponde che capisce il problema e le augura di guarire presto | la baby sitter spiega che per almeno tre giorni dovrà stare in casa | saluti di chiusura.

insistere

Chiedere con molta forza, ripetendo la richiesta per avere una risposta positiva.

TELEFONATA 3 ▸ **Valeria e sua madre**

Si salutano | Valeria dice che c'è un guaio e spiega il problema | la mamma dice che sta aspettando il tecnico che viene ad aggiustare il frigorifero e che quindi non potrà essere a scuola per le 4.30 | Valeria le dice di non preoccuparsi e che risolverà il problema in altro modo | saluti di chiusura.

TELEFONATA 4 ▸ **Valeria e la mamma di Martino (cioè la suocera di Valeria)**

Si salutano | Valeria dice che c'è un guaio e spiega il problema, dicendo che ha già provato a chiamare sua mamma, la quale non può aiutarla perché sta aspettando il tecnico che viene ad aggiustare il frigorifero | la suocera dice che può andare lei, ma che **non se la sente** di salire sull'autobus all'ora di punta con i due bambini | Valeria le dice di non preoccuparsi, di portare i bambini nella pasticceria di fronte e di aspettare lì Martino, che arriverà alle 5.15 circa | saluti di chiusura.

non se la sente

Non sentirsela significa "pensare di non avere la forza per fare qualcosa".

5 Trasforma il messaggio in segreteria (→ ES. 3) in una telefonata vera, inserendo le parole di Martino.

Prepara bene la drammatizzazione con il tuo compagno perché l'insegnante chiederà ad alcuni di voi di recitare la telefonata davanti alla classe.
Poi confronta la tua versione con la telefonata presentata nella *Palestra* (→ PALESTRA DI ITALIANO ES. 10).

Analisi & sintesi

6 Un modo più corretto di raccontare: il discorso indiretto.

a. In P21 Valeria racconta a Martino la conversazione con la maestra, usando una **struttura semplice** del discorso indiretto, tipica dell'orale: **passato prossimo** del verbo che racconta (+ congiunzione) + **presente dell'infinito** (*ho detto di andare*) **o dell'indicativo** (*ho chiesto se ha amici*) del verbo del racconto.

b. In questo *Passo* invece - forse perché il testo viene registrato nella segreteria telefonica e quindi non ha la velocità dello scambio orale - Valeria usa una struttura più formale, che nello scritto è la più diffusa. Ecco come funziona il discorso indiretto nella sua **forma più complessa** e più completa: una forma del **passato** del verbo che racconta (passato prossimo, remoto o imperfetto) + congiunzione + il verbo principale del racconto nel modo e tempo adatto (*dissi che sarei partito*).

c. Completa queste battute di Valeria (→ ES. 3) in cui trovi strutture del discorso indiretto molto diverse.

1. Le ho detto che li .... nella pasticceria di fronte.
   Questo è il modello semplice: il verbo del racconto (*dire*, in questo caso) è al *passato* .... e il verbo principale è al ....
2. Ha telefonato stamattina dicendo che non .... bene e che non .... andare a prendere i bambini a scuola. Le ho spiegato che io oggi non .... andarci.
   Anche questo è un modello semplice e diffuso: visto che l'azione avviene nel passato, il verbo principale è al tempo ....
3. Mi ha detto che ha la febbre alta e quindi non .... a prenderli.
   Le ho assicurato che tu .... verso le cinque e un quarto.
   Qui Valeria sta raccontando una cosa che le è stata detta poco fa (quindi il tempo utilizzato e il ....: *mi ha detto, le ho assicurato*), ma l'azione principale avverrà dopo questo racconto, quindi il verbo principale è al tempo ....
   Mi ha assicurato che .... a prenderli lei.
4. Mi ha detto che non ce l'........................ a essere a scuola per le quattro e mezza, allora ho chiamato tua madre.
   Questa forma è più complessa: qualche tempo fa (quindi il tempo utilizzato è al passato: *mi ha detto*) si è parlato di un'azione che doveva avvenire ○ nello stesso momento ○ nel futuro, quindi è un *futuro nel passato* (→ P14). In italiano parlato si può anche usare l'imperfetto: *Mi ha detto che non ce la faceva a essere a scuola per le quattro e mezza, allora ho chiamato tua madre.*

7 Un altro caso di plurale strano, dopo quello che hai visto in P21 (ES. 6).

a. Valeria dice a Martino che deve andare in farmacia e che deve comprare delle arance.

1. Ci sono due .... vicino alla pasticceria.
2. Vedi se puoi comprare anche un bel po' di ....

Queste due parole al singolare sono .... e .... Come vedi, entrambe finiscono in *-cia*, ma nel primo caso la *i* è accentata (*farmacìa*) e il plurale è ....; nel secondo caso, invece, la *i* serve solo per ragioni di pronuncia della *c* (*arancia*) e quindi al plurale la *i* non serve: ....

b. Nelle poche parole dove c'è una vocale davanti a *-cia* / *-gia* senza accento, la *i* rimane.

1. mancia → *mance*
2. spiaggia → ....
3. camicia → *camicie*
4. pancia → ....
5. pioggia → *piogge*
6. valigia → ....
7. ciliegia → ....

P22 | Guardiamoci intorno

Quante previsioni sbagliate!

Di solito queste pagine ci aiutano a *guardarci intorno* in Italia. In questo *Passo*, invece, ci guarderemo intorno nel tempo, allargando il nostro sguardo a tutto il mondo, per vedere quante persone importanti hanno fatto previsioni "certe", mentre poi... è successo il contrario!

Tu devi raccontare oggi quello che è stato detto tempo fa, usando il discorso indiretto.

«Il telefono ha troppe mancanze per poterlo considerare seriamente come mezzo di comunicazione: è privo di valore, per quel che ci riguarda.»

(Documento interno della *Western Union*, 1876)

«Ormai l'automobile ha raggiunto il limite del suo sviluppo. Questo è dimostrato dal fatto che durante lo scorso anno non ci sono stati miglioramenti importanti nelle automobili.»

(«Scientific American», 1909)

«Si potrebbe giungere alla costruzione di bombe atomiche che potrebbero distruggere un'intera città. Ma sarebbero bombe troppo pesanti e quindi impossibili da trasportare con aerei.»

(A. Einstein, 1938)
Nel 1945 due bombe atomiche furono lanciate su Hiroshima e Nagasaki.

«Non c'è alcuna possibilità che i satelliti per le comunicazioni vengano usati per fare funzionare meglio la televisione, il telegrafo o la radio negli Stati Uniti.»

(T. Craven, commissario statunitense per le comunicazioni, 1961)

«Non vogliamo questi "Beatles". La loro musica non funziona e oggi le band che usano delle chitarre sono fuori moda.»

(Un portavoce della Decca Records, 1962)

«A me queste Brigate Rosse sembrano una favola per bambini; è una favola vecchia, ma viene raccontata con tanta convinzione che proprio non si sa come contraddirla.»

(G. Bocca, grande giornalista italiano, 1975)
Tre anni dopo le Brigate Rosse erano il più terribile gruppo terroristico europeo.

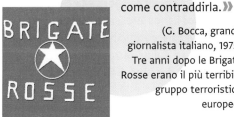

«Quasi tutte le previsioni che si fanno per il 1996 si basano sulla crescita continua di internet. Ma io prevedo che internet sarà come l'esplosione di una stella, e che nel 1996 internet finirà.»

(R. Metcalfe, inventore di Ethernet per le reti informatiche, 1975)

Il futuro nei modi di dire

a. **lui ha un luminoso futuro dietro le spalle**
b. **crede di avere la sfera di cristallo**

Indica il significato dei due modi di dire:
- la persona di cui si parla non ha futuro ○ a ○ b
- la persona di cui si parla dice di poter prevedere il futuro, ma non è vero ○ a ○ b

Questo è un bel proverbio:
Impara dal passato, credi nel futuro e vivi nel presente
Spiegalo a un amico: «Bisogna ....».

P23 / Ventitré | Bisogna stringere la cinghia

Comprensione & produzione

1 Bisogna stringere la cinghia.

La *cinghia* è una striscia di cuoio usata per tenere su i pantaloni. Se diventi più magro, devi stringerla, cioè farla più corta, meno lunga; se ci sono difficoltà economiche e quindi bisogna risparmiare, puoi dire che bisogna "stringere la cinghia".
È quello che sta succedendo nella famiglia di Valeria e Martino. Cerchiamo di capire la ragione ascoltando l'AUDIO 39 (trovi la trascrizione online). Per seguire meglio, eccoti lo *script* (→ P19), che puoi completare con i compagni sulla base della tua esperienza prima dell'ascolto.

a. Valeria deve dare al marito due notizie, una bella e una ....; Martino deve rispondere scegliendo quale vuole sentire per prima. Quale sceglie, secondo te?

....

b. Ricordi certamente che Matteo, il figlio maggiore di Valeria e Martino, doveva incontrare lo psicologo della scuola. Valeria riferisce al marito quello che ha detto lo psicologo. Lo psicologo può aver dato due tipi di risposta: quali, secondo te?

....

c. Lo psicologo ha detto che Matteo sta crescendo, e siccome nella sua classe i compagni sono ancora dei bambini, lui ha bisogno di stare con... Con che tipo di compagni, secondo te?

....

d. Valeria e Martino decidono di iscriverlo a una squadra di .... Quali sport di squadra conosci?

....

e. Mandare un figlio a fare sport ha due conseguenze.
- Il rapporto tra padre e figlio cambierà: in che modo, secondo te? ....
- Fare sport costa: quali costi ci sono, per esempio? ....

f. All'inizio Valeria aveva annunciato due notizie: una bella (Matteo sta bene, sta solo crescendo in fretta) e una brutta. Quella brutta è l'aumento dei mutui (il prestito di una banca quando compri una casa). Secondo te, un aumento dell'1% può mettere in crisi il bilancio familiare? Martino dà la stessa risposta che certamente hai dato tu.

....

g. Ricordi che Valeria doveva mostrare una villa a un cliente (→ P22)? Quindi Valeria lavora in un'agenzia immobiliare (un negozio dove si comprano e si vendono case). Spesso, chi lavora in agenzia ha uno stipendio base, al quale si aggiunge una percentuale (%) sulle vendite. Secondo te, quando aumentano i mutui, le vendite delle agenzie immobiliari aumentano o calano? .... Quindi puoi immaginare le conseguenza sul reddito di Valeria (cioè sui soldi che guadagna)...

h. Meno reddito e più costi per lo sport. Ma c'è una terza spesa in arrivo: l'anno prossimo Matteo andrà alla scuola media e in Italia i libri delle medie non sono pagati dallo Stato. Quanto possono costare i libri di prima media, secondo te?

....

i. Quindi: bisogna stringere o allargare la cinghia?

....

j. Scoprire di avere meno soldi a disposizione può avere due conseguenze: Valeria e Martino possono andare in crisi e diventare tristi oppure possono ricordarsi che i soldi non sono tutto nella vita e che tra loro c'è anche ....

Ascolta l'AUDIO 39 seguendo i punti *a-j* e rifletti su quanto è utile prevedere quello che può esserci in un dialogo basandosi sugli *script*, sulla tua esperienza di vita e sulla tua conoscenza del mondo.

2 **Se hai buona memoria, puoi completare molte di queste informazioni. Verifica ascoltando ancora l'AUDIO 39.**

a. Quale notizia vuole ascoltare per prima Martino?
○ quella bella ○ quella brutta
b. Matteo è ○ più ○ meno maturo (cioè "adulto") dei suoi compagni.
c. Quindi con i compagni Matteo
○ sta bene ○ si annoia.
d. Perché è necessario che Matteo abbia delle *sfide*, cioè degli "obiettivi da raggiungere"? ○ per vincere ○ per far parte di un gruppo, di una squadra

e. Di quanto è cresciuto il mutuo di Valeria e Martino? .... %.
f. I clienti di Valeria ○ vanno a vedere ○ non vanno a vedere le case, ma alla fine ○ comprano ○ non comprano.
g. Se un bambino cresce, si allunga e bisogna comprare nuovi ....
h. Quanto costano più o meno i libri in prima media? .... euro.
i. Nei prossimi mesi, ci sarà ancora bisogno della baby sitter? ○ sì ○ no
j. Valeria e Martino decidono di ○ lavorare di più ○ tagliare qualche spesa.
k. Martino propone di ridurre le serate in pizzeria e al cinema. Valeria ha altre proposte? ○ sì ○ no
l. Martino dice a Valeria una frase bellissima: «Fin che ci sei tu, non sarò mai ....».

3 **Valeria e Martino raccontano a due amici la loro conversazione.**

Lavora con un compagno.
a. Tu sei Valeria e racconti la conversazione con Martino a una tua amica (il tuo compagno), che fa qualche commento e qualche domanda mentre tu racconti.
b. Adesso invertite le parti: il tuo compagno è Martino, che racconta le cose dal suo punto di vista, e tu sei un suo amico che fa qualche commento e qualche domanda mentre lui racconta.

Siate pronti a recitare le conversazioni davanti alla classe se l'insegnante ve lo chiede.

4 **Gli studenti hanno sempre pochi soldi e troppe spese.**

Hai avuto delle spese impreviste e hai dovuto fare dei tagli nelle altre spese della tua vita quotidiana: scrivi a un amico una mail in cui gli racconti che hai saputo prendere decisioni "amare".

Analisi & sintesi

5 **L'infinito: una sintesi.**

Come puoi vedere dagli esempi sottolineati in verde negli ES. 1-2, l'infinito può stare da solo o essere usato in coppia con un altro verbo (in questo caso sta al secondo posto).
Avevi mai osservato quanto viene usato l'infinito? Di solito non gli dedichi molta attenzione perché è un verbo "facile": non ha le 6 persone e ha una sola forma al passato.

Cerchiamo di ragionare su questo modo "facile", facendo una sintesi che completa quanto hai visto in P15.

a. Ci sono tre tipi di **infinito presente**:
- Valeria deve d............ al marito due notizie. (→ ES. 1, a)
- Martino deve rispond............ scegliendo quale vuole sentire per prima. (→ ES. 1, a)
- Per segu............ meglio, eccoti lo *script*. (→ ES. 1)

C'è anche un infinito presente particolare:
- Martino propone di rid............ le serate in pizzeria e al cinema, e anche le vacanze. (→ ES. 2, k)

Questo verbo fa parte di un gruppo di infiniti irregolari, con *-rr-*, che derivano da *porre* e che finiscono in *-durre*.

b. Esiste anche l'**infinito passato o composto**:

▸ Lo psicologo può .... due tipi di risposta. (→ ES. 1, b)

Come in tutti i tempi composti, c'è l'**ausiliare** seguito dal **participio passato del verbo** principale. L'ausiliare è *avere* per i verbi transitivi, *essere* per i verbi intransitivi e passivi (con *essere* il participio passato si accorda con il soggetto).

Inserisci l'infinito passato in queste frasi.

1. Dopo (*mettere*) .... a letto i bambini, Valeria e Martino hanno parlato.
2. Dopo (*andare*) .... al lavoro, Valeria è passata a prendere i bambini a scuola.

c. Come si collega l'infinito al verbo che lo precede? Alcuni verbi non chiedono **nessun collegamento**, altri usano una **preposizione**.

Indica se questi verbi usano la preposizione *di* oppure no (Ø), guardando gli esempi sottolineati in verde negli ES. 1-4.

1. potere, volere, dovere ◯ Ø ◯ *di*
2. fare, sapere (= *essere capace*) ◯ Ø ◯ *di*
3. decidere, proporre, cercare ◯ Ø ◯ *di*
4. bisogna ◯ Ø ◯ *di*
5. aver bisogno ◯ Ø ◯ *di*

d. Quando c'è un **pronome personale debole**, o **atono**, questo si lega all'infinito in maniera particolare:

▸ Se diventi più magro, devi ...., cioè .... più corta, meno lunga. (→ ES. 1)

▸ Valeria e Martino decidono di .... a una squadra di calcio. (→ ES. 1, d)

Anche ***ne*** e ***ci*** si uniscono all'infinito: *Non voglio andar**ci**; Non voglio parlar**ne**.*

Come puoi notare, l'infinito perde la *-e* finale; questo succede spesso anche quando non ci sono i pronomi personali o *ne* e *ci*, per rendere più fluente il discorso: .... *tempo* / *paura* / *bisogno* ecc.

Ø, *di*, *a*, *per* + infinito

Cerchiamo di fare un po' di ordine sulle preposizioni da usare prima dell'infinito.

▸ Molti verbi importanti **non chiedono alcuna preposizione**: oltre a quelli che hai trovato nell'esercizio, ci sono anche *lasciare, ascoltare, guardare, sentire, vedere, piacere, desiderare, preferire.*

▸ Un altro gruppo di verbi vuole ***di***: oltre a quelli che hai trovato nell'esercizio, ci sono anche *aver paura / tempo / voglia, cercare, dire, finire, pensare, ricordarsi, dimenticarsi, essere capace.*

▸ Un terzo gruppo di verbi vuole la preposizione ***a***: i più importanti sono i gruppi come *andare / tornare / venire, cominciare / iniziare / continuare, insegnare / imparare, provare / riuscire.*

Infine, se l'infinito indica uno scopo, una finalità del verbo che lo precede, si usa la preposizione ....: *la cinghia è usata **per tenere** su i pantaloni.*

La preposizione si usa se il soggetto dei due verbi è lo stesso; se i soggetti sono diversi, non si usa l'infinito: ***Preferisco andare** al cinema*: il soggetto dei due verbi è ....

***Preferisco** che **tu vada** al cinema*: il primo soggetto è ...., il secondo è ....

e. Un'ultima cosa da notare è che non sempre l'infinito è usato come verbo: spesso è usato come **nome**, ed è il soggetto di un altro verbo:

▸ .... un figlio a fare sport ha due conseguenze: da un lato, cambia il rapporto tra padre e figlio; dall'altro, ... sport costa. (→ ES. 1, e)

▸ .... di avere meno soldi a disposizione può avere due conseguenze. (→ ES. 1, j)

Quando l'infinito funziona come un nome, può avere anche l'articolo: ***Il mandare** un figlio..., **Lo scoprire** di avere...*

L'infinito... da ridere!

▸ In P18 hai letto che Giacomo Leopardi ha scritto una delle più famose poesie italiane, *L'infinito*. Ma Pierino, lo studente che nelle barzellette italiane non studia mai, non ha studiato Leopardi e quindi risponde all'insegnante di letteratura italiana come vedi nella vignetta a sinistra.

▸ Ci sono molte barzellette che giocano sul doppio significato di *infinito*, che è sia un modo verbale sia una parola che indica un'azione senza fine, *in-finita*. Una di queste barzellette la trovi qui a destra.

P23 | Guardiamoci intorno

4

2.500 euro al mese

Ogni anno l'ISTAT, l'Istituto Italiano di Statistica, pubblica i dati dell'*Indagine sulle spese delle famiglie*, che puoi trovare online nel sito www.istat.it.
Nel 2013 e nel 2014 la spesa media era di 2.488 al mese, nel 2015-2016 l'ipotesi è di circa 2.550, ma i dati certi arriveranno a fine 2017.
Ma le statistiche, lo sappiamo, vanno lette con attenzione, per non arrivare a *verità* come quella che vedi nella vignetta: *io mangio un pollo, tu non mangi niente*, ma secondo la statistica *ognuno di noi ha mangiato mezzo pollo*!

La spesa più bassa, tenendo conto del numero di persone per famiglia, è quella delle coppie giovani, che hanno una spesa inferiore di circa 100 euro a quella delle coppie dove la persona di riferimento ha 65 anni.
Le famiglie composte solamente da stranieri spendono mediamente 1.650 euro al mese, 900 euro in meno delle famiglie composte da soli italiani.
Nei piccoli comuni la spesa media mensile è poco sopra i 2.400 euro, mentre nelle città la spesa è di 2.725 euro, e qui una quota maggiore è destinata all'abitazione (per i maggiori costi degli affitti e delle case, quindi dei mutui) e alla spesa per il tempo libero (spettacoli, cultura, sport, ristoranti).
Restano le tradizionali differenze territoriali nelle spese medie delle famiglie tra Centro-Nord e Mezzogiorno, con valori massimi osservati in Trentino-Alto Adige (3.075 euro) e in Emilia-Romagna (2.885 euro) e valori minimi in Calabria (1.760 euro) e in Sicilia (1.780 euro).

Ma come vedono la crisi i bambini e gli adolescenti? Telefono Azzurro è un'associazione di protezione dei bambini. I bambini possono chiamare se hanno paura o hanno problemi. Nel suo sito www.azzurro.it l'associazione ha studiato il modo in cui i bambini e i ragazzi vivono la grande crisi iniziata nel 2008.
Secondo le indagini di Telefono Azzurro, 3 bambini su 10 vivono in famiglie interessate dalla crisi economica, e verso i 10-11 anni incominciano a capire che la loro famiglia ha problemi economici e a sentirsi poveri - anche in questo caso la situazione al Sud è peggiore che nel Centro-Nord.
Per quanto riguarda gli adolescenti, invece, il dato ci dimostra come la loro capacità di sentire la crisi sia molto più forte di quella dei bambini: anche se i genitori cercano di non far cadere sui figli le difficoltà economiche, 1 adolescente italiano su 2 è convinto che la sua famiglia sia stata colpita dalla crisi.

PAROLE CHIAVE

- **indagine**: ricerca statistica, studio di un fenomeno
- **tenere conto**: considerare, prestare attenzione, includere un dato
- **persona di riferimento**: nelle statistiche, è il membro della famiglia che ha il reddito maggiore
- **quota**: parte
- **abitazione**: il luogo dove si abita, la casa
- **adolescente**: un ragazzino tra i 13 e i 18 anni

I poveri nei modi di dire

- **è un povero cristo, è un povero diavolo, è povero in canna**: dicono che una persona è molto povera. Non si sa perché uno sia povero *in canna*, forse perché la canna, cioè il bambù, è *vuota*, cioè non contiene nulla.
- **lui è sempre pronto a piangere miseria**: dice che lui si lamenta continuamente di esser povero, anche se non lo è; la *miseria*, infatti, è una povertà estrema, drammatica.

VENTIQUATTRESIMO PASSO

P24 / Ventiquattro | Quando lo stress esplode

Comprensione & produzione

1 Che cosa stanno facendo queste persone?

1

2

3

Le parole possibili sono varie: *discutere*, cioè esprimere con forza quello che si pensa; *litigare*, cioè discutere urlando, talvolta anche offendendo l'altro; *sgridare* qualcuno perché ha fatto qualcosa che non va bene, in modo che si *senta in colpa*, cioè si senta responsabile di aver agito male.

Ascolta le tre conversazioni dell'AUDIO 40 (senza leggere i testi qui sotto) e trova queste informazioni.

a. Prima conversazione

1. Perché un personaggio è arrabbiato con l'altro? ....
2. Indica il numero della vignetta che corrisponde alla prima conversazione: ◯

b. Seconda conversazione

1. Perché uno dei personaggi vuole che l'altro vada via? ....
2. Quale vignetta corrisponde alla seconda conversazione? ◯

c. Terza conversazione

1. I personaggi si accusano di essere *nevrotici*: che cosa vuol dire, secondo te, questa parola? ....
2. Scrivi il numero della vignetta che corrisponde alla terza conversazione: ◯

2 Ascolta ancora l'AUDIO 40, leggendo i testi.

Prima di ascoltare l'audio, verifica se ricordi chi sono i personaggi delle tre conversazioni scrivendo i loro nomi al posto dei puntini.

CONVERSAZIONE 1

.... **Insomma**, mamma, dopo averci pensato per tre giorni non sai ancora dirmi sì o no? Devi dirmelo, in modo da organizzarmi!

.... Valeria, io non sono più giovane. Prima di dirti di sì devo pensarci... E tu dovresti cercare di aiutarmi, invece di farmi sentire in colpa!

.... Ma **insomma**, non capisci? Io non posso organizzare niente prima che tu mi risponda, e dopo che tu ci hai pensato tre giorni io non so ancora se puoi tenere i bambini... **Insomma**, non ne posso più, corro come una matta, sono sempre di corsa... e tu non mi dici né sì né no...

.... Valeria, lasciami ancora un paio di ore in modo che io mi organizzi, va bene?

insomma

Il significato di *insomma* dipende dall'intonazione della voce:

- se è detto con calma, serve per introdurre la **conclusione di un discorso**: *Insomma, è impossibile*;
- se invece è pronunciato da una persona arrabbiata, come nei tre casi in cui è usato in questa conversazione, significa **essere arrabbiati**: *Insomma, tu non vuoi capire, sono arrabbiata!*.

CONVERSAZIONE 2

.... **Piantala, non ne posso più!** Non puoi stare senza giocare a pallone per tre minuti? Ho mal di testa!

.... Bastava dirmi "Ho mal di testa" e io smettevo senza che tu cominciassi a urlare... Va bene, vado in camera. Ma dopo non dirmi che diventerò stupido **a forza di** stare davanti al computer, che devo giocare all'aria aperta e non devo stare sempre chiuso in camera.

.... Fai quello che vuoi, ma piantala di giocare qui.

CONVERSAZIONE 3

.... Ti ho sentito. Prima di urlare a un bambino, **pensarci tre volte!**

.... Cosa?

.... Pensaci, prima che tuo figlio diventi nevrotico come te.

.... Si può sapere che cavolo ti prende? Sei tu che sei nevrotica. Non si vendono più case? Capisco il momento difficile, ma non puoi venire a **rompere le scatole** a tutti perché l'agenzia va male: ti ho sentita, prima, mentre urlavi a tua madre. Non si fa così.

.... Ah, quindi io non posso incavolarmi con mia madre, mentre tu puoi urlare con un bambino, senza aiutarlo a capire, senza che lui possa spiegarsi? Ma piantala!

non ne posso più! piantala!

- **Non ne posso più**: non sopporto più.
- **Piantarla**, *piantala!* o *devi piantarla!*: smetti di fare qualcosa.

a forza di

Se continui a fare questa cosa...
***A forza di** urlare, perderà la voce.*

pensarci tre volte

Questa espressione significa "pensarci bene prima di fare una cosa", "riflettere a lungo".

rompere le scatole

Litigare, dare fastidio, essere spiacevoli. È una forma molto colloquiale, che non si usa in discorsi formali.

3 **Recitate le tre conversazioni per ricordarle bene. Poi raccontatevi le conversazioni tra compagni.**

Tu racconti a lui / lei la discussione tra Valeria e sua madre; lui / lei racconta a te la scenata tra Martino e Matteo; tu gli / le racconti la litigata tra marito e moglie.

4 **Che cosa stanno facendo queste persone?**

4

5

6

Qui l'espressione più semplice è *fare (la) pace*, oppure *scusarsi*, *chiedere scusa* perché ci si *sente in colpa*, cioè ci si sente responsabili di aver agito male.

Ascolta le tre conversazioni dell'**AUDIO 41** (senza leggere i testi qui sotto) e trova queste informazioni.

a. Quarta conversazione

1. Un personaggio dice che si è stressati perché «si lavora .... e ci si riposa troppo .... ». Inserisci *troppo* e *poco* nella frase.
2. Indica il numero della vignetta che corrisponde alla prima conversazione: ◯

b. Quinta conversazione

1. Uno dei personaggi dice che certe volte ci si comporta male, ma poi si va a cena insieme e *tutto passa*: che cosa vuol dire, secondo te? ....
2. Quale vignetta corrisponde alla seconda conversazione? ◯

c. Sesta conversazione

1. I personaggi si scusano per aver urlato e alla fine dicono che si vogliono ....
2. Scrivi il numero della vignetta che corrisponde alla terza conversazione: ◯

5 **Ascolta di nuovo l'AUDIO 41 leggendo i testi.**

Prima di ascoltare l'audio, verifica se ricordi chi sono i personaggi delle tre conversazioni scrivendo i loro nomi al posto dei puntini.

un sacco di

Vuol dire **molto**, è informale. Dopo un verbo, non serve *di*: *Ho lavorato* ***un sacco***.

CONVERSAZIONE 4

.... Ciao, sono io. Allora: tengo io i bambini questo weekend, così tu e Martino potete stare un po' soli...

.... Grazie, mamma. Dicono che due giorni in pace siano meglio di una medicina. E ne abbiamo bisogno, siamo tutti e due stressati... e scusami per prima...

.... Non serve chiedere scusa, piccola mia. I problemi arrivano quando si lavora troppo e ci si riposa troppo poco. E quando si è stanchi si dicono **un sacco di** sciocchezze.

.... Grazie, mamma.

.... Vai a prenotare l'albergo e pensa a tuo marito in questi due giorni. Ai bimbi ci pensa la nonna.

parolacce

Le *parolacce* sono **parole volgari**, di solito legate al sesso. Il suffisso ***-accio*** / ***-accia*** è quasi sempre negativo: *un tempaccio*, per esempio, è un "tempo molto brutto".

CONVERSAZIONE 5

.... Sì? Ah, sei tu... non sto facendo rumore!

.... No, non preoccuparti. Sono io che sono nervoso, sono stanco, ho mal di testa... e con il mal di testa si perde la pazienza e si dicono cose stupide...

.... Ma tu mi vuoi bene, no?

.... Certo!

.... E allora che problemi ci sono? Anch'io ogni tanto mi incazzo...

.... Matteo, non si dicono **parolacce**!

.... Vabbè, vabbè... Anch'io certe volte mi incavolo e mi comporto male. Poi alla fine si va a cena e tutto passa...

prendersela

Arrabbiarsi con qualcuno, dare a qualcuno la colpa di qualcosa.

CONVERSAZIONE 6

.... Sai... prima ero incavolata con mia madre... e poi **me la sono presa** con te... Insomma, ogni tanto ci si sente stupidi, e questo è uno di quei momenti...

.... Stupida tu che urli a un'anziana, stupido io che urlo a un bambino... credo proprio che questi due giorni da soli ci faranno bene. Ti amo tanto, Vale.

.... Anch'io ti voglio un sacco di bene!

6 **Recitate le tre conversazioni, per ricordarle bene. Poi raccontatevi le conversazioni tra compagni, senza usare i dialoghi ma usando il discorso indiretto.**

Analisi & sintesi

7 **Completa queste frasi che hai trovato nelle conversazioni.**

Dopo *averci pensato* per tre giorni non sai ancora dirmi sì o no? (→ Conv. 1)	**Dopo che** tu ci *hai pensato* tre giorni io non so ancora se puoi tenere i bambini. (→ Conv. 1)
Prima di .... a un bambino, pensaci tre volte. (→ Conv. 3) Valeria, io non sono più giovane. **Prima di** .... ti di sì devo pensarci... (→ Conv. 1)	Pensaci, **prima che** tuo figlio .... nevrotico come te. (→ Conv. 3) Io non posso organizzare niente **prima che** tu mi .... (→ Conv. 1)

Non puoi stare **senza** .... a pallone per tre minuti? (→ Conv. 2) Tu puoi urlare con un bambino, **senza** ....lo a capire, senza che lui possa spiegarsi? (→ Conv. 3)	Io smettevo **senza che** tu .... a urlare... (→ Conv. 2) Tu puoi urlare con un bambino senza senza aiutarlo a capire, **senza che** lui .... spiegarsi? (→ Conv. 3)
	Lasciami ancora un paio di ore **in modo che** io ...., va bene? (→ Conv. 1)
Dovresti cercare di aiutarmi, invece di ....mi sentire in colpa! (→ Conv. 1)	
Diventerò stupido a forza di .... davanti al computer. (→ Conv. 2)	

a. Scrivi questa frase in una delle tre caselle vuote della tabella qui sopra: «Ho bisogno di un paio d'ore in modo da organizzarmi». Con quale logica hai scelto la casella?
È facile: sulla base del connettore: *in modo da / che.*
Osserva la tabella: perché nella colonna a sinistra c'è sempre il **connettore** (in alcuni casi con la preposizone ***di***) + **infinito**, e in quella a destra c'è il **connettore** + ***che*** + **indicativo / congiuntivo**? La risposta è facile.
Osserva questo dettaglio:
1. in una colonna il soggetto è lo stesso: è la colonna con il modo ○ infinito ○ indicativo o congiuntivo.
2. in una colonna i soggetti sono diversi: è la colonna con il modo ○ infinito ○ indicativo o congiuntivo.

Attenzione: *invece di*, *a forza di* hanno solo la forma ***di*** + **infinito**.

b. Per controllare se le risposte precedenti sono corrette, analizza queste frasi con il connettivo *dopo*.
1. **Dopo** averci pensato per tre giorni / non sai ancora dirmi sì o no? (→ Conv. 1)
   Chi ha pensato? ○ Valeria ○ madre Chi non dice ancora *sì* o *no*? ○ Valeria ○ madre
   → Quindi il soggetto è sempre lo stesso e si usa il verbo al modo ....
2. **Dopo che** tu ci hai pensato per tre giorni / io non so ancora se puoi tenere i bambini. (→ Conv. 1)
   Chi ha pensato? ○ Valeria ○ madre Chi non sa ancora se è *sì* o *no*? ○ Valeria ○ madre
   → Quindi il soggetto delle due frasi è diverso e si usa il verbo al modo ....

8 **Indica quali sono i soggetti di queste frasi.**

a. **Prima di** urlare a un bambino, / pensaci tre volte. (→ Conv. 3)
Chi urla? ○ Martino ○ Matteo Chi deve pensarci tre volte? ○ Martino ○ Matteo
→ Quindi il modo verbale è ....

b. Pensaci, / **prima che** tuo figlio diventi nevrotico come te. (→ Conv. 3)
Chi deve pensarci? ○ Martino ○ Matteo Chi diventa nevrotico? ○ Martino ○ Matteo
→ Quindi il modo verbale è ....

c. Ho bisogno di un paio d'ore / **in modo da** organizzarmi. (→ Conv. 1)
Chi ha bisogno? ○ Valeria ○ madre Chi si organizza? ○ Valeria ○ madre
→ Quindi il modo è ....

d. Lasciami ancora un paio di ore / **in modo che** io mi organizzi, va bene? (→ Conv. 1)
Chi deve lasciare un paio di ore? ○ Valeria ○ madre Chi si organizza? ○ Valeria ○ madre
→ Quindi il modo verbale è ....

e. Non puoi stare / **senza** giocare a pallone per tre minuti? (→ Conv. 2)
Chi non può stare? ○ Martino ○ Matteo Chi gioca? ○ Martino ○ Matteo
→ Quindi il modo verbale è ....

f. Io smettevo / **senza che** tu cominciassi a urlare. (→ Conv. 2)
Chi smetteva? ○ Martino ○ Matteo Chi ha cominciato? ○ Martino ○ Matteo
→ Quindi il modo verbale è ....

Quindi: con il connettore ***dopo*** si usa l'**indicativo**; con gli **altri connettori** si usa il **congiuntivo**.

NON CE LA FARÒ MAI, TROPPO COMPLICATO!

In realtà ci riuscirai benissimo: devi imparare a sentire *a orecchio*, come fanno i musicisti, quale forma suona meglio. Ce la farai, coraggio!

9 I tanti usi di *si*.

Osserva questi usi di *si* e completa le frasi: molte le hai trovate nelle conversazioni; nelle altre inserisci il verbo indicato fra parentesi.

Si, sì

In italiano l'**accento** è spesso usato per distinguere due parole uguali:

- ***si*** è il pronome su cui lavoriamo oggi; ***sì*** è il contrario di *no*;
- ***se*** indica una condizione; ***sé*** è un pronome personale (ma non ha l'accento obbligatorio in *se stesso*, perché non puoi confonderlo);
- ***li / la*** sono pronomi personali; ***lì / là*** indicano un luogo.

si impersonale

Quando .... *stanchi si dicono un sacco di sciocchezze.* (→ **Conv. 4**)

Non c'è un soggetto preciso e *si* significa "tutti". Il verbo è alla 3ª persona singolare.
Nell'esempio c'è anche *si dicono sciocchezze*: sembra un impersonale ma è un passivo (▸ *si* **passivante**) e quindi in questo caso il verbo può anche essere plurale.

si imperativo impersonale

Non .... *così!* (→ **Conv. 3**)

È un modo per indicare una regola di comportamento generale, che vale per tutti, senza usare *dovere* o l'imperativo.

si passivante

Con il mal di testa .... *la pazienza e* .... *cose stupide.* (→ **Conv. 5**)

Non .... *parolacce!* (→ **Conv. 5**)

Non .... *più case?* (→ **Conv. 3**)

Sono delle forme passive: *la pazienza viene persa*; *cose stupide vengono dette*; *le parolacce non si devono dire*; *le case non vengono vendute.*
Questa forma si costruisce come un normale verbo impersonale, ma nell'impersonale il verbo è sempre singolare, qui invece il verbo può essere singolare o plurale a seconda del complemento oggetto.

si riflessivo

Maria (*lavarsi*) .... *i capelli ogni giorno.*

Ieri Maria (*essere*) .... *sentit*...... *poco bene.*

Maria e Sofia (*essere*) .... *sentit*...... *poco bene.*

I riflessivi si costruiscono tutti con *mi*, *ti*, *si*, *ci*, *vi*, *si*: quindi *si* è il pronome riflessivo di 3ª persona singolare e plurale.
Al passato l'ausiliare è sempre .... e quindi il participio passato del verbo principale ◯ si accorda ◯ non si accorda con il soggetto.

si al posto di *io / noi*

Poi alla fine .... *a cena e tutto passa...* (→ **Conv. 5**)

.... *sapere che cavolo ti prende?* (→ **Conv. 3**)

È una forma che si usa nell'orale, soprattutto in discorsi informali. Nel primo caso sostituisce (*noi*) *andiamo*, nel secondo sostituisce (*io*) *posso*.

si riflessivo impersonale

Si chiede scusa perché .... *sente in colpa.*

Insomma, ogni tanto .... *sente stupidi.* (→ **Conv. 6**)

I problemi arrivano quando si lavora troppo e .... *riposa troppo poco.* (→ **Conv. 4**)

Nelle forma impersonale, per evitare di avere due volte il *si* (*si* impersonale + *si* riflessivo), la coppia *si* + *si* diventa ....

MA SI PUÒ SAPERE CHI HA INVENTATO IL SI ITALIANO? VOGLIO UCCIDERLOOOOOOO!

si + essere + aggettivo

Quando .... *si dicono un sacco di sciocchezze.* (→ **Conv. 4**)

Abbiamo visto che quando la forma è impersonale, *si* significa "tutti", quindi l'aggettivo va al ◯ singolare ◯ plurale. Siccome è un'informazione generale, che riguarda tutti, in italiano si usa il maschile. Oltre che con *essere*, questa forma si usa anche con *stare* e *sentirsi*: *Qui* ***si sta*** *tranquilli*; *Qui ci* ***si sente*** *tranquilli.*

impersonale senza *si*

Dicono che due giorni in pace siano meglio di una medicina. (→ **Conv. 4**)
Chi lo dice? *Tutti*, quindi questa forma corrisponde a *si dice che...*

Uno *può studiare per ore, ma se pensa ad altre cose studiare è inutile.*
Allo stesso modo si può usare il soggetto indefinito *uno*, che significa "una persona qualunque", e quindi è impersonale.

Forse ha ragione; ma prima di uccidere qualcuno, meglio fare qualche esercizio in più nella *Palestra di italiano* e online...

Il piacere dell'italiano | 8

Come sono le giornate delle persone non comuni?

In molti *Passi* abbiamo visto le giornate degli italiani "normali": insegnanti, impiegati, studenti ecc. Sono giornate abbastanza simili l'una all'altra, tranne i weekend.
Come sono invece le giornate dei professionisti che non devono andare in ufficio, a scuola o in azienda ogni mattina? L'abbiamo chiesto ad alcune persone, che hanno scritto questi testi apposta per il nostro libro.
Così scoprirai il piacere di avere a tua disposizione uno strumento prezioso, l'italiano, per poter ascoltare queste persone molto interessanti.

Matthieu Mantanus, musicista

Matthieu Mantanus è di origine svizzera e belga, ma ha studiato e vive in Italia, a Milano, e parla la nostra lingua perfettamente, come si può sentire ascoltando i concerti sul Canale 5 della RAI, dove lui introduce e commenta i vari pezzi.
Fa concerti per pianoforte accoppiandoli a giochi di luce, ma soprattutto è un direttore d'orchestra che tiene lezioni-concerto per aiutare gli ascoltatori a capire quello che stanno per ascoltare. La sua missione è far capire ai giovani che la musica classica non riguarda solo le persone anziane... A questo scopo ha scritto dei libri, come *Una giornata eroica* (Feltrinelli) e *Beethoven e la ragazza coi capelli blu* (Mondadori).

Prima di tutto, insieme a mia moglie, incominciamo la nostra giornata con la cosa più bella del mondo, nostra figlia: e fare colazione con lei e mia moglie è davvero la cosa più bella del mondo, la più perfetta delle sinfonie.
Poi, dopo la pace della colazione, inizia la corsa quotidiana: il bagnetto alla piccola, poi portarla a scuola - ma lo fa più spesso mia moglie, io preferisco andarla a prendere la sera.
A casa, dove ho i miei due strumenti di lavoro, cioè pianoforte e computer, comincio la giornata da musicista: mi esercito al pianoforte per i brani che sto preparando per i concerti, studio le partiture orchestrali, leggo libri e documenti sui compositori su cui sto lavorando al momento, guardo video di musicisti o di orchestre... Faccio il musicista!
Ma i musicisti sono anche degli "imprenditori": quindi a un certo punto interrompo e passo dalla tastiera del piano a quella del computer: ci sono le mail dei vari teatri per i concerti; le mail della RAI, dove partecipo a varie trasmissioni cercando di far capire la musica agli ascoltatori che non sono abituati alla musica sinfonica; le mail degli editori, perché scrivo libri per far capire ai giovani la musica sinfonica: finora ho scritto un libro per bambini sull'*Eroica* di Beethoven, e un altro libro, *Beethoven e la ragazza coi capelli blu*, per avvicinare i ragazzi. E ho molte nuove idee!
Se non sono via per la RAI o per i concerti, mi piace andare a prendere la piccola a scuola e stare un po' con lei, fino a cena e poi fino a quando si addormenta. Poi posso tornare a parlare con mia moglie tra adulti: ci raccontiamo la giornata, organizziamo la vita per i giorni in cui sarò via da Milano (spesso, se può, lei e la piccola mi accompagnano - e la bambina ha imparato che durante i concerti deve stare zitta!), facciamo progetti, ci scambiamo idee... certamente non ci annoiamo, questo mai!

PAROLE CHIAVE

- **partitura orchestrale**: la *partitura* è la trascrizione della musica in note e altri simboli grafici; in questo caso la partitura contiene le parti di tutti gli strumenti dell'orchestra
- **tastiera**: un insieme di *tasti*, cioè piccole superfici che si toccano e producono suoni (i tasti del pianoforte sono bianchi e neri) o scrivono lettere (come la tastiera di un computer)
- **stare zitti**: non parlare, stare in silenzio

Eleonora Voltolina, giornalista

Eleonora Voltolina è una giovane giornalista di Milano che fa tre mestieri: giornalista, casalinga e mamma - e deve far funzionare le tre cose insieme! Ha fondato un giornale online, «Repubblica degli stagisti», www.repubblicadeglistagisti.it, che si occupa del lavoro dei giovani. Su questo tema ha scritto anche libri e articoli su molti altri giornali.
Viene chiamata spesso in televisione per talk show o dibattiti sul lavoro dei giovani.

La sveglia dipende da quando si sveglia la bambina, e faccio le cose di una mamma normale: preparo la colazione, mangiamo tutti e tre insieme e intanto pianifico la giornata con mio marito, che è un artista e quindi ha spesso giornate molto "strane". Poi bisogna vestire la piccola - ed è un momento molto delicato, perché lei vuole mettersi solo i vestiti che *lei* quel giorno decide di mettersi!
Verso le 9 io o mio marito portiamo la bambina all'asilo: per fortuna la scuola materna dista 10 minuti a piedi. Poi inizia la mia giornata lavorativa. Se non ho impegni particolari vado in ufficio, ho una scrivania in coworking in un giornale online. Lavoro sui miei articoli: sviluppo le mie idee, cerco dati, spesso devo andare in giro a intervistare persone, poi scrivo e impagino l'articolo.
Siccome sono responsabile del giornale «Repubblica degli stagisti», devo fare il coordinamento degli articoli, devo vedere i miei collaboratori (5-6 sono fissi, ma ce ne sono altri che sono freelance), studio le loro proposte, gli chiedo di scrivere su un tema o un fatto, leggo gli articoli. Altre volte devo fare un'intervista in televisione, o partecipare a un convegno... e così ogni giorno è diverso dagli altri!
Un po' prima delle 6 di sera io o mio marito andiamo a riprendere la bambina a scuola e poi si va al parco giochi di fronte all'asilo: di solito, chi l'ha portata non la va a riprendere, così c'è alternanza, a meno che uno dei due non abbia impegni o sia fuori Milano.
Tornando, la sera, divento casalinga: passo al supermercato, ritorno a casa, preparo la cena, faccio il bagnetto alla piccola, pigiama, lavaggio denti, cartoni animati... e si addormenta!
Così finalmente, dopo le 9 circa, io e mio marito possiamo parlare di noi, della giornata che abbiamo passato e dei progetti futuri.

PAROLE CHIAVE

- **sveglia**: ha due significati, cioè il momento in cui ci si sveglia, ma anche l'orologio o la app del cellulare che suona per svegliarci
- **pianificare**: fare un piano, progettare
- **delicato**: bisogna prestare attenzione a gestire una cosa delicata: se è un oggetto, può rompersi; se è una situazione, come far vestire una bambina, può portare a pianti, litigi ecc.
- **io o mio marito**: in italiano è possibile mettere prima *io* e poi un altro nome, cosa che in molte lingue è considerata poco gentile
- **coworking**: uffici, sale, appartamenti dove si affitta una scrivania o una stanza per un certo numero di ore
- **impaginare**: dopo aver scritto un testo o un articolo, questo va messo nella pagina del giornale, con titoli, immagini ecc.
- **freelance**: professionisti (giornalisti, in questo caso) che non lavorano stabilmente in un'azienda, in un giornale ecc.
- **alternanza**: da *alternare*; più persone si danno il turno per fare una cosa

Vite normali o vite eccezionali?

Nella nostra immaginazione gli artisti come Matthieu Mantanus o Ferruccio Gard (puoi leggere come è la giornata di questo pittore nella sezione degli esercizi supplementari online), i giornalisti come Eleonora Voltolina, gli scrittori, gli scienziati ecc. hanno delle vite 'eccezionali', nel senso che sono molto diverse da quelle 'normali'.
Da quello che hai letto (e che puoi leggere su Gard), è proprio così?
Tu sei un giornalista, il tuo compagno è Mantanus o Voltolina: intervistalo sulla sua giornata, e commenta sulla normalità o l'eccezionalità della sua giornata.

Palestra di italiano

1 Crea il gerundio presente e quello passato di questi verbi.

a. abitare *abitando* *avendo abitato*
b. arrivare .... *essendo*
c. partire ....
d. dormire ....
e. prendere ....
f. mettere ....

Ricorda che questi tre verbi aggiungono una consonante che non c'è nell'infinito, esattamente come fanno al presente indicativo.

g. dire *dic* ....
h. fare *fac* ....
i. bere *bev* ....

2 Riscrivi le frasi secondarie (scritte in corsivo) usando il gerundio.

a. *Quando si studia,* / non bisogna pensare ad altro.
Studiando / non bisogna pensare ad altre cose

b. *Mentre studiavo* / ho sentito un rumore in cucina.
....

c. *Anche se è nuova,* / la lavatrice ha smesso di funzionare.
Pur

d. *Siccome avevo lasciato aperta la porta,* / il condizionatore ha lavorato troppo.
....

e. *Poiché ha dovuto lavorare troppo,* / il motore si è rotto.
....

f. *Quando si fanno le cose in fretta,* / si rischiano dei guai.
....

3 Usa il condizionale per rendere queste frasi più formali e gentili.

Ricordi certamente che il condizionale dà un senso di maggiore gentilezza alle frasi, soprattutto se sono delle critiche, degli ordini ecc. Ovviamente, si può usare il condizionale anche nelle forme passive, come ti chiediamo di fare in queste frasi.

a. Il mobile *andava fatto* con più spazio dietro.
Il mobile avrebbe dovuto essere fatto con più spazio dietro.

b. Il tubo dello scarico *non deve essere schiacciato.*
Il tubo dello scarico non dovrebbe

c. Questi manuali *devono essere scritti* in modo più chiaro!
....

d. La lavatrice vecchia *deve essere portata via* da chi consegna quella nuova.
....

e. Il montaggio *deve essere fatto* da tecnici esperti.
....

4 **Quali forme geometriche riconosci in queste immagini?**

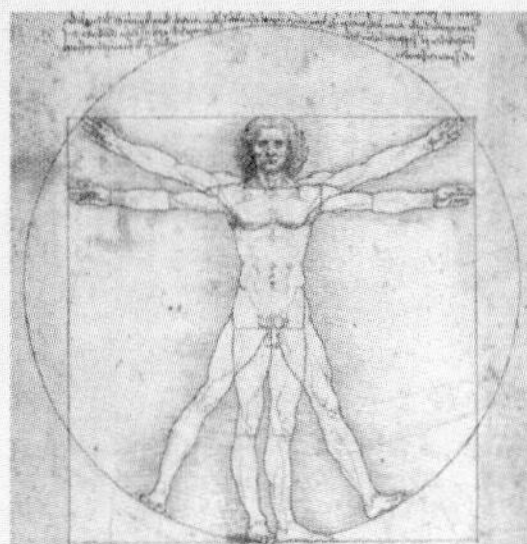

5 **Trasforma le frasi attive in frasi passive.**

a. Il tecnico *ha montato* la lavatrice. La lavatrice .... dal tecnico.
b. I tecnici *scrivono* i manuali d'istruzioni. ....
c. Il colore rosso *indica* dei problemi. ....
d. La lavatrice rotta *ha allagato* il bagno. ....

Se il soggetto è impersonale, come in questi casi, manca l'indicazione di chi fa l'azione, ma non c'è problema: puoi comunque trasformare le frasi al passivo.

e. *Hanno montato* male i tubi. I tubi sono stati ....
f. *Hanno portato via* la vecchia lavatrice. ....
g. *Considerano* questa marca di elettrodomestici la migliore. ....

Prima di concludere, controlla se hai accordato correttamente il participio passato con il soggetto della frase.

6 **Completa le frasi usando l'ausiliare *venire* quando è possibile.**

a. Se il tubo ...viene... schiacciato è un problema.
b. Il tubo .... stato messo in posizione corretta.
c. Questa marca di elettrodomestici .... considerata la migliore.
d. Anni fa, un'altra marca .... considerata perfetta, ma oggi non c'è più.
e. Per anni .... stata considerata la marca migliore.

7 **Trasforma il discorso diretto in discorso indiretto. Le frasi sono pronunciate da due donne.**

Attenzione: nelle frasi, oltre al verbo, devi trasformare anche i pronomi.

discorso diretto	discorso indiretto
«Vorrei parlar<u>le</u> di <u>suo</u> figlio.»	Mi ha detto che vuole parlarmi di mio figlio.
«Mi dispiace, ma oggi non posso venire.»	ho detto ....
«Secondo me è una cosa molto importante.»	pensa ....
«Capisco, ma davvero per 2-3 giorni non posso.»	ho risposto che ....
«Vedo che lei è molto occupata.»	ha detto che ....
«Sa, io lavoro all'estero.»	ho spiegato ....
«Quando potrà venire qui?»	ha chiesto ....
«Posso venire da lei venerdì.»	ho detto ....

8 **Fai il plurale di queste parole.**

a. bianco bianchi
b. antropologa ....
c. fisico ....
d. banca ....
e. pesca ....
f. lungo ....
g. largo ....
h. barca ....
i. storica ....
j. amico ....
k. lago ....
l. verifica ....

9 Cruci-elettrodomestici.

1 LAVASTOVIGLIE

10 Abbiamo trasformato il messaggio lasciato da Valeria nella segreteria di Martino (→ P22) in una telefonata vera, come ti abbiamo chiesto di fare in P22 ES. 5. Completa il testo inserendo i verbi indicati fra parentesi.

Martino Pronto.

Valeria Ciao, sono io. Ascolta, (*esserci*) ....c'è.... un problema: la baby sitter (*telefonare*) .... stamattina e (*dire*) .... che non (*stare*) .... bene e che non (*potere*) .... andare a prendere i bambini a scuola.

Martino Ops... e tu che cosa le (*dire*) ....?

Valeria Le (*spiegare*) .... che io oggi non (*potere*) .... andarci.

Martino Come mai?

Valeria Ricordi? Ho quel cliente che vuole comprare una villa con parco...

Martino Ah sì. E lei che cosa ha detto?

Valeria Mi (*assicurare*) .... che (*andare*) .... lei a prenderli.

Martino Ah, per fortuna!

Valeria No... Mi (*richiamare*) .... poco fa e mi (*dire*) .... che (*avere*) .... la febbre alta e quindi non (*potere andare*) .... a prenderli. Allora, (*chiamare*) .... mia mamma, ma mi (*dire*) .... che non (*farcela*) .... a essere a scuola per le 4 e mezza...

Martino E allora?

Valeria Allora (*chiamare*) .... tua madre. Sai com'è, nonna Paola, ha paura a salire in autobus con i due bambini... Allora le (*dire*) .... di portarli nella pasticceria che c'è di fronte alla scuola, si siedono lì, fanno merenda, loro sono contenti e lei è tranquilla... Le (*assicurare*) .... che tu (*passare*) .... verso le 5.15, ma anche se (*arrivare*) .... un po' dopo non è un problema. Mi dispiace, ma io non posso proprio oggi...

Martino Ok, posso andare io. Finisco alle 5, forse arrivo un po' dopo le 5.15...

11 Crea l'infinito passato di questi verbi: ricorda che talvolta la *-e* finale dell'ausiliare *avere* cade.

a. andare essere andato
b. crescere ....
c. scegliere ....
d. essere ....
e. stare ....
f. fare ....
g. mangiare ....
h. credere ....
i. avere ....
j. mettere ....
k. dire ....
l. venire ....

12 **Inserisci le preposizioni dove servono.**

a. Lo psicologo dice che bisogna _/_ inserirlo in un gruppo dove ci siano anche ragazzini più grandi, in modo che abbia delle sfide .... superare per essere parte del gruppo.
b. Questa è l'altra cosa di cui dobbiamo .... parlare.
c. I miei clienti vengono .... vedere le case in vendita, ma poi non comprano niente.
d. L'anno prossimo andrà alla scuola media e dovremo .... comprare i libri.
e. Non possiamo .... metterci .... lavorare di più, altrimenti non ci vediamo più; bisogna .... stringere la cinghia.

13 **Sostituisci i pronomi tonici o forti con i pronomi personali deboli o atoni alla fine del verbo infinito.**

a. Devo parlare *a lui*. Devo parlargli.
b. Porta *a lei* questo libro. ....
c. Portalo *a lei*. ....
d. Date *a noi* le informazioni. ....
e. Dite *a loro* dove devono andare. ....
f. Dai *a me* quel libro. ....
g. Fai *a lei* questo piacere. ....

14 **Usa l'impersonale al posto dell'imperativo.**

Ricorda che l'imperativo al negativo si fa con ***non*** + **infinito**, quindi se usi l'impersonale al posto dell'imperativo negativo serve ***non si*** + **verbo alla terza persona**.

a. *Non parlare* in chiesa. Non si parla in chiesa.
b. In chiesa *devi stare* zitto. .... zitti.
c. *Non dire* parolacce! ....
d. *Fa'* così. ....
e. *Non fare* così. ....

15 **Usa l'impersonale al posto della 1ª persona plurale (*noi*).**

a. Che cosa *facciamo* stasera? Che cosa si fa stasera?
b. *Possiamo* andare al cinema. ....
c. Come *usciamo* da questa situazione? ....
d. *Possiamo* gridare "aiuto!". ....
e. Oppure *possiamo* aspettare. ....

LESSICO RILEVANTE PRESENTATO IN U4

▸ **Parole che riguardano i problemi tecnici in casa**
danno, guasto, guaio, rotto, rottura • prendere le misure, 60 x 60, riparare, (la) riparazione, aggiustare • gettare, buttare, rifiuto, (la) immondizia • carico, caricare, scarico, scaricare, tubo, spia • schiacciare, montare, montaggio, funzionare a meraviglia, lampeggiare, girare una manopola, premere / schiacciare un pulsante • macchinario, veicolo, (la) innovazione, (la) illuminazione

▸ **Parole che riguardano i problemi di stress e di crisi**
nevrotico, stressato • discutere, litigare, sgridare, offendere • sentirsi in colpa / responsabile • non poterne più, piantarla, rompere le scatole, prendersela con qualcuno, parolaccia • pensarci tre volte, fare (la) pace • comportarsi, preoccuparsi • cinghia, striscia, cuoio, (i) pantaloni, stringere, allargare • sfida, ostacolo • reddito, guadagnare, aumentare, calare

▸ **Parole che riguardano le forme**
cerchio, (lo) ovale, quadrato, rettangolo, triangolo, punta

▸ **Altre parole ed espressioni**
trasferire, trasferimento, transfer • autorizzare, (la) autorizzazione • un sacco di • a forza di, in modo da • avere un'aria + aggettivo di stato d'animo • pasticceria, merenda • insistere, sentirsela, prevedere, previsione • agenzia immobiliare, mutuo, (la) abitazione

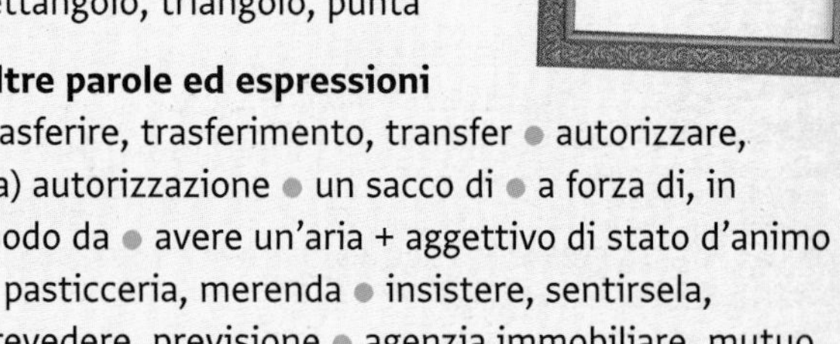

Vai al *Lessico* di U1-U2-U3.

Rileggi le parole, sottolinea a matita quelle che non ricordi e cercane il significato – ma non scriverlo vicino alle parole, scrivilo nella tua memoria!
Tra qualche settimana ti chiederemo di tornare su quell'attività per verificare se ti ricordi le parole che avevi sottolineato... e dove puoi cancellare il segno a matita.

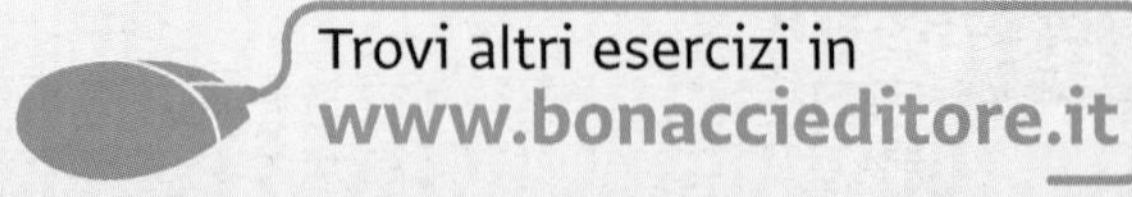
Trovi altri esercizi in
www.bonaccieditore.it

Alcuni punti di forza dell'Italia

In questo volume abbiamo visto l'Italia "problematica": l'immigrazione, pochi bambini che nascono, la disoccupazione, la crisi degli ultimi anni. Ma l'Italia rimane nei desideri e nei ricordi di oltre 50 milioni di turisti ogni anno, i negozi italiani sono ovunque nel mondo, i teatri d'opera vivono con Verdi, Puccini, Rossini, il Mozart italiano, e nei musei del mondo ci sono più quadri e statue italiane che in Italia.
In questi ultimi sei *Passi* vediamo i punti di forza dell'Italia e dell'italiano nel mondo.

Imparo l'italiano per:

- descrivere processi
- esprimere dubbio, convinzione ecc., anche in maniera volgare
- fare ipotesi
- fornire dati su un fenomeno
- raccontare una biografia

So come funzionano:

- comunicazione interculturale
- connettori di causa / effetto
- pronome *ne*, anche in forme come *non poterne più*, *andarsene*, *tornarsene*, *farsene*
- suffissi e prefissi che aiutano a creare parole

Conosco alcune cose dell'Italia:

- Erasmus, "fuga dei cervelli" ed emigrazione giovanile
- i siti "patrimonio dell'umanità" secondo l'UNESCO
- il contributo dell'Italia alla storia della scienza
- il ruolo del turismo nell'economia
- l'arte, le opere, la cucina italiana nel mondo
- la piccola e media industria e l'artigianato di qualità

Ricorda che il libro continua online

P25 / Venticinque | Patrimoni dell'umanità

Comprensione & produzione

1 L'UNESCO e il "patrimonio dell'umanità".

Dal 1972 l'UNESCO sceglie i siti che costituiscono il "patrimonio dell'umanità". Finora sono poco più di mille e l'Italia, pur essendo così piccola, è la nazione che ha più siti UNESCO al mondo. In www.unesco.it puoi stampare la lista dei siti italiani che sono patrimonio dell'umanità: se vieni in Italia, non te ne dimenticare!
Nell'AUDIO 42 (trovi la trascrizione online) vengono descritti alcuni di questi siti. Per prepararti alla prima comprensione globale, insieme alla classe cerca di ricordare a quali città si riferiscono le foto e pensa quali parole possono essere usate per descriverle.
Poi ascolta l'audio e scrivi vicino a ogni foto il numero della descrizione corrispondente. In questo primo ascolto non capirai tutto: non preoccupartene!

2 **Ascoltiamo l'AUDIO 42 cercando di capire di più: sono testi difficili, al primo ascolto!**

Leggi le parole chiave della prima descrizione, ascoltala e poi interrompi l'audio; poi leggi le parole chiave della seconda descrizione, e così via fino all'ultima descrizione.

DESCRIZIONE 1

PAROLE CHIAVE

accorgersi: rendersi conto • **storto, inclinato, pendente**: queste parole significano che una struttura non è diritta, cioè non è verticale • **duomo, cattedrale**: la chiesa principale di una città • **riempire** *vs.* **svuotare**: "mettere dentro" *vs.* "tirare fuori" da un contenitore

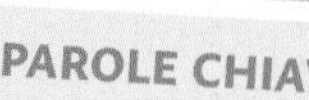

DESCRIZIONE 2

PAROLE CHIAVE

grotta: *casa* scavata dall'uomo o dalla natura in una montagna

DESCRIZIONE 3

PAROLE CHIAVE

voltarsi, girare le spalle: guardare dalla parte opposta • **non poterne più**: essere molto stanchi di qualcosa • **tramonto**: il momento in cui il sole scompare dal cielo e inizia la notte

-etto

È un suffisso che indica "piccolo", come *-ino*: un *pezzetto* è un "piccolo pezzo", così come un *gattino* è un "piccolo gatto".

DESCRIZIONE 4

PAROLE CHIAVE

affresco: *quadro* dipinto direttamente sul muro, quando l'intonaco (cioè la copertura del muro) è ancora *fresco*, cioè è appena stato fatto • **pezzetto**: piccolo pezzo, piccola parte

DESCRIZIONE 6

PAROLE CHIAVE

tener fuori: non lasciar entrare qualcosa • **sapere cosa farsene**: sapere cosa fare con qualcosa

DESCRIZIONE 5

PAROLE CHIAVE

palladiano: nello stile di Andrea Palladio • **di mezzo mondo**: in molti Paesi, in gran parte del mondo • **sensazione di equilibrio, di pace, di tranquillità**: stare bene, senza preoccupazioni (*equilibrio*), senza voglia di combattere (*pace*), senza stress (*tranquillità*)

DESCRIZIONE 7

PAROLE CHIAVE

enorme: molto grande • **nemico**: contrario di *amico*; è una persona o un popolo che fa la guerra a qualcuno

3 **Progetta il tuo testo sui siti UNESCO in Italia.**

a. Seguendo la *strategia* per la preparazione dei testi e, lavorando con il tuo compagno, prepara un testo orale sui siti Unesco in Italia. Per fissare meglio le informazioni, riascoltate l'AUDIO 42 leggendo la trascrizione che trovate online. Fate la scaletta e provate a fare il discorso a coppie; poi alcuni di voi faranno il discorso davanti all'intera classe.

b. A casa, cerca i 51 siti italiani nel sito www.unesco.it, per vedere se puoi aggiungere qualcosa nel discorso che hai fatto in classe. Prepara un testo scritto con le tue integrazioni, iniziando così: *Il libro ci ha presentato 7 siti UNESCO, ma secondo me...*

La prossima lezione inizierà con un breve discorso di alcuni di voi: il testo scritto sarà la base ma non andrà letto alla classe, per evitare che tutti si addormentino!

STRATEGIE
Strategia per la preparazione dei testi

Quando devi fare un discorso orale o quando devi scrivere, devi **progettare il testo**, cioè devi prepararlo. Le fasi necessarie per progettare un testo orale o scritto sono quattro.

1. **Raccogliere le idee**: *brainstorming*, ricerca su libri o in rete, lavoro con compagni ecc. Devi segnare anche le idee che sembrano stupide: tra cento idee, ce ne sono sempre di ottime!
2. **Fare la *scaletta***: fare uno schema dei punti da dire o da scrivere, numerandoli nell'ordine in cui devono essere trattati: punto 1, 2, 3 ecc.
3. **Scrivere la prima versione del testo**: se è un discorso, puoi provare a recitarlo registrandoti con lo smartphone o con il tablet; se è un testo scritto, puoi fare la *brutta copia*, cioè la prima stesura (*stendere* un testo significa "scrivere").
4. **Riascoltare o rileggere il testo** in modo da perfezionarlo.

Il turismo:
la principale industria italiana

Come hai visto, l'Italia è il Paese con il maggior numero di siti "patrimonio dell'umanità": non sorprende il fatto che sia il quinto Paese più visitato al mondo, come puoi vedere in www.enit.it, il sito dell'Ente Nazionale Italiano per il Turismo dove trovi molte statistiche interessanti, come quelle che vedi nelle tabelle e nei grafici qui sotto.
Per farti capire di quali numeri stiamo parlando, osserva la tabella con gli *arrivi*, cioè il numero di stranieri che visitano l'Italia, e le *presenze*, cioè i giorni che i turisti stranieri passano in Italia. Se pensi che l'Italia ha poco meno di 60 milioni di abitanti, capisci che il numero di turisti che arrivano dal mondo è quasi pari alla popolazione italiana!
Alcuni turisti viaggiano con il sistema "tutto incluso", in cui la cifra che paghi comprende viaggio, alloggio e colazione, e anche una quota per le visite guidate.
Ma se sei un tipo indipendente, ti conviene evitare questo tipo di viaggi e prenotare solo l'albergo nelle grandi città (dove spesso è difficile trovarne uno adatto) e poi muoverti con libertà nelle cittadine italiane, dove un albergo si trova sempre.
Dove vanno i turisti stranieri? Nel grafico vedi che la maggior parte va nelle grandi città storiche e d'arte, ma c'è anche un forte turismo fatto di *vacanzieri*, cioè di persone che vengono in vacanza in Italia per il mare o per la montagna.
Il Veneto - che ha molte spiagge (Jesolo, Lido di Venezia, Chioggia), montagne (le Dolomiti e Cortina) e città d'arte - è la prima regione italiana per il turismo.

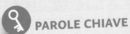

PAROLE CHIAVE

- **sorprendere**: azione, cosa, informazione che non ci si aspetta, che non si può prevedere
- **ente**: un'istituzione ufficiale
- **cifra**: quantità di denaro (una *cifra* è un numero)
- **comprendere**: qui significa "includere"; in questo caso, il costo comprende *vitto* e *alloggio*, parole che si usano nel turismo per dire "cibo" e "hotel"
- **quota**: una parte di una quantità: in questo caso, una parte del costo
- **tipo**: se si parla del carattere, significa "persona"
- **conviene**: è meglio, è più utile
- **evitare**: non fare qualcosa

Arrivi e presenze internazionali in Italia

Anno	Arrivi	Presenze
2010	43.794.338	165.202.498
2011	47.460.809	176.474.062
2012	48.738.575	180.594.988
2013	50.263.236	184.793.382
2014	51.635.500	186.792.507
2015	53.297.401	190.365.696

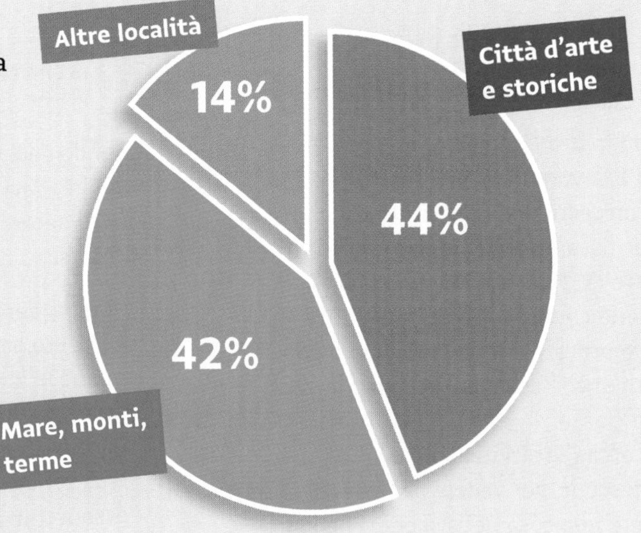

(www.enit.it)

4 Leggi il testo sul turismo, con i compagni.

Online trovi domande sul testo, ma ci puoi lavorare dopo.
Intanto, se hai visitato qualche regione italiana, racconta la tua esperienza al compagno, e se non ne hai visitate, di' quale vorresti vedere: prima di raccontare, fai una *scaletta* per produrre poi un testo con una struttura chiara. Dopo aver ascoltato i compagni, prepara un breve discorso sul turismo in Italia, seguendo le strategie di progettazione a p. 151.

Analisi & sintesi

5 Completa queste frasi che hai trovato nei testi delle due pagine precedenti.

a. Puoi stampare la lista dei siti italiani che sono patrimonio dell'umanità: se vieni in Italia, non te .... dimenticare! (→ **ES. 1**)

b. In questo primo ascolto non capirai tutto: non preoccuparte....................! (→ **ES. 1**)

c. Tra cento idee, ce .... sono sempre di ottime! (→ **Strategia per la preparazione dei testi**)

d. Ti conviene prenotare solo l'albergo nelle grandi città (dove è difficile trovar.................... uno adatto).
(→ ***Il turismo: la principale industria italiana***)

e. Hai visitato qualche regione italiana? Se non .... hai visitata nessuna, dove vorresti andare? (→ **ES. 5**)

Nelle frasi hai inserito ....: insieme ai compagni, cerca di ricordare come funziona questo pronome. Mettete insieme le vostre conoscenze e poi passate all'**ES. 8**.

6 I vari usi di *ne*.

a. In queste frasi delle descrizioni che hai ascoltato nell'**AUDIO 42**, a quale parola o frase si riferisce *ne*? Sottolineala.

1. Non preoccuparti, non hai bevuto troppo senza accorgertene. (→ **Descrizione 1**)
2. Matera è stata scelta come capitale europea della cultura nel 2019: se ci vieni, non vorrai più andartene. (→ **Descrizione 2**)
3. E ogni tanto star fuori dal mondo fa bene, ce n'è bisogno! (→ **Descrizione 2**)
4. Dall'altro lato della valle c'è la città moderna: tu devi voltarti, girarle le spalle, e dimenticartene. (→ **Descrizione 3**)

- In due casi *ne* sta al posto della frase precedente: ○ 1 ○ 2 ○ 3 ○ 4
- In due casi *ne* sta al posto di una parola della frase precedente: ○ 1 ○ 2 ○ 3 ○ 4

Quindi *ne* può riferirsi sia a una parola sia a una frase, un concetto o un'idea.

b. Davanti a *ne*, i pronomi personali atoni *mi*, *ti*, *si*, *ci*, *vi* cambiano la vocale e diventano *me*, ..., *se*, ..., *ve* e alla terza persona *gli* diventa ***gliene***.

Completa queste frasi con i pronomi personali.

1. Alle 8 devo uscire, devo assolutamente ricordar....................ne!
2. Domani dovete venire, dovete assolutamente ricordar....................ne!
3. Vado a cena da Luigi: ho delle bottiglie di buon vino e ho deciso di portar....................ne un paio.

c. Ricorda che con i verbi che non hanno le 6 persone (come gerundio, infinito e imperativo), i pronomi personali *ci* e *ne* si uniscono al verbo (e l'infinito perde la *e*).

Sostituisci l'espressione "quella cosa" con *ne* e modifica i pronomi personali in corsivo.

1. Sto portando *a lei* un po' di *quella cosa*.
   → *Sto portandogliene un po'.*
2. Devo portare *a lui* un po' di *quella cosa*.
   → ....
3. Portate *a me* un po' di *quella cosa*!
   → ....

Come vedi, spesso *ne* significa *una parte* di un gruppo, di un insieme di cose.

Una sintesi di *ne*

- Come hai visto, *ne* può sostituire una **parola** o una **frase**, un'idea, un'azione di cui si è parlato o di cui si sta per parlare.
- *Ne* si usa anche per indicare **una parte** di un gruppo di cose: in questo caso ha valore **partitivo**.
- *Ne* **non ha genere e numero**, ma quando c'è un participio passato, questo si accorda con la parola che viene sostituita da *ne*: per esempio, nella frase *Ecco le **pere**... **ne** ho mangiate due per strada!* il participio passato è al femminile plurale come *pere*.
  Se *ne* è combinato non *nessuno*, non c'è plurale: *Hai letto i **libri** di Camilleri? Non **ne** ho **letto*** (maschile singolare) *nessuno*; *Hai ascoltato le **opere** di Verdi? Non **ne** ho ascoltat**a*** (femminile singolare) *nessun**a***.
- Se *ne* è usato in coppia con un **pronome personale atono**, cioè *mi*, *ti*, *si*, *ci*, *vi*, questi cambiano la vocale e diventano ***me***, ***te***, ***se***, ***ce***, ***ve***; *gli* diventa ***gliene***.

P25 | Guardiamoci intorno

L'Italia che conquista il mondo

Il quadro qui a fianco è forse il più famoso al mondo: da chi è stata dipinta la *Gioconda*? Da .... Quest'opera però non è in Italia, ma è al Louvre di Parigi.

Da chi è stata dipinta la Gioconda?

Questa frase è
◯ attiva ◯ passiva.

Nella **frase attiva** c'è un soggetto: ***Leonardo** ha dipinto la Gioconda.*
Nella **frase passiva** il soggetto si sposta alla fine: *La Gioconda è stata dipinta **da Leonardo**.*

Quando però il soggetto è l'interrogativo *chi*, questo resta al primo posto, come vedi nella frase.

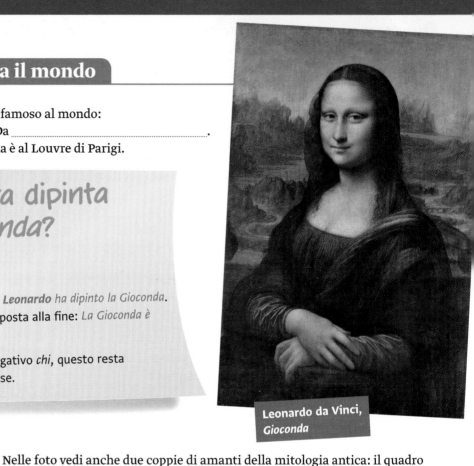

Leonardo da Vinci, *Gioconda*

Nelle foto vedi anche due coppie di amanti della mitologia antica: il quadro *Venere e Adone* di Tiziano è al Metropolitan Museum di New York, mentre la statua *Amore e Psiche* di Antonio Canova è all'Hermitage di San Pietroburgo, dove c'è anche il *Suonatore di liuto* di Caravaggio. L'*Annunciazione* di Beato Angelico invece è al Prado a Madrid. Potremmo continuare così con i maggiori musei del mondo...
L'arte italiana attrae 53 milioni di turisti in Italia, ed è un *testimonial* della grandezza artistica italiana per milioni e milioni di visitatori nei musei, nelle chiese, nei palazzi di tutto il mondo: Giotto, Mantegna, Botticelli, Michelangelo, Leonardo, Raffaello, Tiziano, Caravaggio... non serve continuare: la lista sarebbe troppo lunga!

Qualcosa di simile avviene in tutte le grandi città in cui c'è un teatro d'opera. Anche in questo settore l'Italia ha colonizzato il mondo: nelle statistiche di www.operabase.com trovi che nei teatri di tutto il mondo, tra il 2010 e il

Canova, *Amore e Psiche*

Tiziano, *Venere e Adone*

Beato Angelico, *Annunciazione*

Caravaggio, *Il suonatore di Liuto*

2015, sono state rappresentate circa **9000 opere**, e tra le prime 20 messe in scena in tutto il mondo, ben 15 sono italiane o in lingua italiana: nella tabella qui a destra è anche indicato fra parentesi quante volte ogni opera è stata rappresentata in 5 anni.
Se adesso analizzi la tabella qui sotto con i compositori più rappresentati al mondo, noterai che **3 compositori su 5 sono italiani**, al terzo posto c'è Mozart, ma le sue opere principali, tranne *Die Zauberflöte*, sono in italiano, perché fino alla fine del Settecento la lingua dell'opera in Europa era l'italiano.
Nelle prime pagine di questo *Passo* abbiamo visto un punto di forza della cultura italiana, che attrae milioni di turisti con le sue bellezze artistiche e naturali, e abbiamo ricordato che nessun Paese, anche molto più grande dell'Italia, ha tanti siti inclusi nel "patrimonio dell'umanità" dell'UNESCO.
Ma come hai visto in questa pagina, anche fuori dai nostri confini c'è tanta, tantissima Italia, rappresentata da opere d'arte e opere liriche che fanno parte del patrimonio culturale e artistico dell'umanità.

1	Verdi (#1)	*La traviata* (659)
3	Puccini (#1)	*La bohème* (522)
4	Puccini (#2)	*Tosca* (479)
6	Puccini (#3)	*Madama Butterfly* (462)
7	Rossini (#1)	*Il barbiere di Siviglia* (453)
8	Verdi (#2)	*Rigoletto* (445)
9	Mozart (#2)	*Le nozze di Figaro* (420)
10	Mozart (#3)	*Don Giovanni* (391)
12	Verdi (#3)	*Aida* (304)
13	Donizetti (#1)	*L'elisir d'amore* (295)
15	Mozart (#4)	*Così fan tutte* (266)
16	Verdi (#4)	*Nabucco* (264)
18	Verdi (#5)	*Il trovatore* (232)
19	Puccini (#4)	*Turandot* (219)
20	Leoncavallo (#1)	*Pagliacci* (216)

1	Verdi	3009
2	Puccini	2062
3	Mozart	2012
4	Wagner	1131
5	Rossini	960

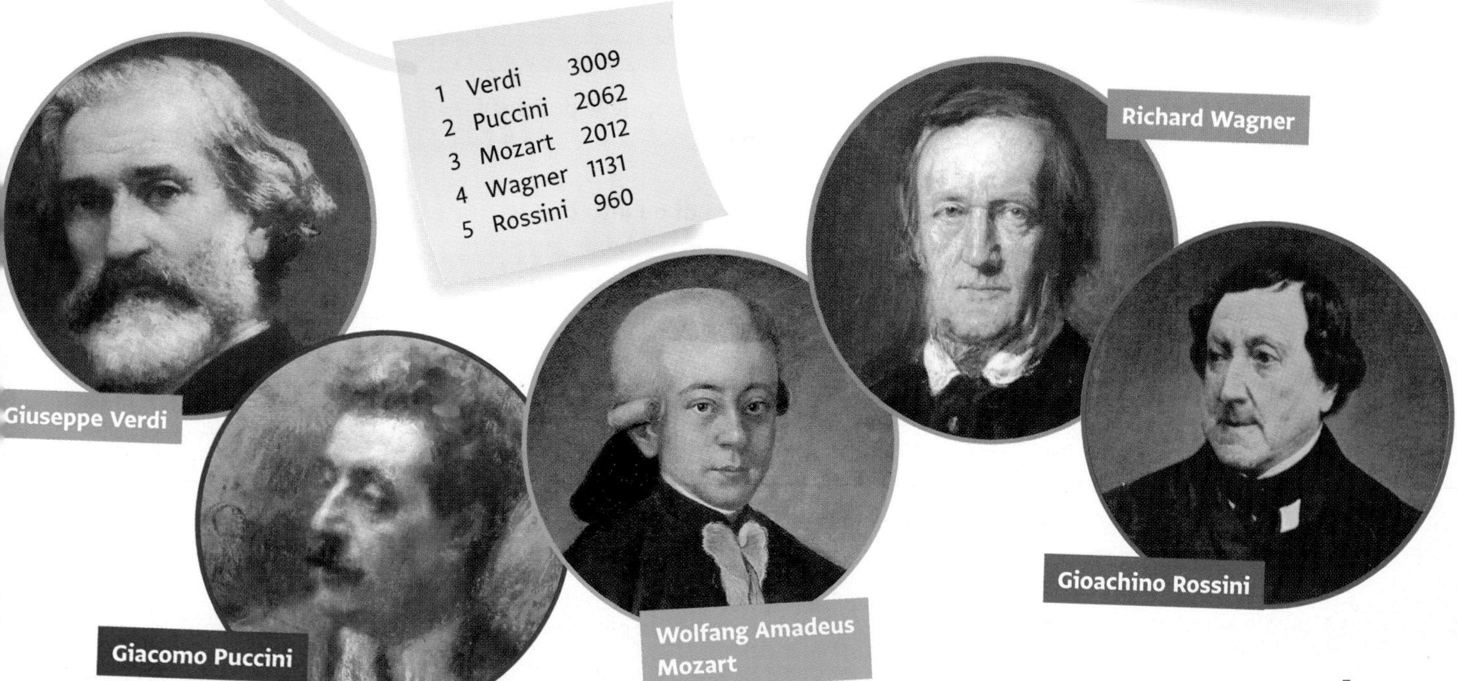
Giuseppe Verdi
Giacomo Puccini
Wolfang Amadeus Mozart
Richard Wagner
Gioachino Rossini

VENTISEIESIMO PASSO

P26 / Ventisei | Il mondo che mangia e beve in italiano

Analisi & sintesi

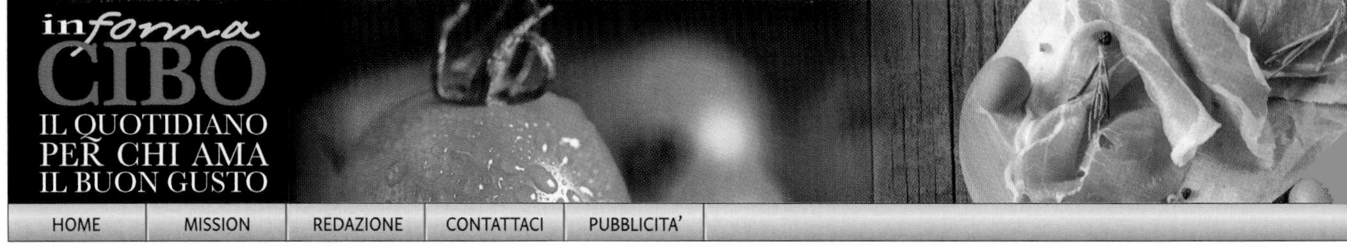

EXPO
MILANO 2015
NUTRIRE IL PIANETA
ENERGIA PER LA VITA
NOURRIR LA PLANETE
ENERGIE POUR LA VIE
FEEDING THE PLANET
ENERGY FOR LIFE

1 Il cervello funziona secondo la sequenza *comprensione generale → comprensione analitica → sintesi*: oggi cambiamo direzione, ma solo apparentemente!

Spesso ti abbiamo ricordato che **affinché** la comprensione sia più facile è utile richiamare alla memoria quello che si sa sul tema di un testo, prevedere quello che può essere detto in quel contesto.
Cominciamo con i due loghi in questa pagina.

a. Il primo è il giornale www.informacibo.it: a casa potrai esplorare il sito, ma per ora immagina che cosa si può trovare nella sezione *mission*, che vedi sotto il logo. Qual è lo scopo (cioè la *mission*) che si propone il giornale, secondo te? Immaginavi che ci fosse un giornale quotidiano dedicato solo al cibo? Nel tuo Paese c'è qualcosa di simile?

b. Il secondo è il logo dell'Expo mondiale, che **ha avuto luogo** a Milano nel 2015 e che era dedicata a .... (trova l'argomento nel logo). Secondo te perché questo tema è stato scelto per l'Expo in Italia?

> **affinché**
> È una congiunzione che indica il **fine**, lo **scopo**, ed è sempre seguita dal **congiuntivo**.

> **avere luogo**
> Anziché dire che una cosa ***avviene*** o ***succede*** spesso si dice che *ha luogo*.

2 Le categorie del cibo.

Analizza la tua esperienza di vita e quello che sai sulla cucina italiana. Ci sono varie categorie, per esempio *pasta*, *dolci*, *vino* ecc. Fai una lista delle principali categorie, poi confronta la tua lista con la classe.

3 Adesso facciamo alcune *mappe lessicali*, cioè la sintesi di quanto c'è nella tua memoria.

a. La prima mappa è *guidata*: noi ti indichiamo alcuni cibi e tu devi condividere con i compagni quello che ne sai. Non preoccuparti se non riempi tutti gli spazi: molte cose le scoprirai con i compagni, e poi a casa troverai delle spiegazioni negli esercizi online. Scrivi a matita (per poterle cancellare se fosse necessario) le parole che ti vengono in mente per ogni categoria (*pizza*, *pasta*, *salumi*, *vino*). Hai 4 minuti di tempo per ogni mappa.

b. C'è una seconda mappa, con un cerchio al centro. La classe si divide in vari gruppi per fare la mappa delle ***pizze***, della ***pasta***, dei ***salumi***, dei ***vini***: scrivi nel cerchio l'argomento che hai scelto; poi scrivi tutt'intorno le parole che ti vengono in mente per ogni categoria. Hai 4 minuti di tempo per ogni mappa.

c. Alla lavagna mettete insieme le mappe della classe: cominciate con la mappa *pasta* e scrivete tutte le parole che avete trovato (l'insegnante può aiutarvi ad aggiungerne altre).

d. A casa (o in classe, se c'è tempo) puoi vedere la sezione sul cibo nel dizionario illustrato che trovi online.

Come si chiamano?

....

....

Con queste verdure prepari ottimi contorni:

....

....

....

....

Il dolce più famoso è il:

....

CARNE
PESCE
VERDURE
DOLCI
CAFFÈ
LIQUORE

Come si chiamano?

....

....

....

Alcuni liquori italiani famosi sono:

DISARONNO ....

MARTINI EXTRA DRY ....

....

....

Quanti tipi di caffè conosci?

....

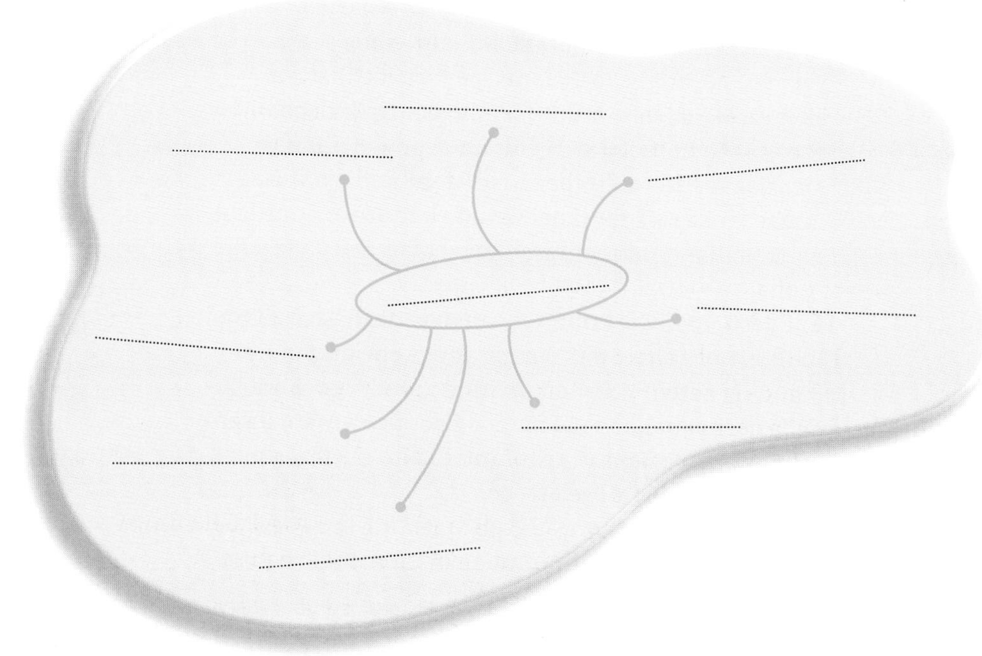

Comprensione & produzione

4 **Applichiamo l'*analisi* e la *sintesi* della tua esperienza a un caso pratico.**

a. Il cibo e il vino italiani sono legati all'idea di *qualità*. Ma ognuno può dire che il suo prodotto è di ottima qualità... Che cosa può fare uno Stato, secondo te, per trasformare la qualità da un'idea generale in un fatto preciso? Discutine con la classe.
b. Secondo te, in quale tipo di prodotto alimentare l'Italia è la prima produttrice al mondo?
c. Come sai, per garantire la qualità dei ristoranti si usano le *stelle*. In Italia ci sono molte trattorie, pizzerie, osterie, cioè ristoranti familiari... I ristoranti *stellati* **saranno** molti o pochi, secondo te?

Dopo aver discusso con i compagni su queste domande, eccoti alcuni dati del Ministero dell'Agricoltura. L'Italia è:
- il primo Paese in Europa per numero di prodotti di qualità certificata (280 cibi e 523 vini);
- il primo produttore di vino al mondo (circa 50 milioni di **ettolitri**);
- il secondo Paese al mondo per numero di ristoranti stellati (334).

saranno

- Come ricorderai, spesso il **futuro** è usato anche per **esprimere un'ipotesi**. Osserva l'inizio di questa spiegazione: *come ricorderai* indica l'ipotesi che tu ricordi.
- Puoi usare il **futuro + *anche*** per indicare che *nonostante*, *malgrado* una cosa sia vera, a te la cosa non interessa; è un modo per prendere le distanze da qualcuno o da qualcosa: ***Sarà anche*** *un quadro costosissimo, ma non mi interessa;* ***Avrà anche*** *una Ferrari, ma è uno stupido.*

etto-, kilo-, deca-

La parola ***ettolitro*** è composta da *litro*, che è la misura dei liquidi, ed *etto-*, un prefisso che significa 100. Senza dubbio conosci anche il prefisso ***kilo-***, cioè 1000. Il 10 invece si esprime con ***deca-***.
Quando parli di peso, non è necessario aggiungere *grammi*: in un negozio compri un *etto* di salame (100 grammi) o un *chilo* di zucchero.

5 **L'insegnante vi dà qualche minuto per leggere il testo sulla cucina *Italian sounding*, che cioè sembra italiana.**

Cucina italiana vera e cucina *Italian sounding*

Le esportazioni di cibo e bevande portano all'Italia quasi 50 miliardi di euro l'anno e crescono continuamente.
Questo legame tra l'immagine dell'Italia e il cibo di qualità ha come conseguenza un'enorme quantità di **imitazioni** e di **falsi**: parmigiano che non ha mai visto Parma; olio d'oliva e pasta che non sono mai passati per il Sud d'Italia; prosecco che non sa dove sia il Veneto; mortadella che nel mondo è conosciuta come *Bologna* ma che in quella città non c'è mai stata. È un fenomeno conosciuto come *Italian sounding*: si usano nomi che sembrano italiani, come Parmesano, Prosecko, Bolonia, per prodotti fatti in altri Paesi ma, soprattutto, senza i controlli di qualità che ci sono in Italia. Si calcola che i prodotti *Italian sounding* costino all'Italia circa 6-7 miliardi l'anno.
Anche molti ristoranti nel mondo hanno un nome che suona italiano, **nonostante** non abbiano alcun legame con l'Italia.
Per questo motivo si stanno firmando degli accordi tra l'Italia e molti altri Stati, per garantire che un prodotto italiano sia autentico e non un'imitazione; ogni anno in molte città c'è la "settimana della cucina italiana nel mondo", per presentare il vero cibo italiano, anche in collaborazione con catene di ristoranti di alto livello, come Eataly o Cipriani, e insieme a grandi produttori di pasta, di vino, di gelati ecc.
Dove vanno i prodotti italiani? I grandi importatori sono gli Stati Uniti e i Paesi dell'Europa centrale, ma le importazioni stanno crescendo di **oltre** il 10% all'anno anche in Cina, India e Russia.

(basato su dati dell'Ismea, Istituto di Servizi per il Mercato Agricolo Alimentare)

imitazioni, falsi

Imitare qualcosa significa **cercare di assomigliare all'originale**; un ***falso*** è un'**imitazione** venduta come se fosse vera, cioè come un prodotto originale e autentico.

oltre

- Se parli di **quantità**, *oltre* significa **"più"**, come qui.
- Se parli si **spazio**, significa **"più in là"**, **"al di là"**. Per esempio *oltre il ponte* significa "al di là del ponte".

nonostante

È sinonimo di *anche se* e *malgrado*: indica quindi un **contrasto** tra due azioni o affermazioni ecc. È seguito dal **congiuntivo**.

6 **Ascolta nell'AUDIO 43 (trovi la trascrizione online) l'intervista a un esperto di esportazione alimentare.**

Al primo ascolto cerca solo di capire più che puoi: è un'intervista lunga e quindi, per ora, non focalizzare i dettagli.
Dopo l'ascolto rileggi il testo *Cucina italiana vera e cucina Italian sounding* e sottolinea le parti di cui, per quanto ricordi, si è parlato nell'intervista.
Ascolta una seconda volta l'audio e verifica se hai ricordato tutto correttamente.

7 **Nell'intervista si parla di argomenti che non ci sono nel testo. Ricordi queste informazioni?**

a. La "settimana della cucina italiana" nel mondo è stata organizzata da due Ministeri, quello dell'.................... e quello degli ...., e la cucina italiana sarà festeggiata in .... Paesi.
b. Che cosa hanno di speciale i controlli sanitari italiani sul cibo?
....
c. La cucina italiana mette insieme tradizione e ....
d. I ristoranti con nomi *Italian sounding* fanno un danno reale all'economia italiana?
....
e. Perché gli altri Paesi dovrebbero controllare se il cibo con il *bianco-rosso-verde* nell'etichetta è davvero italiano? ....
f. In alcuni Paesi è facile fare questi controlli, per esempio negli .... e nei Paesi dell'...................., ma è molto più difficile in altri, come ...., ... e ....

Ascolta un'ultima volta l'AUDIO 43 per verificare le tue risposte. A casa puoi usare l'AUDIO 43 CON PAUSE: le frasi da ripetere sono lunghe, ma siamo alla fine del B1 e ormai ne sei capace.

8 **Adesso sta a te!**

STRATEGIE
Una strategia per la produzione

In **P25** abbiamo visto che la progettazione di un testo orale o scritto segue alcune fasi.
Quando fai la scaletta devi focalizzarti su:
- lo **scopo** per cui parlo o scrivi;
- il **destinatario** del tuo discorso, cioè la persona per la quale parli o scrivi.

Sono queste due voci che guidano la tua produzione.

a. Sei un insegnante che spiega (*scopo*) agli studenti (*destinatari*) l'importanza della cucina italiana nel mondo: prepara una traccia e poi prova a scrivere il discorso che faresti. Puoi essere chiamato dall'insegnante a spiegarlo ai tuoi compagni.
b. Sei all'estero: prepara una telefonata e scrivi una mail per esprimere la tua sorpresa (*scopo*) a una persona anziana (padre, nonno: *destinatari*), raccontandogli quanta Italia c'è nei ristoranti e nei supermercati nel mondo.

Insieme all'insegnante potete trovare altri argomenti e altri destinatari su cui esercitare questa importante strategia.

9 **Sottolinea a quale parte della frase si riferisce *ne*.**

a. Noi ti indichiamo alcuni cibi e tu devi condividere con i compagni quello che ne sai. (→ ES. 3)
b. Le frasi da ripetere sono lunghe, ma siamo alla fine del B1 e ormai ne sei capace. (→ ES. 7)

Pane e vino nei modi di dire

Abbina i modi di dire ai significati corrispondenti.

MODI DI DIRE

a. ○ **in vino veritas** (è latino, ma molto usato)
b. ○ **non chiedere all'oste se il vino è buono**
c. ○ **nella botte piccola c'è il vino buono**
d. ○ **ogni botte dà il vino che ha**
e. ○ **dire pane al pane e vino al vino**
f. ○ **guadagnarsi il pane con il sudore della fronte**
g. ○ **levarsi il pane di bocca per qualcuno**
h. ○ **mettere a pane e acqua qualcuno**

SIGNIFICATI

1. Rinunciare a tutto, anche al mangiare, per aiutare qualcuno.
2. Guadagnarsi da vivere lavorando duramente e onestamente.
3. Da una persona aspettati solo ciò che può dare.
4. Le cose grandi non vengono solo da persone importanti.
5. Non chiedere informazioni a persone che hanno un interesse a risponderti in un dato modo anche se non è la verità.
6. Punire qualcuno dandogli poco da mangiare.
7. Quando si beve troppo si dice la verità.
8. Parlare con chiarezza, senza paura di dire la verità.

Nella *botte* matura il vino.

Nelle osterie c'è l'*oste*.

P26 | Guardiamoci intorno

Slow food, Eataly, Vinitaly: quando il cibo italiano parla inglese

SLOW FOOD

La *chiocciola*, l'animaletto con la *casina* sulle spalle, è il simbolo della lentezza ed è stato scelto da Carlo Petrini come logo di Slow Food.
Slow food è un'associazione il cui nome è in inglese perché si oppone a un'abitudine americana, il *fast food*. Slow Food vuole ricordare a tutti che il cibo è:

- un piacere, e non solo un strumento per dare al proprio corpo le calorie che gli servono;
- il prodotto della terra, che va rispettata e non sfruttata; la varietà del cibo è il risultato della varietà delle forme viventi, di animali, di vegetali: questa diversità va salvata e difesa;
- il risultato di una cultura, che l'ha prodotto lungo i secoli, creando una tradizione che va rispettata.

Nato negli anni Ottanta in Piemonte, Slow Food dà il suo simbolo ai ristoranti di tutto il mondo che dimostrano di lavorare secondo i principi visti sopra. Quindi, quando vedi un ristorante con la chiocciola, non sei in un ristorante di Slow Food, che è un'associazione *non profit*, ma in un ristorante che rispetta la filosofia di Slow Food.

chiocciola

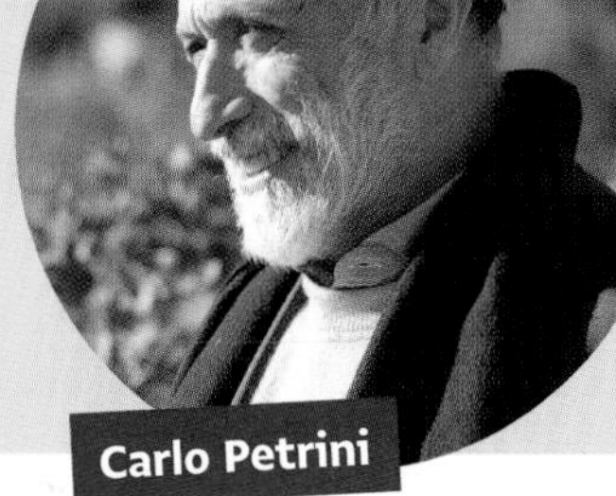
Carlo Petrini

EATALY

Il nome di Eataly nasce dalla fusione di *eat*, "mangiare", e *Italy*: mangiare italiano, vivere italiano, dimostrare che l'alta qualità dell'alimentazione italiana è a disposizione a tutti. Si possono trovare facilmente cibi italiani nei moltissimi mercati di Eataly nel mondo, dove i prezzi sono quelli di un prodotto importato, quindi più costoso di un prodotto locale.
Eataly vuole comunicare i metodi di produzione e la storia delle persone e delle aziende che costituiscono il meglio della produzione alimentare italiana.
Fin dal 2007, con l'apertura del primo negozio-mercato-ristorante a Torino, Eataly ha proposto il meglio delle produzioni di piccole aziende a prezzi ragionevoli. Questo è possibile perché Oscar Farinetti, il fondatore di Eataly, ha creato un rapporto diretto fra produttore e distributore.

Oscar Farinetti

VINITALY

Nel 1967 a Verona nasce Vinitaly, il cui nome affianca *vino* e *Italia*: da allora ogni anno si tiene questo incontro mondiale che è la mostra ufficiale del vino italiano. Ogni anno Vinitaly organizza anche molte mostre nei vari Paesi del mondo.
La filosofia di Vinitaly è semplice: il vino è il risultato di millenni di tradizione, anche se oggi i metodi di controllo e di produzione sono il risultato di ricerche all'avanguardia: solo il grande vino ha il diritto di essere accoppiato al nome "Italia", e Vinitaly ogni anno indica quali vini rappresentano davvero il *grande* vino italiano.

P27 / Ventisette | La qualità è *slow*

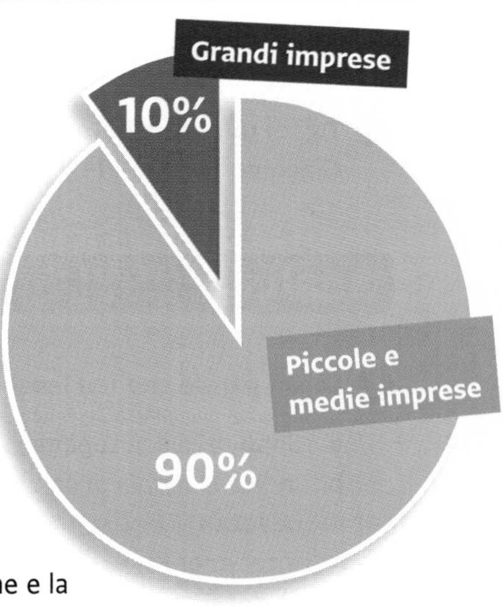

In questa Unità stiamo parlando di *qualità*. La produzione di massa, cioè quella che cerca la *quantità* (dagli hamburger alle automobili, dagli ipermercati alle cuffie per lo smartphone), non può fare molta attenzione alla *qualità*: deve costare poco, e per costare poco deve essere prodotta in fretta, perché il costo principale è sempre il lavoro. La produzione di massa è *fast*, la qualità è *slow*, come il *food* che abbiamo visto in **P26**.
Anche le grandi aziende hanno dei settori che curano particolarmente la qualità: Fiat per esempio ha Ferrari e Maserati; ma di solito è nelle piccole e medie imprese che ci sono il tempo e l'attenzione che permettono di fare un prodotto di qualità.

Il grafico qui accanto ti mostra che in Italia le piccole e medie imprese sono 9 su 10: da un lato le dimensioni ridotte sono una debolezza nella concorrenza con i colossi multinazionali; dall'altro permettono una qualità artigianale altissima, con l'attenzione e la precisione che solo l'artigianato può dare.

Vediamo tre esempi di produzione *slow*.

Comprensione & produzione

1 Tutto nel mondo va sempre più veloce. Ma la qualità deve andare piano, come ti spiega questo imprenditore.

Non mettiamo il nome dell'imprenditore per rispetto della privacy (ma puoi trovare la sua intervista nel sito indicato): è un imprenditore di origini palestinesi, laureato in Scienze Politiche a Milano, che parla quattro lingue e ha una vita pienamente *internazionale* – ma rispetto allo stile e alla qualità è pienamente *italiano*.
Gli imprenditori del settore "moda e tessuti" lo hanno eletto presidente della loro Federazione, cioè il loro sindacato. Nel sito della Confederazione Nazionale dell'Artigianato (www.cnalombardia.it) c'è una sua intervista, che spiega che cosa c'è alla base del successo del Made in Italy: ricerca della qualità e lavoro lento e attento.

Ecco alcune parti dell'intervista. Inserisci nel testo queste parole:

bellezza • conoscenza • interamente • perfezione • produttrici • professionali

Giornalista Qual è il punto di forza del *Made in Italy*?
Imprenditore La specificità del prodotto *Made in Italy* è nel legame tra la .... dell'oggetto e l'eccellenza di una produzione artigianale che mira alla .... e, per questo, supera rigorosissimi controlli di qualità.
Giornalista La sua attività si inserisce nel movimento *Slow Fashion*. Che cosa significa essere *slow*?
Imprenditore *Slow* significa controllo di tutte le fasi della produzione: i prodotti sono disegnati e confezionati .... in Italia, a partire da materie prime acquistate direttamente da aziende ...., così si sa perfettamente con che tipo di tessuto si lavora.
Giornalista E come è l'organizzazione *slow*?
Imprenditore Le piccole aziende artigiane italiane investono sulla ...., sul *know-how* di figure professionali di alto livello. Non bastano le idee stilistiche: è necessario avere esperienza sui tessuti, capire come ogni tessuto funziona per le finiture, saperne calcolare i limiti di fattibilità. Molte aziende famose mettono sulle loro pagine web e nelle loro vetrine i nomi di stilisti e di designer famosi, ma poi il prodotto ha bisogno di figure .... di grande abilità tecnica: sono loro l'anima del *Made in Italy*.

PAROLE CHIAVE

- **eccellenza**: qualcosa che *eccelle*, cioè che è superiore al resto
- **materia prima**: è un prodotto usato per fare altri prodotti: il ferro, il rame, il petrolio sono "materie prime"
- **finitura**: i dettagli di un prodotto, per esempio le cuciture in un vestito o in un divano, la perfezione di tutte le parti di un mobile ecc; si può anche dire *rifinitura*
- **fattibilità**: una cosa è fattibile quando può essere fatta, realizzata; questa parola è composta da *fatt(o)* + *-ibil(e)-* + *-ità*.

2 **Ascolta l'AUDIO 44: dice più o meno le stesse cose dell'intervista... ma dice anche alcune cose in più. Quali?**

Confronta la tua risposta con i compagni, poi riascolta l'audio per una verifica. Trovi la trascrizione dell'audio online.

3 **Tu sei un giornalista, il tuo compagno è l'imprenditore di origine palestinese (→ ES. 1) o l'imprenditore Giacomo Braudoli (→ AUDIO 44). Create un'intervista e siate pronti a recitarla per la classe.**

Analisi

4 **Le sei parole che hai inserito nel testo dell'ES. 1 hanno qualcosa in comune: che cosa?**

a. Sono parole autonome o derivano da qualche altra parola? ....

b. Indica la parola di partenza:

bel**lezza** → bello	produt**tore** →	perfe**zione** → ....
intera**mente** →	conos**cenza** →	profession**ale** → ....

c. La parte in neretto, quella che si aggiunge alla parola base, si chiama ....

d. In realtà la parola *professionale* è composta da 2 suffissi:
- la parola base è *professare*, parola rara che significa "essere esperto nel fare una cosa" (da qui deriva anche *profess.......... di italiano*);
- il primo suffisso è *profes-**sione***, che significa "mestiere di alto livello" ed è un ○ nome ○ aggettivo;
- il secondo suffisso è *profession-**ale***: è un ○ nome ○ aggettivo che indica una cosa fatta da un *profession-**ista***, cioè da una persona che conosce bene la professione.

e. *Bellezza, conoscenza, professione, perfezione* sono ○ maschili ○ femminili.
Hai scopeto una regola: le parole che finiscono con i suffissi *-ezza*, -.........., -.........., e -.......... sono sempre femminili.

f. *Intera-**mente*** è un avverbio di modo, come tutti gli avverbi composti con il suffisso *-mente*. Questi avverbi si formano partendo dal ○ maschile ○ femminile di un aggettivo. Se l'aggettivo finisce in *-re* / *-le*, la *e* non si mette: *regola**re*** → *regolar-**mente***, *principa**le*** → *principal-**mente***.

g. Sottolinea nell'intervista (→ ES. 1) le altre parole composte con un suffisso, poi confrontati con la classe. Ci sono altre parole con suffissi che non abbiamo analizzato: quali?

....

Comprensione & produzione

5 **La Ferrari: il simbolo della velocità è costruito in modo molto, molto *slow*!**

La Ferrari è in gran parte fatta a mano a Maranello, vicino a Modena: fare a mano costa, ma garantisce la perfe**zione**. Ma c'è chi vuole avere ancora di più, ed ecco il programma *Tailor Made*, "fatto su misura", che permette di personal**izzare** la Ferrari per quel particolare cliente. Per questa Ferrari il cliente ha voluto il rosso Ferrari, il tett**uccio** bianco con i colori della bandiera ital**iana**, le decora**zioni** bianche sul muso e sotto la portiera, con i cerchi delle ruote color oro. La fascia tricolore è anche sulla pelle dei sedili, che hanno le cuci**ture** rosse.

PAROLE CHIAVE

- **abitacolo**: la parte centrale di un'automobile, quella con i sedili, dove si siedono i passeggeri
- **accessori**: quasi sempre al plurale, sono gli *optional* di una macchina
- **fibra di carbonio**: materiale molto resistente
- **cura**: qui significa "attenzione"; questa parola può indicare anche la *cura* di una malattia
- **scuderia**: in origine si riferiva ai cavalli di una famiglia ricca; oggi indica un gruppo sportivo
- **GT, Gran Turismo**: macchina sportiva.
- **inedito**: significa "non pubblicato", ma in questo caso significa "nuovo", "mai visto prima"

Dal sito della Ferrari, eccoti una sintesi della descrizione del programma *Tailor made*. Inserisci nel testo queste parole:

automobilistico ● eleganza ● finiture ● innovativi ● possibilità ● sportiva

La personalizzazione può avvenire solo a Maranello, dove il cliente viene affiancato da un *personal designer*; insieme, **essi** creano una Ferrari che è costruita su misura fin nel minimo dettaglio: il cliente sceglie il colore degli esterni, la pelle e i tessuti dell'abitacolo, e ha una .... di scelta di .... e accessori mai vista prima. Si va da materiali tradizionali e preziosi come il cachemire, ad altri più giovani come il denim, fino a quelli più .... e tecnologici come la fibra di carbonio: un livello di innovazione mai raggiunto prima nel settore ....
Creatività, ricerca e originalità dei materiali, artigianalità delle realizzazioni e cura dei particolari sono gli elementi fondamentali del programma, che propone tre linee strettamente legate al DNA Ferrari:

- *scuderia* fa riferimento alla storia .... della Casa di Maranello;
- *classica* rilegge con occhi moderni lo stile delle GT, simbolo della Ferrari;
- *inedita*, infine, rappresenta il campo della sperimentazione e dell'innovazione.

Ferrari Tailor-Made è il risultato del lavoro di ricerca e studio del Centro Stile Ferrari e rispetta i valori di questa azienda: innovazione, ... e passione.

esso/a/i/e

Nell'italiano di oggi per la terza persona si usano di solito *lui*, *lei*, *loro*. Ma c'è un altro pronome, *esso*, con tutte le varianti: al **singolare** si riferisce solo a **cose** (per le persone esistono anche *egli*/*ella*, che non si usano più); al **plurale**, come in questo caso, corrisponde a *loro* e si usa per **persone e cose**.

6 **Un dibattito.**

Nel mondo c'è fame e disperazione e in questo *Passo* si parla di automobili che costano centinaia di migliaia di euro.
Dividetevi in gruppi e – indipendentemente dalle vostre idee personali – create due elenchi di ragioni per criticare e per difendere questo tipo di consumi "folli".
Scrivete le due liste alla lavagna e organizzate un dibattito, prima tra coppie e poi tra gruppi.

Analisi

7 **Altri suffissi per creare parole nuove.**

a. Quali parole, tra quelle che hai scritto nel testo (→ **ES. 5**), derivano da queste?
automobile → *automobilistico* possibile → .... innovare → ....
finire → .... elegante → .... sport → ....

b. Nell'introduzione all'**ES. 5** hai trovato delle parole che derivano da queste: scrivile.
perfetto → .... Italia → .... decorare → ....
tetto → .... personale → .... cucire → ....

c. Negli elenchi di parole (punti *a* e *b*), in quali casi hai trasformato un nome in aggettivo? Sottolinea le coppie di parole e scrivi qui i suffissi che hai usato: *-istico*, -.........., -...........

d. Hai anche trasformato verbi in nomi. Sottolinea le coppie di parole e scrivi qui i suffissi che hai usato: *-zione*, -.........., -...........

e. Hai anche modificato un nome con un suffisso che indica la dimensione più piccola: -...........

f. Nel testo hai trasformato un aggettivo in verbo aggiungendo *-izzare*: quale? ....

g. I suffissi *-anza*, *-tura*, *-ità*, *-zione* sono ○ maschili ○ femminili.

Torneremo tra poco a riflettere sui suffissi, ma ricorda che queste "combinazioni" sono uno strumento fondamentale per creare parole. Spesso, se sbagli a scegliere il suffisso, un italiano ti capisce lo stesso e ti dice la parola giusta.

Comprensione & produzione

8 **Lo mangi in un minuto, ma per farlo ci vogliono 60 ore!**

Nel sito www.scattidigusto.it puoi cercare la pagina sul panett**one** di Sal De Riso, un pastic**ciere** (cioè un cuoco specializzato in dolci, in pasticceria) premiato in moltissime occasioni. Il panettone è il tradizion**ale** dolce natalizio di Milano, ma qui siamo ad Amalfi, vicino a Napoli: possiamo parlare di panettone tradizion**ale**? Forse sì, perché non conta *dove* è fatto un dolce, ma *come* è fatto.

Leggi il testo e inserisci queste parole:

batterica • innovazione • laboratorio • milanese • movimenti • naturali • varietà

Sal De Riso, che ha le sue radici al Sud, apprende a Milano i segreti del panett**one** .... e li perfeziona fino a produrre nel suo laboratorio 13 .... del dolce più amato a Natale.
Il primo segreto della sua qualità salta agli occhi (e all'olfatto) immediata**mente** appena si entra nella "fabbrica": ci troviamo in un .... artigian**ale**, moderno e ben organizzato, dove le due regole di base sono la manual**ità** della lavora**zione** e gli ingredienti ....
Giovani ed esperte mani ripetono .... antichi e gesti della più tradizion**ale** sap**ienza** della pastic**ceria**. Ma accanto alla tradi**zione**, ecco l'....................: all'inizio degli anni Novanta, Sal De Riso è stato tra i primi in Italia a introdurre la tecnica del freddo, garantendo maggiore igiene e minore contamina**zione** .... dei prodotti, che sono particolar**mente** delicati.
I segreti di Sal De Riso? Tanti, ma soprattutto una lievita**zione** e una lavora**zione** dell'impasto che durano quasi 60 ore:

- tre fasi da 4 ore per il "lievito madre", quello che fa poi lievitare tutto l'impasto;
- 13 ore di lievita**zione** per il primo impasto, un'ora per il secondo impasto;
- 6 ore per la *pirla**tura***, cioè la serie di movimenti, di *carezze*, che fanno diventare liscio l'impasto, ormai diviso in pezzi del peso giusto;
- altre 24 ore dedicate alla lievita**zione** finale;
- il forno dove il panettone cresce e si cuoce;
- la puli**tura** del panettone e la confe**zione**, anche questa fatta a mano!

Più *slow food* di così è impossibile da immaginare!

PAROLE CHIAVE

- **saltare agli occhi**: una cosa che si vede subito, immediatamente
- **manualità**: saper fare le cose con le mani
- **sapienza**: nome che deriva da *sapere*
- **contaminazione batterica**: presenza di batteri, cioè microorganismi pericolosi per la salute
- **lievitazione, lavorazione dell'impasto**: l'*impasto* è l'insieme di farina, acqua, sale, burro, uova ecc. che si usa per fare il pane, i dolci, la pasta; questi ingredienti vengono *lavorati*, cioè mescolati, tirati, rimescolati ecc.: questa è la *lavorazione*. Nell'impasto c'è il *lievito*, che produce gas e rende il pane morbido e tenero
- **confezione**: prima di essere venduto, un panettone deve essere *confezionato*, cioè incartato e messo in un pacchetto

9 **A coppie, preparate e poi recitate un'intervista a Sal De Riso.**

10 **Spiega al tuo compagno o alla classe un dolce tipico del tuo Paese.**

Analisi

11 **Hai trovato ancora altri suffissi per creare parole nuove.**

a. Quali delle parole che hai scritto nel testo (→ **ES. 8**) derivano da queste?

batterio → ....
lavorare → ....
muovere → ....
vario → ....
innovare → ....
Milano → ....
natura → ....

b. Nell'elenco del punto *a* sottolinea i tre verbi. Come puoi vedere, tra il verbo di partenza e la parola derivata ci sono delle differenze, che ti chiediamo di riscrivere.

- ...., (*in* + *novus*) cioè "rendere nuovo": non ha la *u* di *nuovo*, perché la parola originaria latina era senza *u*, era *novus*.
- ...., cioè "il luogo dove si lavora": ha una *b* al posto della *v* di *lavorare*, perché in latino era *laborare*.
- ...., cioè "il fatto di muoversi": non ha la *u* di *muovere*, perché in latino era *movere*.

Questa osservazione non vuole insegnarti il latino, ma ti serve per capire che non sempre la derivazione da una parola a un'altra è diretta: ci sono alcune piccole variazioni che devi imparare a superare con... la fantasia!

c. Da *lavorare* deriva *laboratorio*, "il luogo dove si lavora"; allo stesso modo un *osservatorio* è "il luogo dove si osserva qualcosa", di solito il cielo e le stelle. Il nome che indica il fatto di *lavorare* usa il suffisso *-zione*, come nella parola ...., che hai trovato nel testo sul panettone.

Sintesi

12 Usiamo le *mappe* per i suffissi, come abbiamo fatto per il lessico di P26.

Per ogni famiglia di suffissi (se non sono in questo *Passo* è perché li hai già visti nelle Unità Didattiche precedenti) scrivi uno o più esempi di parole con i suffissi elencati.

- per creare **aggettivi da nomi**: *-ale, -ico, -oso, -ivo* (in particolare, da nomi geografici: *-ese, -ino, -ano*)
- per **variare il significato di un nome** aggiungendo simpatia o antipatia, dimensione, durata ecc.: *-ino, -etto, -accio, -uccio, -one, -ella, -issimo, -ata*
- per indicare i **mestieri** e le **professioni**: *-iere, -ista, -aio, -ico, -ore / -oressa, -tore / -trice, -ante*
- per creare **nomi da verbi**: *-zione, -(s)sione, -mento, -tore / -trice, -torio, -tura*
- per creare **nomi da aggettivi**: *-ità, -anza, -enza, -ezza*

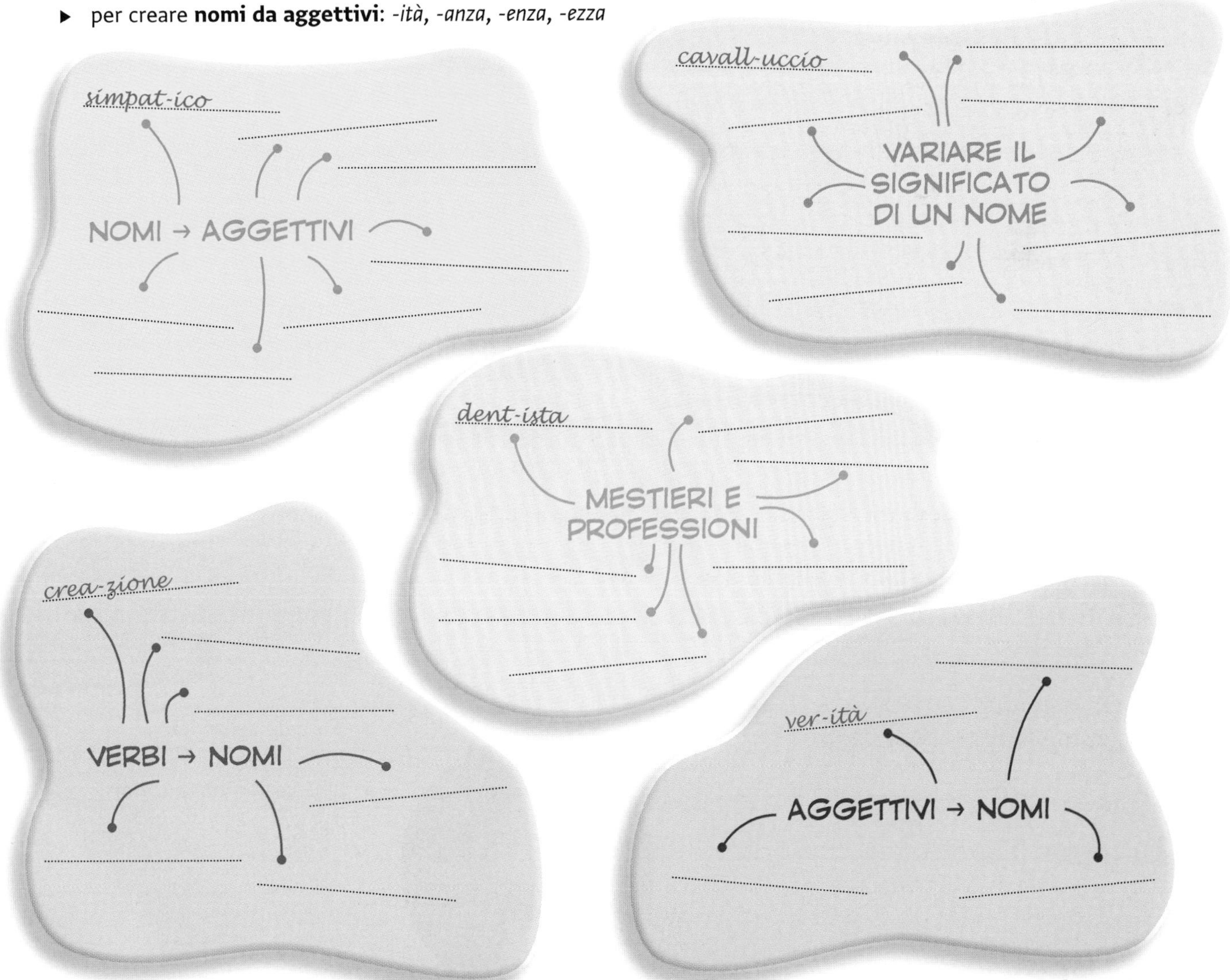

NOMI → AGGETTIVI

simpat-ico

....

VARIARE IL SIGNIFICATO DI UN NOME

cavall-uccio

....

MESTIERI E PROFESSIONI

dent-ista

....

VERBI → NOMI

crea-zione

....

AGGETTIVI → NOMI

ver-ità

....

Il piacere dell'italiano | 9

Non solo arte, musica e letteratura!

Quando si dice *Italia*, tutti pensano all'arte, alla musica e alla letteratura. Ma il contributo italiano alla cultura mondiale è più complesso. Prendiamo per esempio la ricerca scientifica. In queste pagine trovi i ritratti e qualche notizia su alcuni geni italiani: per sapere che cosa hanno fatto, ascolta l'AUDIO 45 (trovi la trascrizione online).

Mentre ascolti, avrai il tempo per scrivere le date di nascita e di morte di queste persone (così ripassi la pronuncia degli anni) e potrai anche prendere qualche appunto o scrivere qualche parola chiave per ricordare le loro scoperte o le loro invenzioni. Puoi controllare la trascrizione del testo online.
Nell'audio sentirai alcuni passati remoti che non hai ancora studiato, ma visto che si parla di date puoi immaginare da solo il significato di verbi come *nacque* e *morì*.

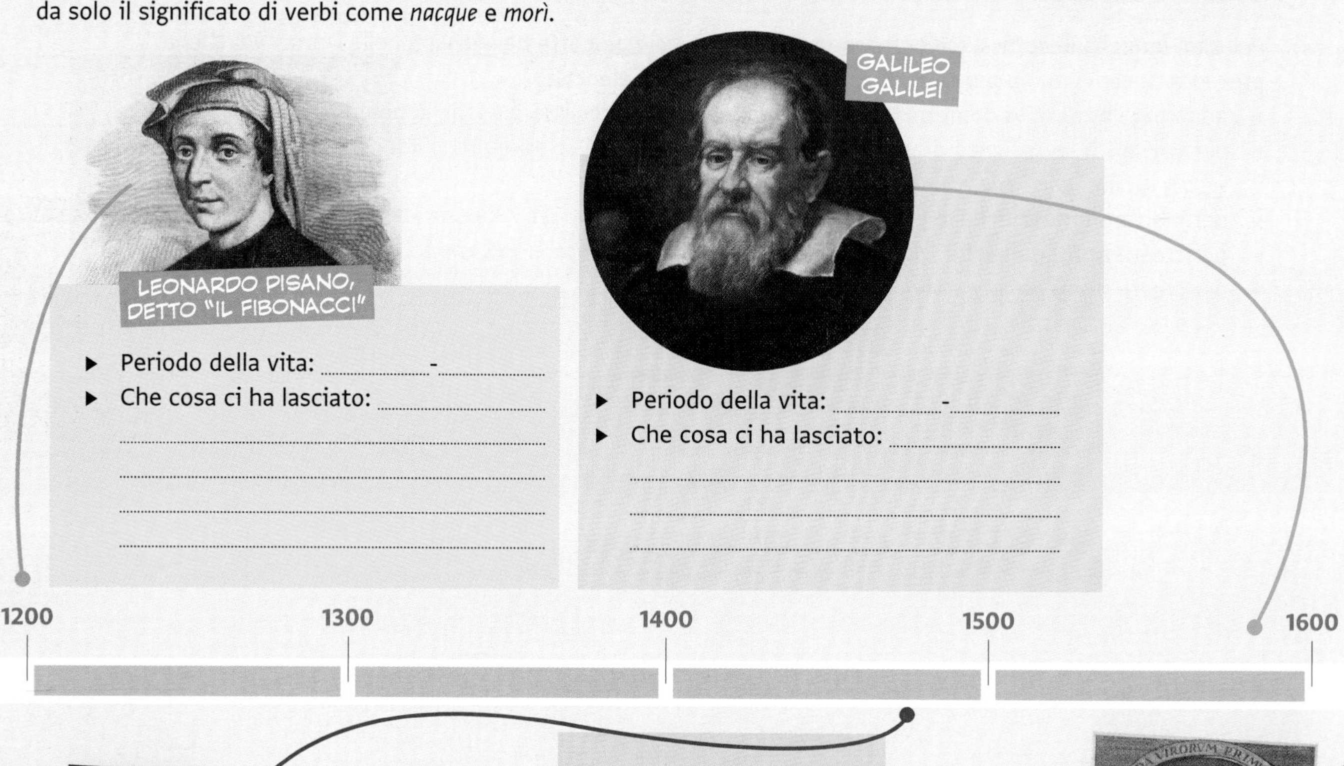

▸ Periodo della vita: ....-..................

▸ Che cosa ci ha lasciato: ....

▸ Periodo della vita: ....-..................

▸ Che cosa ci ha lasciato: ....

GIOVANNI BATTISTA MORGAGNI

▸ Periodo della vita: ....-..................

▸ Che cosa ci ha lasciato: ....

- Periodo della vita: .... - ....
- Che cosa ci ha lasciato: ....

Alcune parole dell'italiano della scienza

- **ricerca fisico-matematica**: matematica, fisica, metodo sperimentale, energia nucleare, fisica quantistica, particella sub-atomica
- **ricerca tecnologica**: elettricità, galvanizzazione, generatore elettrico, pila, batteria, metano, onde radio, onde cosmiche, telegrafo senza fili, reattore nucleare, bomba atomica
- **ricerca sulla vita**: biologia (studio della vita), virus tumorale, tumore, cancro
- **ricerca medica**: medicina, fisiologia (studio del corpo umano), elettricità biologica, patologia (studio delle malattie), anatomia (studio della forma e delle funzioni delle varie parti del corpo), atlante anatomico, poliomelite

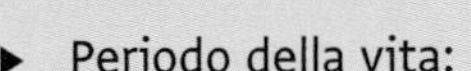

- Periodo della vita: .... - ....
- Che cosa ci ha lasciato: ....

- Periodo della vita: .... - ....
- Che cosa ci ha lasciato: ....

- Periodo della vita: .... - ....
- Che cosa ci ha lasciato: ....

1600 | 1700 | 1800 | 1900 | 2000

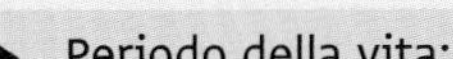

- Periodo della vita: .... - ....
- Che cosa ci ha lasciato: ....

- Periodo della vita: .... - ....
- Che cosa ci ha lasciato: ....

CARLO
RUBBIA

- Periodo della vita: .... - ....
- Che cosa ci ha lasciato: ....

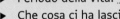

P28 / Ventotto | Chiantishire, Ruscany, Toskana?

Comprensione & produzione

1 ***Why Chiantishire has become Ruscany.***

Nel 2014 il «The Guardian», uno dei maggiori quotidiani britannici, **pubblicò** un articolo con questo titolo, abbastanza difficile da capire se non conosci l'immigrazione ricca, spesso ricchissima, in Italia. Cerchiamo di capirlo insieme.

Inserisci queste parole nelle spiegazioni:

Chianti • Ruskany • Toskana • Chiantishire

a. ....: è una parte della Toscana, tra Firenze e Siena, dove si produce il vino che ha lo stesso nome; ci sono bellissime colline, vigneti e antiche case di contadini.

b. ....: *-shire* è il suffisso inglese usato per indicare le *contee*, cioè le province. Siccome molti inglese ricchi hanno comprato casa nella zona del Chianti, si è cominciato a chiamarlo come se fosse una provincia inglese.

c. ....: è la fusione di *Russian* + *Tuscany*, la Toscana dei Russi. Negli ultimi vent'anni alcuni russi sono diventati milionari e hanno investito in Italia, dove l'inverno non è freddo come quello di Mosca. I russi hanno comprato anche molte ville e alberghi in Versilia, la costa più famosa della Toscana.

d. ....: non compare nel titolo del «Guardian», ma esiste: è la Toscana amata dai tedeschi, che stano comprando sempre più case in Toscana e in Umbria.

pubblicò

In questi ultimi *Passi* trovi il **passato remoto**, anche se non lo hai ancora studiato. Per capire questo tempo verbale devi ricorrere a una strategia particolare: la **comprensione intuitiva**.
Molti verbi al passato remoto hanno l'accento sull'ultima sillaba alla 3ª persona singolare (come *andò*) e la desinenza *-arono* / *-erono* / *-irono* alla 3ª persona plurale (come *andarono*). Ma molti sono irregolari, quindi fidati dell'intuito...

2 **In un paesino tra queste colline, Aldo e Bernardo (75 e 78 anni) sono seduti nell'osteria (quella che i giovani chiamano *bar*).**

La loro è una lunga chiacchierata tra vecchietti, che guardano i turisti e gli stranieri che hanno comprato casa lì vicino e che discutono, ricordano...
Di che cosa **discuteranno** e quali ricordi **avranno**, secondo te?
La conversazione dell'AUDIO 46 è lunga, ma ogni tanto i due amici smettono di chiacchierare per bere un bicchiere di vino, e allora tu puoi inserire una pausa e verificare con il compagno se hai trovato le informazioni che ti chiediamo.

discuteranno, avranno

La forma di questi verbi è quella del **futuro**, ma, come hai già visto, questo tempo verbale si usa anche per fare **ipotesi**, come in questo caso.

Prima di ascoltare leggi le frasi qui sotto, per sapere che cosa devi cercare di capire al primo ascolto.

a. Bernardo non crede che ci siano russi, lì in collina, perché i russi ....

b. Bernardo mette tutti gli europei del Nord in un'unica categoria, dicendo che sono tutti ....

c. Aldo nota che i *maleducati*, cioè le persone scortesi e poco gentili, sono
◯ in crescita ◯ in diminuzione.

A questo punto, di fronte alla maleducazione crescente, Aldo propone di bere un bicchiere di vino, per consolarsi. Mentre loro bevono, metti in *pausa* l'audio il tempo che ti serve per completare i punti *a*, *b*, *c*.

3 Adesso riprendi l'ascolto dell'AUDIO 46, fino al secondo bicchiere di vino, e trova queste informazioni.

Prima di ascoltare leggi le frasi qui sotto, per sapere che cosa devi cercare di capire al primo ascolto.

a. Bernardo ricorda i primi stranieri che arrivarono nel Chianti: chi erano? ....
C'era anche un famoso attore: ....
Questi stranieri viaggiavano su macchine ....

b. Aldo spiega quali erano le possibilità per i giovani del paese, negli anni Sessanta del Novecento: potevano andare a .... e a .... e lavorare in fabbrica, oppure restare a .... e guadagnarsi da vivere facendo ....

c. Aldo continuò a fare il ...., mentre Bernardo, il cui padre era muratore, cominciò a fare i ....

I ricordi dei *bei tempi andati* (un modo di dire che indica il passato che a distanza di anni ci sembra bellissimo) portano a un secondo bicchiere di vino, per cui ferma l'audio e completa i punti *a*, *b*, *c*.

4 Riprendi l'ascolto dell'AUDIO 46: Aldo e Bernardo si chiedono che cosa significhi sentirsi "diversi" dagli stranieri.

Prima di ascoltare leggi le domande, per sapere che cosa devi cercare di capire al primo ascolto.

a. Aldo ricorda un aspetto tipico degli italiani: anche a distanza di pochi chilometri, tutti si sentono .... dagli altri.

b. Bernardo dice che Aldo non capisce più il mondo perché è ...., ma Aldo gli ricorda che lui, Bernardo, è ancora più ....

c. A Bernardo ◯ piace ◯ non piace questo mondo *frullatore* (il frullatore è un elettrodomestico da cucina, che taglia e mescola tutto rapidissimamente).

Alla fine dell'ascolto completa i punti *a*, *b*, *c*.

5 Il dialogo tra Aldo e Bernardo è lungo e difficile, ma dovresti aver capito molto. Controlla con la classe le tue risposte negli ES. 2-3-4 e poi riascolta l'AUDIO 46 per una verifica.

6 Leggi la trascrizione della conversazione: ci sono molti *post-it* importanti sull'italiano popolare, colloquiale e informale.

Aldo Hai sentito?
Bernardo Cosa?
Aldo Quel **tipo** che ha ordinato il caffè; non è **mica** il solito inglese; *un cafèi, per piacerei*. Questo era russo, secondo me.
Bernardo No, i russi sono in Versilia; gli piace il mare, ai russi. Quelli che non sono inglesi, sono tedeschi, *un kafé per piacere*; e ci sono anche gli olandesi, che sono tedeschi...
Aldo Attento a non dirlo a un'olandese, che è tedesco! **Mica** gli piace, a loro!
Bernardo Io sto parlando con te, giusto? E allora posso dire che olandesi, svedesi, danesi, norvegesi son tutti tedeschi.
Li riconosci perché ogni due parole dicono *danke* e *bitte* mentre gli inglesi ogni due parole **c'hanno** *please* e *thank you*...
Aldo **Dipende.** Ci sono anche inglesi e tedeschi maleducati. E sembra che siano in crescita! Bisogna che ci facciamo un bicchiere subito, prima che ce lo bevano tutto loro, il vino! Giovanni, Giovanni, ci porti due bicchieri?

tipo
In italiano informale significa **"persona particolare"** o **"strana"**.

dipende
Significa che **quanto è appena stato detto non è valido sempre**, perché quella cosa (in questo caso: *gli stranieri sono ben educati*) *dipende* da altre cose, cioè può variare a seconda delle condizioni.

mica
Serve per **rafforzare il negativo *non***.
Se lo usi prima del verbo non serve *non*:
***Mica** gli piace a loro.*

Bernardo Alla salute.
Aldo Alla tua.
Bernardo Buono. Ricordo quando arrivarono i primi inglesi; ero ragazzino, anni Sessanta. Qui tutti i contadini vendevano i terreni per andare in città, e gli inglesi arrivarono **come mosche**: ricordo quell'attore, quello di *Amleto*...
Aldo Laurence Olivier. Lo ricordo anch'io, da ragazzino. E poi tanti altri... gli piaceva il sole, e **c'avevano** le macchine scoperte, le ricordi, le spider?
Bernardo Eh sì... loro compravano, non discutevano sul prezzo. E **noi si lavorava** per restaurare le vecchie case, come schiavi.
Aldo Come schiavi? **Ma dài!** A quei tempi, o si andava in fabbrica a Torino e Milano, o si restava qua a casa nostra, e si campava facendo i restauri. Tu facevi i restauri, perché tuo padre aveva fatto il muratore e ti aveva insegnato. Io invece ero contadino prima, e sono rimasto contadino anche con gli inglesi: io gli dicevo quello che serviva per il vigneto e loro lo compravano, non **c'avevano** problemi di soldi... Bisogna dirlo: erano bei tempi.
Bernardo Giovanni, portaci due bicchieri, dobbiamo brindare ai bei tempi andati!
Aldo Grande idea. È buono **'sto** vino!

come mosche

Arrivano tante persone, tutte insieme, come le mosche sul cibo.

c'hanno, c'avevano, c'hai

In italiano parlato spesso trovi **ci** davanti al verbo ***avere***; non si sa come scriverlo e noi l'abbiamo scritto con l'apostrofo.

noi si lavorava

L'**impersonale** può essere usato per la 1ª persona plurale, come in questo caso. È frequente in Toscana.

ma dài!

Significa "**ma che cosa stai dicendo!**" e si usa tra amici.

'sto

In italiano orale *questo/a/i/e* spesso **perde la prima sillaba**. In *stamattina, stasera, stanotte*, *'sta* si unisce alla parola che segue.

diversi, diversi...

Un **aggettivo ripetuto due volte**, con un tono di voce sospeso, come hai sentito nell'audio, assume un **tono critico** e significa "ma che cosa stai dicendo, non è completamente vero...".

il mondo...

Spesso nell'italiano orale si aggiungono dei ***che* non necessari**: la sequenza corretta di questa frase sarebbe *il mondo si muove tutto* oppure *tutto il mondo si muove.*

Bernardo Ma adesso, con questi russi... i russi sono diversi.
Aldo **Diversi, diversi...** Mica possiamo parlare noi, di sentirsi diversi. Noi, che ci sentiamo diversi da quelli di Siena che è a 30 chilometri a Sud; da quelli di Firenze che è a 30 chilometri a Nord; da quelli di Pisa, che è a 30 chilometri a Ovest... Noi, che ci sentiamo diversi anche da quelli al di là dal fiume, e da quelli al di là dalla collina... Sembra che i diversi siano solo gli altri, ma anche noi siamo diversi, visti da loro...
Bernardo Eh sì... una volta si stava nel proprio paese tutta la vita, si andava una volta a Roma, tanto per vedere il papa, e poi basta. Oggi **il mondo è tutto che si muove**, è un frullatore...
Aldo Un frullatore? Un casino, ecco che cosa è diventato il mondo. Non ci si capisce più niente.
Bernardo Tu, non ci capisci più niente. Perché sei vecchio. Come me.
Aldo No, tu **c'hai** tre anni più di me: se io sono vecchio, tu sei vecchissimo!
Bernardo **Sarò anche vecchio...** Ma **a me mi piace**, questo mondo che non sta mai fermo. Vorrei avere vent'anni anziché ottanta: sarei anch'io in giro per il mondo.

sarò anche vecchio...

Il futuro indica un'ipotesi, ma con *anche* significa "forse è vero che..." ed è sempre **seguito da *ma***, che introduce una **frase in contrasto con l'ipotesi**.

a me mi...

È una forma scorretta (*a me = mi*, quindi ripeti due volte il pronome) usata all'orale per dare forza a quello che dici. All'inizio hai trovato: *Mica mi piace, a me!*

Aldo A fare cosa? A vedere inglesi e tedeschi e olandesi e russi? Stai qua al bar che vengono loro, no? Sembra di stare allo zoo: tu guardi e loro ti passano davanti...

Bernardo Eh sì, Aldo... ma lo zoo siamo noi, siamo noi quelli che stanno in gabbia, e loro ci guardano. Noi restiamo qui, e loro c'hanno il mondo in tasca... Ah, se avessi vent'anni!

7 Aldo ricorda Laurence Olivier, un grandissimo attore del Novecento.

Voi dovete superare Laurence Olivier: provate a recitare il dialogo a coppie e siate pronti a recitarlo davanti a tutta la classe. Alla fine si voterà per dare il "Premio Laurence Olivier" alla migliora coppia di attori.

Sintesi

8 I verbi impersonali.

a. Completa queste frasi che hai trovato nel dialogo.

1. E .... che siano in crescita!
2. .... che ci facciamo un bicchiere subito, prima che ce lo bevano tutto loro, il vino!
3. .... dirlo: erano bei tempi.
4. .... che i diversi siano solo gli altri...

Quelli che hai inserito nelle frasi sono **verbi impersonali**, anche se non hanno il solito *si* di questo tipo di verbi. Come vedi, non c'è un soggetto reale, e quindi si usa la 3ª persona singolare.
I verbi impersonali di questo tipo più comuni hanno i due significati che hai visto nelle frasi sopra:

- *bisogna, serve, è necessario, occorre* (l'ultimo è più raro, più formale) indicano **necessità**;
- *sembra* e *pare* indicano un'**ipotesi**; puoi usare anche *dicono*, che include un gran numero di persone: *Dicono che i russi bevano molto.*

b. Scrivi tre frasi sulla tua classe usando questi i verbi impersonali.

1. Bisogna che ....
2. Pare che ....
3. Dicono che ....

9 Ricorderai più facilmente i verbi irregolari se li metti nella loro "casa".

Ti abbiamo ricordato più volte che ci sono "famiglie" di verbi, e siccome le famiglie vivono in una casa, eccoti le *case* di alcuni verbi. Online c'è una lista dei verbi irregolari e ci sono anche le varie "famiglie" di verbi.

a. Completa queste frasi del *Passo* con il verbo.

1. A questo punto, di fronte alla maleducazione crescente, Aldo .... di bere un bicchiere di vino, per consolarsi. (→ **ES. 2**)
2. .... Ci sono anche inglesi e tedeschi maleducati. (→ **ES. 6, prima parte**)
3. Puoi usare anche *dicono*, che .... un gran numero di persone. (→ **ES. 8**)
4. Aldo e Bernardo sono un esempio di italiano popolare, anche se non abbiamo .... le parolacce! (→ **secondo paragrafetto del testo sull'italiano informale, nella pagina seguente**)

b. Scrivi l'infinito dei verbi che hai inserito nelle frasi nei tetti delle case, come nell'esempio.

c. Copia questi verbi nelle loro case: sembra una cosa infantile ma attiva la memoria visiva!

accludere ● apprendere ● comporre ● concludere ● condurre ● disporre ● escludere ● porre ● prendere ● riprendere ● sorprendere ● sospendere ● tradurre

P28 | Guardiamoci intorno

L'italiano informale, orale, popolare

Anziché *guardarti* intorno questa volta *ascolta* l'italiano che senti intorno a te quando sei in Italia. Nell'italiano parlato non solo senti pronunce regionali un po' diverse da quella che trovi negli audio (che sono in italiano standard), ma trovi anche una grande differenza tra l'italiano formale e quello informale, tra l'italiano scritto e quello orale, tra l'italiano ufficiale e quello popolare. Questo succede in ogni lingua, quindi anche nella tua.
Aldo e Bernardo sono un buon esempio di italiano popolare, anche se non abbiamo introdotto le parolacce, per le quali i toscani sono famosi!

L'italiano informale, popolare, orale ha alcune caratteristiche grammaticali che hai visto nel dialogo (→ **P28, ES. 6**) e che trovi nel fumetto qui sotto. Completa le frasi.

a. Spesso si sposta il soggetto alla fine: *Mica mi piace* ....*!; Mi hanno rotto le scatole,* ....
b. Oppure si mette due volte il pronome indiretto: *A* ....*, mica* .... *piace.*
c. Spesso davanti al verbo *avere* si mette *ci*, che non si sa mai come scrivere: .... *ottant'anni!*

A ME, MICA MI PIACE L'ACQUA!
MI HANNO ROTTO LE SCATOLE, I MEDICI. CHE CAVOLO VOGLIONO DA ME?
C'HO OTTANT'ANNI, VOGLIO CHE MI LASCINO IN PACE E VADANO A QUEL PAESE!

Quelle che vedi nei fumetti sono le varianti "educate", anche se informali, di parolacce molto diffuse e molto volgari, che di solito indicano gli organi sessuali maschili (→ **P24**). Siamo alla fine del livello B1, sei adulto, e quindi possiamo essere molto chiari, visto che l'italiano è fatto anche di parolacce!

CHE VADANO A QUEL PAESE!

Non è un paese reale; la frase vera, molto volgare, è *andare in culo*, che corrispondere a *fuck* in inglese. Spesso la frase diventa una parola unica molto offensiva: *vaffanculo!*

MI HANNO ROTTO LE SCATOLE.

In realtà non si parla di *scatole*: l'italiano volgare dice *palle*, parola che viene usata in molte lingue con lo stesso significato.
Palle si usa - e non può essere sostituito da *scatole* - anche per indicare qualcosa di molto noioso o fastidioso: *Che* ***palle****!; Mi ha fatto venire due* ***palle*** *così!; È molto* ***palloso****!*
C'è poi l'espressione *rompere le palle* che significa "far arrabbiare", "disturbare"; una persona che disturba e fa arrabbiare è un *rompiballe* o, in maniera più gentile, è un *rompi!*

CHE CAVOLO VOGLIONO!?

Come hai visto in **P24**, *cavolo* sta al posto di *cazzo*, l'organo sessuale maschile. Viene usato in frasi negative e per rafforzare frasi interrogative (come quella del fumetto).
Se uno chiede qualcosa e gli rispondono *col cavolo!*, la risposta significa "assolutamente no". *Col* è l'antica preposizione articolata: *con + il*.
Una *cavolata* o una *cazzata* è una cosa fatta male, una sciocchezza, una cosa che non si deve fare. Se una persona si arrabbia, è *incavolata* o *incazzata*.
Degli amici che passeggiano o stanno al bar a parlare di cose poco importanti stanno *cazzeggiando*.

VENTINOVESIMO PASSO

5

P29 / Ventinove | Loro vengono qui, noi andiamo là

Comprensione & produzione

1 Fermi, Levi Montalcini, Dulbecco.

Nelle pagine sugli scienziati italiani (→ **Il piacere dell'italiano 9**) hai ascoltato le biografie di Fermi, Levi Montalcini e Dulbecco. C'è una cosa in comune nella loro vita: quale?

....

2 Perché gli italiani emigrano ancora?

I tre scienziati hanno dovuto andare all'estero. Anche Leonardo morì all'estero, in Francia, come Rossini e Bellini, come Modigliani e altri artisti che avevano lasciato l'Italia perché non trovavano le condizioni necessarie per svolgere il loro lavoro. Oggi ci sono due fenomeni che portano i giovani italiani ad andare all'estero: da un lato, il programma Erasmus, che è uno scambio di studenti finanziato dall'Unione Europea; dall'altro, la crisi economica iniziata nel 2008 e da cui l'Italia sta uscendo con fatica.

Leggi questi testi e inserisci le parole mancanti, poi ascolta l'AUDIO 47 per controllare. C'è anche l'AUDIO 47 CON PAUSE: questo secondo audio serve per ripetere le frasi che richiedono uno sforzo di memoria maggiore, visto che sono lunghe e contengono dei numeri.

Erasmus

È un programma di mobilità degli studenti europei (ma anche di altri Paesi, con *Erasmus mundus*) iniziato nel 1987: l'Unione Europea finanzia in parte i .... del viaggio e della permanenza all'estero, e le università si accordano per riconoscere i .... che gli studenti seguono all'estero.
Oggi, ogni anno, si spostano circa 300.000 giovani, e finora .... più di 4 milioni i giovani che hanno passato un semestre o un .... in un altro Paese, a contatto con un'altra cultura, vivendo con un'altra lingua: è il più .... progetto di mobilità, di comunicazione interculturale, di conoscenza pacifica tra i popoli che sia mai stato fatto nella .... dell'umanità.
Ma la conoscenza di lingue e culture non è l'unico risultato: la Commissione .... (cioè il governo della Ue) ha calcolato che un terzo degli studenti Erasmus ha conosciuto il partner della sua vita durante l'esperienza all'....................: «Pensiamo che da queste coppie, a partire dal 1987, sia nato un milione di ....», ha dichiarato Androulla Vassiliou, commissaria europea per l'Istruzione, la Cultura e la Gioventù («Corriere della Sera», 8 ottobre 2014): questo significa che molti degli italiani che sono .... a vivere in altri Paesi l'hanno fatto per amore, e sempre per amore sono .... a vivere in Italia tanti stranieri.

Lavoro all'estero

La crisi .... ha colpito duramente l'Italia, ma c'è un'altra ragione per cui .... giovani laureati, studenti di dottorato, giovani con un'alta preparazione tecnica, scientifica, artistica e musicale "fuggono" all'....................: il sistema italiano di ingresso nel mondo del lavoro è molto rigido, e anche se in questi .... sta cambiando rimane ancora difficile per un giovane entrare nel mondo del ...., trovare finanziamenti, trovare spazio, cosa che invece è molto più .... in Inghilterra, in Germania, nei Paesi della Scandinavia (la regione intorno al Mar Baltico): da qui nasce la "fuga dei cervelli", espressione brutta ma certamente efficace.
Nel 2014 sono stati circa 90.000 gli italiani sotto i quarant'anni che sono andati a .... fuori dall'Italia, circa 800 ogni giorno; secondo «la Repubblica» (24 febbraio 2016) circa 30.000 .... ricercatori, dottori di ricerca e scienziati sono andati all'estero tra il 2010 e il 2020: sono circa 80 giovani ogni giorno, la cui preparazione è costata all'Italia circa 5 miliardi di .... e diventerà produttiva in altri Paesi...
La "fuga dei cervelli" è uno dei grandi problemi umani, sociali ed economici ....!

3 **Ascolta nell' AUDIO 48 (trovi la trascrizione online) le storie di Anna e Luigi, due giovani che sono all'estero. Indica chi dei due...**

	ANNA	LUIGI
a. è a Londra da 4 mesi	○	○
b. è a Madrid da 8 mesi	○	○
c. ha trovato un amore	○	○
d. ha trovato un lavoro	○	○
e. pensa di andare in Germania	○	○
f. ha nostalgia dell'Italia	○	○
g. passava ore su Skype	○	○
h. segue un corso di tedesco	○	○
i. fa il grafico	○	○
j. vive vicino a un laboratorio di fisica	○	○
k. tornerà in Italia tra poco	○	○
l. resterà all'estero	○	○

4 **Ascolta ancora le storie di Anna e Luigi nell' AUDIO 48 e inserisci le parole che mancano; poi riascolta l'audio per verificare.**

Anna

Mi chiamo Anna Laurenti, sono ...., vengo da Pescara, dove frequento l'università. .... a Madrid in uno scambio Erasmus che .... otto mesi sta per finire - e io sono tristissima .... ho conosciuto Hans, un ragazzo di Amburgo di cui... be', di .... mi sono innamorata. E anche lui mi ....A me manca un anno per laurearmi, e poi o .... io ad Amburgo o .... lui a Pescara: lui si sta laureando in ...., e in Abruzzo c'è uno dei più grandi .... mondiali per lo studio delle particelle subatomiche: .... lui, che è organizzato bene come tutti i tedeschi, ha già .... a preparare la domanda per fare un dottorato di .... in Abruzzo! Se non vince il dottorato, mi sposterò io in Germania: per .... sto già seguendo un corso di ...., qui a Madrid, e Hans sta studiando .... Mi dispiace che finisca l'Erasmus - mi dispiace .... Madrid è bellissima, piena di vita, e perché Hans è .... più bello e ancora più pieno di vita, di progetti, di speranze, di .... di vivere...

Luigi

Buon giorno, sono Luigi De Niro e sono .... a Londra per cercare un lavoro. .... che sarebbe stata un'esperienza difficile, mi .... preparato come meglio ho potuto, sia ripassando l'..............................., sia informandomi su Londra, sugli italiani a .... - quasi mezzo milione, dicono! Sono qui da quattro mesi, e il .... mese è stato bellissimo, tutto nuovo, tutto interessante. Avevo un po' di soldi, per .... non ero obbligato ad accettare il primo .... che trovavo. Il secondo mese è stato più ....: la nostalgia di casa, passavo più ore su Facebook e su Skype che a .... un lavoro. Poi il lavoro ha trovato ...., mi è venuto incontro: io sono un grafico, dicono che io sia molto bravo, sia .... idee sia .... uso dei software di grafica - e per caso, in un pub, ho .... una coppia di ragazzi che ha uno .... editoriale. Volevano incominciare anche a fare .... per il web, per i giornali, e così davanti a una .... ci siamo messi a parlare e la mia .... è cambiata. Alle 7 ero depresso e pieno di .... per l'Italia, alle 8 ero felice e mi preparavo ad andare al mio nuovo ...., il giorno dopo. Sono due .... che lavoro con Bill e Grayson, e sono ....Anche se la nostalgia del sole italiano, delle parole italiane, del cibo italiano ogni tanto è ...., molto forte!

5 **Trasforma le presentazioni di Anna e Luigi (→ ES. 4) in interviste.**

Tu sei il giornalista e il tuo compagno è Anna o Luigi. Poi scambiatevi le parti.
Alcune coppie reciteranno la loro intervista di fronte a tutta la classe. Aggiungete domande e dettagli: per esempio, potete chiedere notizie su Hans, su Londra ecc.

6 **Nel tuo Paese ci sono "cervelli in fuga"? E ci sono persone che vengono dall'estero? Ci sono scambi studenteschi?**

Scrivi una breve composizione sulla mobilità dei giovani nel tuo Paese e poi inviala all'insegnante.

Analisi & sintesi

7 **Come esprimiamo le sequenze.**

Molti dei nostri discorsi si basano su tre tipi di sequenza.

- **Sequenza temporale**: *prima*, *dopo* ecc., con i problemi che abbiamo visto in **P24**. La sequenza temporale coinvolge tutto il sistema dei verbi al passato, al futuro nel passato ecc. Ci abbiamo lavorato molto nel B1, e lo completeremo nel B2.
- **Sequenza logica**: *se...*, *allora...* o altri connettori simili; anche su questo abbiamo lavorato.
- **Sequenza causale**, cioè la relazione tra la causa e l'effetto, la conseguenza. Scrivi i modi che ricordi per descrivere le relazioni di causa / effetto o di effetto / causa, poi confronta la tua lista con i compagni.

....

....

....

8 **Causa / effetto.**

Completa queste frasi che hai trovato nel *Passo*.

a. Altri artisti che avevano lasciato l'Italia .... non trovavano le condizioni necessarie per svolgere il loro lavoro. (→ **ES. 2**)

b. Questo secondo audio serve per ripetere le frasi che richiedono uno sforzo di memoria maggiore, ... sono lunghe. (→ **ES. 2**)

c. Questo significa che molti degli italiani che sono andati a vivere in altri Paesi l'hanno fatto .... amore. (→ **Erasmus**)

d. C'è un'altra ragione .... molti giovani laureati "fuggono" all'estero. (→ **Lavoro all'estero**)

e. Rimane ancora difficile per un giovane entrare nel mondo del lavoro: .... nasce la "fuga dei cervelli". (→ **Lavoro all'estero**)

f. In Abruzzo c'è uno dei più grandi laboratori mondiali per lo studio delle particelle subatomiche: .... lui ha già incominciato a preparare la domanda per fare un dottorato di ricerca in Abruzzo! (→ **Anna**)

g. Mi sposterò io in Germania: .... sto già seguendo un corso di tedesco, qui a Madrid. (→ **Anna**)

h. Mi dispiace .... Madrid è bellissima, piena di vita, e .... Hans è ancora più bello e pieno di vita. (→ **Anna**)

i. .... che sarebbe stata un'esperienza difficile, mi sono preparato come meglio ho potuto. (→ **Luigi**)

j. Avevo un po' di soldi, ... non ero obbligato ad accettare il primo lavoro che trovavo. (→ **Luigi**)

Causa / effetto

La relazione causa / effetto si costruisce in vari modi:
- con la maggior parte dei connettori va prima la causa;
- con *perché* invece va prima l'effetto;
- con altri connettori e con il gerundio usato per indicare la causa, le due posizioni sono libere.

CAUSA	*e quindi, dunque, perciò / per questo* (ragione), *per cui, per* + nome / *da qui* (nasce) *di conseguenza siccome* →	EFFETTO
EFFETTO	← *perché*	CAUSA
CAUSA / EFFETTO	↔ *dato che, visto che, poiché, gerundio*	EFFETTO / CAUSA

9 **Sostituisci il connettore evidenziato in corsivo con un altro connettore, invertendo la successione causa / effetto, come nell'esempio.**

a. Gli studenti vanno in Erasmus *perché* sono curiosi.
Dato che sono curiosi, gli studenti vanno in Erasmus.

b. *Visto che* c'è un finanziamento Ue, spostarsi è più facile.
....

c. Non perdono tempo, *dato che* gli esami fatti all'estero sono validi anche in Italia.
....

d. Spesso all'estero si innamorano, *perché* sono giovani...
....

e. Spesso si innamorano, ragione *per cui* poi si spostano di nuovo.
....

f. Erasmus è un programma importante *perché* forma una nuova classe dirigente europea.
....

10 **Usa il gerundio per indicare la causa, come nell'esempio.**

a. Siccome è difficile trovare lavoro, molti emigrano.
Essendo difficile trovare lavoro, molti emigrano.

b. Hanno il coraggio di emigrare perché sono giovani.
....

c. Sanno che possono tornare spesso, quindi partono senza nostalgia.
....

d. I giovani sono più liberi di muoversi perché non hanno famiglia.
....

e. I giovani trovano facilmente lavoro dato che hanno una buona preparazione.
....

f. I giovani trovano lavoro perché sono aperti al mondo.
....

11 **Un altro tipo di relazione abbastanza usata è la *correlazione*, cioè una "relazione doppia".**

a. Completa queste frasi che hai trovato nelle presentazioni di Anna e Luigi.
1. A me manca un anno per laurearmi, e poi .... vado io ad Amburgo .... viene lui a Pescara. (→ **ES. 4, Anna**)
2. Dicono che io sia molto bravo, ... come idee .... come uso dei software di grafica. (→ **ES. 4, Luigi**)

NON VOGLIO ANDARE ALL'ESTERO, **NÉ** IN ERASMUS **NÉ** PER LAVORO: VOGLIO RESTARE A CASA MIA!

b. Nelle frasi ci sono due forme di correlazione:
- *o..... o......* significa ○ tutte e due ○ solo una delle due
- *sia... sia...* significa ○ tutte e due ○ solo una delle due

c. Come si fa il negativo, dicendo che nessuna delle due alternative è vera? Si usa la congiunzione ...., come vedi nel fumetto.

12 **Crea delle farsi con le relazioni doppie.**

a. o..., o...: ....
....
....

b. sia..., sia...: ....
....
....

c. né , né...: ....
....
....

P29 | Guardiamoci intorno

Tre storie di successo di giovani italiani nel mondo

Una delle cose che sta cambiando l'Italia è la politica di finanziamenti alle *startup*, cioè alle micro-aziende che nascono senza un grande capitale alle spalle, ma con tanta genialità e buona volontà di giovani.
In alto vedi la home page di un blog dedicato alla *startup generation*, dove puoi leggere molte storie interessanti. Francesca Onorati, una giornalista del blog, ha scritto la storia di tre italiani che hanno avuto una borsa di studio Fulbright per andare in America e hanno creato delle *startup* che poi si sono consolidate. Riassumiamo per te queste tre storie, che puoi trovare nel blog (http://blog.startupitalia.eu) con il titolo *Dall'idea all'azienda: tre storie di successo dei "BEST" italiani*. Cambiamo il nome dei ragazzi per rispetto della privacy.
Negli esercizi supplementari trovi alcuni lavori su queste storie, che qui devi solo leggere.

alle spalle

Significa avere l'aiuto di qualcuno (un capitale, una famiglia, un amico), che ci protegge e ci aiuta ad andare avanti, spingendoci da dietro le spalle.

PAROLE CHIAVE

- **Politecnico**: università specializzata in facoltà di carattere operativo, come ingegneria e architettura
- **insoddisfatto**: che non è contento del servizio, che non ha avuto *soddisfazione*, cioè una "risposta positiva"
- **disponibile**: che è *disposto*, cioè "pronto"

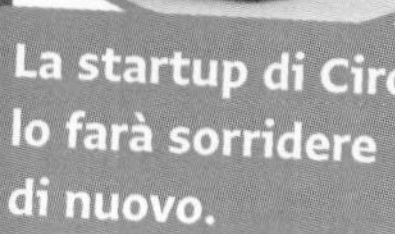

La startup di Ciro lo farà sorridere di nuovo.

Ciro è pugliese, ha 37 anni, una laurea in Ingegneria e un dottorato al Politecnico di Bari. Nel 2010 ha vinto una borsa di studio Fulbright per gli Stati Uniti e la sua vita non è stata più la stessa: dopo questa esperienza, insieme a un imprenditore, ha creato una *startup* che è nata in Italia, ma che oggi è diventata una multinazionale alla conquista del mercato americano.
La *startup* infatti ha preparato un software innovativo, che dà la possibilità alle imprese di dialogare con i propri clienti utilizzando i social network attraverso una piattaforma web per il *social customer relationship management* che si rivolge a clienti insoddisfatti, dialoga con loro, li trasforma in clienti disponibili a riprovare e a collaborare con quell'azienda.
In poco tempo l'azienda ha trovato numerosi clienti e partner in Italia, poi è andata sul mercato americano, dove un fondo di investimenti è entrato nel capitale della società pagando 15 milioni di dollari: un successo! Oggi, l'azienda di Ciro dà lavoro a un centinaio di giovani.

Luigi, 38 anni, è impegnato ormai da tempo nello sviluppo di nuovi modi di conservare la frutta e la verdura senza il bisogno di ricorrere ad antiparassitari che possono essere dannosi. Per questa innovazione è stato premiato con una borsa di studio Fulbright, e poco dopo ha dato vita a un'azienda italiana specializzata in ricerca e sviluppo nel campo dei pesticidi biologici ed eco-compatibili, che ha ricevuto il Premio Nazionale per l'Innovazione. La sua società oggi svolge attività di ricerca, sviluppo e marketing di prodotti naturali innovativi ed eco-compatibili. Inoltre sta svolgendo alcuni servizi industriali i cui guadagni sono interamente investiti in ricerca e sviluppo. Infatti Luigi non ha dimenticato che il suo successo deriva dalla ricerca e così per il suo primo prodotto, il biomoschicida naturale protetto da brevetto internazionale, la società di Luigi ha firmato un accordo con l'Università di Sassari. E su queste basi Luigi sta entrando nel mercato mondiale.

La coccinella è il miglior killer di parassiti

PAROLE CHIAVE

- **antiparassitario**: contro i *parassiti*, cioè "funghi, insetti, batteri" che rovinano una pianta o un frutto
- **pesticida**: un *antiparassitario* che uccide (*-cida*) le *pest*, parola inglese che indica i "parassiti"
- **eco-compatibile**: che è rispettoso (*compatibile*) della natura (*eco*)
- **biomoschicida**: un prodotto che uccide (*-cida*) le mosche in maniera biologica, cioè usando altri insetti anziché prodotti chimici e veleni
- **brevetto**: un riconoscimento ufficiale che stabilisce che una persona o un'azienda ha inventato un prodotto e solo lei può produrlo

◆◆◆

La *** è una startup italiana che opera nel settore aerospaziale, a cavallo tra l'Italia e gli Stati Uniti. La società progetta un software e un meccanismo che distrugge i satelliti artificiali quando non servono più, per evitare che cadano sulla Terra.
L'ideatore di questo modo di "pulire" lo spazio è stato Lamberto, che ha vinto una borsa di studio Fulbright per andare a studiare nella Silicon Valley, dove l'idea è diventata un progetto industriale mentre era stagista alla NASA.
Nelle aule della Santa Clara University, Lamberto ha incontrato anche altri italiani che lavoravano all'estero e insieme hanno crato l'azienda grazie al finanziamento di un fondo italiano: oggi hanno una sede in Europa e una a San Francisco per il mercato americano. Oggi quella di Lamberto e dei suoi amici è l'unica azienda a proporre un sistema per fermare l'aumento continuo di satelliti "morti" attorno alla Terra, l'unica al mondo che ha fatto un primo fondamentale passo per risolvere il problema dell'inquinamento spaziale.

Dove finirà quando sarà fuori uso?

PAROLE CHIAVE

- **a cavallo tra**: quando si va a cavallo si sta con una gamba da una parte e una gamba dall'altra, quindi l'espressione significa che "si sta in due parti allo stesso tempo"
- **ideatore**: persona che ha avuto un'idea

Cominciare nei modi di dire e in un proverbio

Start significa cominciare, iniziare.
Questi sono alcuni modi di dire con questi verbi: abbinali al loro significato.

MODI DI DIRE

a. ◯ cominciare la casa dal tetto
b. ◯ cominciare con la solita canzone
c. ◯ partire da zero
d. ◯ ricominciare da zero / da capo
e. ◯ chi ben comincia è già a metà dell'opera

PROVERBIO

1. Un buon inizio è importante, è metà del lavoro.
2. Iniziare a dire le solite cose, già dette mille volte.
3. Fare successo senza aver avuto capitali all'inizio.
4. Riprovare a fare qualcosa, partendo dall'inizio.
5. Iniziare un progetto con grandi idee, ma senza sostegno, senza sicurezze.

P30/ Trenta | Crea la tua mappa interculturale

Comprensione & produzione

così, colà

Sono due avverbi che indicano due modi diversi di fare o sentire qualcosa.

1 In Italia è così, da altre parti invece è colà.

Le differenze possono essere grandi, evidenti, ma spesso sono le differenze meno visibili che creano problemi di comunicazione interculturale.

Per cominciare questo nostro ultimo *Passo* del B1 ascolta nell' AUDIO 49 questi quattro italiani che vivono all'estero e che ti raccontano alcune di queste differenze. Metti in pausa alla fine di ogni racconto e scrivi le tue risposte.

La borsista Fulbright in USA

Ascolta la storia della borsista e completa.

a. La prima differenza che trova è che in Italia è tutto .... mentre negli Stati Uniti è tutto ....

b. Ripete il concetto dicendo che in Italia ci sono .... regole, ma forse negli Stati Uniti ce ne sono .... poche.

c. Infine indica un'altra differenza: in Italia ci sono tante bellezze e ricchezze ...., mentre negli Stati Uniti tutto deve essere ....

d. Lei vorrebbe ○ vivere in Italia ○ vivere in USA ○ mescolare Italia e USA

Il bancario nei Balcani

Ti diamo una parola chiave: *fingere*, *far finta*, cioè "mostrare agli altri un sentimento non vero": per esempio, se un cibo non ti piace tu *fingi* (o *fai finta*) che ti piaccia, per non offendere chi te l'ha preparato. È una *finzione*.

Ascolta la storia del bancario e completa.

a. Lavora nei Balcani perché è laureato in ○ scienze bancarie ○ lingue slave.

b. Secondo lui le persone che vivono nei Balcani sanno ...., mentre gli italiani ....

c. Una seconda differenza è che con queste persone non c'è bisogno di ...., mentre spesso in Italia lo si fa.

L'esperta di marketing dei mobili in Russia

Le persone che lavorano nel marketing usano molte parole inglesi: *marketing*, *partner*, *joint venture*, *asset*, *globetrotter*, *best seller*. Ne conosci il significato?

Ascolta la storia dell'esperta di marketing e completa.

a. Nel mondo spesso una famiglia ...., mentre in Italia ....

b. Il vantaggio per i figli di famiglie globetrotter sta nel fatto che ...., ma lei vuole che i suoi figli ....

c. Secondo lei, un bambino italiano più provinciale (cioè abituato a una dimensione piccola, di provincia, e non internazionale) è destinato a restare sempre provinciale? ○ sì ○ no Perché?

....

....

L'avvocato internazionale a Monaco

La città moderna gli mette *ansia*, *angoscia*, quasi *paura*: sono tre sensazioni di disagio, cioè che fanno stare molto male. Cerca con i compagni queste parole nella tua lingua madre.

Ascolta la storia dell'avvocato internazionale e completa.

a. Tornerà in Italia? ○ sì ○ no ○ tutto è possibile
Ma lui vorrebbe tornare? ○ sì ○ no

b. Ci sono paesini sia in Baviera sia in Italia: ma quello in cui vive lui è ...., mentre spesso in Italia i paesini non sono ....

c. Nel bar del paese in Baviera beve la ...., ma da italiano lui preferirebbe il .... Non sceglie il vino perché ....

Confronta le tue risposte con la classe, e poi riascolta i dialoghi per un controllo.

2 Che cosa c'è di diverso tra il modo di essere del tuo Paese e gli italiani?

Pensa a che cosa potresti dire in un monologo come quelli che hai ascoltato nell' AUDIO 49 e **butta giù** qualche appunto. Quando sei pronto, spiega al tuo compagno le differenze interculturali che ti sembrano più importanti tra il tuo Paese e l'Italia. Poi ascolta il monologo del tuo compagno. Stai pronto a ripetere le tue idee per tutta la classe, se l'insegnante te lo chiede.
A casa crea un breve testo scritto e invialo all'insegnante.

buttare giù

Scrivere qualcosa in fretta, prendere un appunto, fare rapidamente la scaletta di un testo.

Analisi & sintesi

3 La borsista Fulbright in USA.

Completa il testo inserendo queste parole.

mostra • mostrare • nascondere • nascoste • permesso • possibile • proibito • pubblicizzato • vietato • visibile

Vivo da un anno negli Stati Uniti, dove sono venuta con una borsa Fulbright. La più grande differenza? In Italia tutto è ...., ..., mentre qui negli States tutto è ...., ...
È chiaro che sto esagerando, ma non troppo: in Italia ci sono troppe regole, ma forse qui ce ne sono troppo poche.
Oltre a quella tra proibito e permesso c'è un'altra differenza: quella tra .... e .... In Italia siamo pieni di cose belle .... in paesini, in palazzi, in musei: se non sai che ci sono, non le trovi. Qui negli Stati Uniti tutto è in ...., tutto deve essere ...., tutto è ....
Ah, se potessi fare un mix tra Italia e USA!

a. *Permettere* appartiene alla famiglia di *mettere*, quindi il participio è *per*................. Ricordi altri verbi della stessa famiglia? ....

....

b. *Nascondere* fa parte dei verbi che finiscono in *-ndere*, che al participio passato fa *nasc*................. Ricordi altri verbi della stessa famiglia? ....

....

Confronta le tue scelte con la classe e, a casa, vai a vedere le famiglie di verbi in *-ettere* e in *-ndere* nella lista dei verbi irregolari che trovi online.

4 Il bancario nei Balcani.

Completa il testo inserendo queste parole.

fai finta • fingere • finzione • futuro • immaginare • progettare • ricordare • sognare • vecchi

anzi

Significa che stai per correggere quello che hai appena detto.

Lavoro nei Balcani da ormai tre... **anzi** quattro anni.
Ho lavorato quasi in tutti questi Paesi perché sono laureato in lingue slave, e le capisco tutte. Studio le banche locali **per conto di** un grande gruppo bancario italiano, per capire se sono possibili collaborazioni.
La cosa che mi piace di più di questa gente è che sa ...., sa .... che il .... sarà migliore, mentre in Italia siamo troppo ...., pensiamo a .... e non a .... il futuro.
E poi c'è un'altra cosa: qui non si può .... Appena una .... viene scoperta hai perso ogni credibilità. Questo vale per le cose grandi ma anche per quelle piccole: se una cosa non ti piace, dici semplicemente "non mi piace" e non fai come in Italia, dove .... di non avere più fame...

per conto di

Stai facendo una cosa tu, ma *su indicazione di* qualcun altro, *per conto di* qualcun altro.

Scoprire fa parte di una famiglia di verbi in *-ire* che hanno il participio passato in *-erto*. Ricordi altri verbi della stessa famiglia? ....

Confronta le tue scelte con la classe.

5 L'esperta del marketing dei mobili in Russia.

Completa il testo inserendo queste parole.

cambiare • cambiamenti • famiglia • internazionali • provinciali

La Russia è il quarto Paese straniero in cui lavoro: ogni anno, un posto diverso. Lavoro per un'azienda di mobili, faccio marketing, cerco partner locali per creare delle *joint venture*. La mia azienda è una **tra** le più attente all'internazionalizzazione, cerca contatti in molti Paesi, e una persona come me, sempre disponibile a spostarsi, è un *asset* importante.
Ho intenzione di continuare a fare la *globetrotter* fino a quando non **metterò su** ....
Ecco, questa è una differenza forte tra gli italiani e le altre culture: per noi la famiglia è ferma in un posto, dove i bambini crescono con gli stessi amici, senza mai .... casa, scuola, città e lingua. Certo, i bambini che crescono in ambienti ...., sempre in movimento, sono poi facilitati nella vita, parlano tante lingue, e invece i bambini italiani sono più ....
Ma io voglio per i miei figli una vita tranquilla, che abbia radici: poi, a vent'anni, possono fare come me: cercavo una vita che fosse piena di ...., e allora ho fatto due Erasmus, poi ho cercato l'azienda giusta... ed eccomi qui, in Russia, dove i mobili italiani sono i best seller.

tra, fra

Di solito indicano quanto manca a un evento (*Ci vediamo* ***tra / fra*** *un'ora*) o dove si trova qualcosa (*Il documento è* ***tra / fra*** *i libri*).
Nei superlativi introdotti da *il/la/i/le*, le preposizioni *tra / fra* possono introdurre il gruppo nel quale quello di cui stiamo parlando è super: *La mia azienda è una* ***tra / fra*** *le più attente al mondo.*

mettere su

Significa "creare", "costruire" e si usa con *famiglia*, *casa*, *azienda* e altre parole simili.

La parola *internazionalizzazione* deriva da *nazione* → *nazion-* + *-ale* → *inter-* + *nazionale* → *internazional-* + *-izzare* → *internazionalizza+zione*. Per capire parole così lunghe, ti conviene sempre smontarle, come abbiamo fatto qui.
Il suffisso *-izzare* trasforma gli aggettivi in *-ale / -are* in verbi, per esempio *generale* → ...., *regolare* → .... Questo suffisso serve anche per creare altri verbi: per esempio da *pubblicità* deriva un verbo che hai inserito nell'**ES. 3**: ....

6 L'avvocato internazionale a Monaco.

Mentre leggi, fai attenzione al significato delle parole spiegate nei post-it.

A meno che non ci siano ragioni particolari - tutto è possibile, il futuro è un libro tutto da scrivere - non credo che ritornerò in Italia. Per il mio lavoro, devo **per forza** essere nel centro delle città, **visto che** faccio l'avvocato internazionale. Sono specializzato in diritto italiano e tedesco, quindi le aziende italiane in Germania e quelle tedesche in Italia hanno bisogno di me. Ma io odio le città. Non riesco a viverci, mi viene ansia, angoscia, quasi paura: ho bisogno di vivere in campagna.
In Italia ci sono borghi e paesini meravigliosi in campagna, ma i servizi spesso sono pochi e il collegamento con le città è difficile, lento.
Qui a Monaco di Baviera ho lo studio in centro, ma vivo fuori città, in un paese in mezzo ai boschi - ma questo paesino è collegato al centro con la metropolitana: in 25 minuti sono in centro a Monaco, e appena finisco il lavoro in 25 minuti sono al bar al centro del paese e mi bevo una birra con gli amici. Be', preferirei il vino, ma se bevo vino gli amici tedeschi mi **guardano storto**, sembra che voglia fare il diverso...

a meno che

A meno che (sempre seguito dal congiuntivo) significa ○ se ○ poco.

visto che

Visto che significa
○ poiché
○ dopo aver visto.

per forza

Per forza significa
○ forse
○ obbligatoriamente.

guardare storto

Guardare storto significa ○ essere ○ non essere d'accordo con qualcuno.

P30 | Guardiamoci intorno

Problemi di comunicazione interculturale fra te e gli italiani

Siamo giunti alla fine del percorso B1: hai dedicato molto tempo alla cultura e alla civiltà italiana e adesso puoi diventare autonomo nel creare una *tua* mappa interculturale. Sarà un lavoro che puoi continuare a fare per tutta la vita.

Al centro della pagina trovi uno schema che include quello che serve per poter dire "so una lingua": *saper comunicare* (in italiano, ma anche in altre lingue, inclusa la tua madrelingua) vuol dire avere delle "grammatiche" nella mente, e saperle realizzare nella realtà attraverso le abilità (*parlare*, *leggere* ecc.).

Ognuna di queste grammatiche può creare dei problemi quando le persone che comunicano sono di culture diverse. Eccoti una mappa dei problemi, che trovi anche nell'indice online: con questo indice puoi creare la *tua* mappa. Ricorda però che, come diciamo spesso, *l'Italia è lunga*, cioè ci sono molte differenze tra Nord, Centro e Sud.
Qui trovi delle sintesi dei possibili punti critici, cioè delle difficoltà nella comunicazione tra italiani e persone del tuo Paese.

Un ultimo commento: oltre a imparare a leggere, scrivere ecc., se vuoi comunicare bene nel mondo, che è fatto di culture diverse, devi sforzarti di sviluppare le competenze "relazionali", cioè il modo in cui entri in relazione con gli altri: non giudicare subito quello che vedi. Se ti sembra strano, informati e di' "Nel mio paese questo gesto è volgare, ma voi italiani lo usate spesso: da voi è volgare?".
Se vedi gli altri come *strani*, pensa che gli altri stanno vedendo *te* come strano...

GRAMMATICHE LINGUISTICHE

Qui le differenze non sono molte. Le differenze principali di solito riguardano:

- il tono della voce (ricorda che al Sud è più alto che al Nord);
- alcuni aspetti grammaticali delicati, per esempio: come fare una domanda, come dire *no*, come paragonare cose o persone senza offendere chi è *meno... di...*;
- alcuni aspetti lessicali, tra cui l'uso delle parolacce;
- alcuni atti comunicativi: salutare, ringraziare, presentarsi ecc.: nel *sillabo* all'inizio di ogni volume trovi un elenco degli atti comunicativi suddivisi per le varie funzioni generali della lingua.

GRAMMATICHE EXTRALINGUISTICHE

Qui i problemi ci sono e sono tanti: da un lato un errore nei gesti o in un regalo ecc. può essere più grave di un congiuntivo sbagliato; dall'altro i gesti, le espressioni ecc. ci sembrano universali, e non ci rendiamo conto che invece in ogni cultura sono diversi (come hai visto in A2).

- Gesti con la testa, le mani, i piedi, il corpo: quali gesti ci sono nella tua cultura e non in Italia o viceversa? Quali gesti hanno significati diversi? Quali sono considerati volgari nel tuo Paese e non in Italia, o viceversa? ....
- Espressioni del viso: si possono fare? Con quale forza e chiarezza? Che cosa significano? Ci sono differenze tra il tuo Paese e l'Italia? ....
- Distanza tra le persone: in quali casi si è "troppo vicini" oppure "troppo lontani" dalla persona con cui si parla? In quali situazioni ci si alza in piedi per mostrare rispetto? ....
- Oggetti che comunicano qualcosa: abbigliamento formale e informale, divise e uniformi ufficiali; regali (che cosa si regala? si apre il pacchetto del regalo oppure no? che fiori si possono regalare? ecc.); offerta di sigarette o alcol ecc. ....

ABILITÀ LINGUISTICHE E RELAZIONALI

Le *grammatiche linguistiche* ed *extralinguistiche* che abbiamo nella mente si realizzano nel mondo reale attraverso le *abilità*: *capire*, *parlare*, *leggere*, *scrivere*, *dialogare*, *tradurre* ecc.
Ma in ogni cultura esistono delle regole particolari, e noi ti consigliamo di scoprirle almeno per il *saper dialogare*.

- In quali situazioni si può passare dal *lei* al *tu*, cioè dal formale all'informale? ....
- Si può interrompere qualcuno mentre parla? Quando e come? ....
- Ci sono vari modi di comunicazione, per esempio attaccare, dire quello che si pensa, oppure muoversi con prudenza. Se si deve dire di *no* si può essere diretti oppure usare la forma *sì... ma...*
Sono tutte strategie comunicative diverse, che in alcune culture sono positive in altre sono perdenti.

EVENTI

In ogni cultura i vari *eventi sociali* hanno delle regole: in che cosa sono diversi, in Italia e nel tuo Paese, questi eventi?

- una lezione: ....
- una cena: ....
- un incontro con gli amici al bar: ....
- una trattativa: ....
- una grigliata o un barbecue: ....
- un corteggiamento tra innamorati: ....
- altro? è una lista aperta che puoi completare negli anni: ....

E

ALR

realtà

GRAMMATICHE SOCIO-CULTURALI

Ci sono regole *sociali* della comunicazione, per esempio l'opposizione *formale / informale* nella lingua, nel vestiario, nei gesti, negli eventi. Ma le regole *culturali* sono molto più pericolose, perché sono dei *software* nascosti nella mente, che non vediamo perché li abbiamo dentro fin da piccoli e ci sembrano naturali. Per esempio, che differenza c'è tra gli italiani e le persone della tua cultura nei seguenti campi?

- Senso del tempo, della puntualità, dell'uso del proprio tempo in un dialogo, in una riunione ecc. Un esempio: pensa che in molte culture il giorno non comincia con l'alba, con il sorgere del sole, ma comincia con la notte, inizia dal tramonto; a noi italiani e forse anche a te sembra impossibile... Com'è il senso del tempo nel tuo Paese?
- Rispetto sociale (e quindi anche linguistico e comunicativo) per le donne, i disabili, gli omosessuali, i poveri ecc.: è un rispetto vero o solo finto? E come si realizza linguisticamente?
- L'idea di che cosa sono la scuola, la conoscenza, un esame, un professore, uno studente, un compagno (in alcune culture molto competitive un compagno è qualcuno che devi superare, in culture più collaborative è una persona con cui lavorare per imparare meglio).
- La gerarchia: come si mostra, nella comunicazione linguistica e non linguistica e negli eventi sociali? Come si usano la lingua, i gesti, la distanza tra le persone per mostrare rispetto?

Questa è una lista aperta, come vedrai nel file del sito che ti serve come guida per la *tua* grammatica interculturale!

Il piacere dell'italiano | 10

Il maggior genio Made in Italy, e forse dell'umanità intera

Il nome di Leonardo richiama alla nostra mente il suo autoritratto da vecchio (→ **Il piacere dell'italiano 9**), ma dobbiamo invece immaginarlo molto alto, bellissimo, grande danzatore, vincitore di premi come musicista: un insieme di vitalità e raffinatezza, di allegria... ma anche di serietà professionale, come vedremo.

Un cattivo studente

Leonardo nasce nel 1452 in un paesino toscano, Vinci, e cresce in campagna, con un'educazione irregolare che gli lascia molto tempo per pensare e per giocare; in quegli anni "gioca" a scrivere al contrario, in modo che si possa leggere solo guardando la pagina allo specchio: continuerà a scrivere in quel modo per tutta la vita.

Il padre capisce che non è un ragazzino come gli altri e decide di portarlo a Firenze. Qui Andrea del Verrocchio, un grande pittore del Rinascimento, prende Leonardo nella sua "bottega", nel suo laboratorio: i suoi compagni erano Botticelli, Perugino, Ghirlandaio... Ma anche qui Leonardo non è un buono studente: comincia a studiare mille cose diverse e si stanca subito, cambia continuamente i suoi interessi...

L'inizio come pittore e scultore

A vent'anni, Leonardo è già nominato in alcuni documenti come "pittore": continuerà a dipingere per tutta la vita, e la pittura sarà la sua professione principale. Fa anche delle sculture, ma non gli piace molto, perché c'è poco da inventare, mentre nella pittura, in un'epoca in cui i colori venivano creati dai pittori stessi con terre, piante ecc., Leonardo poteva sperimentare tutto. Uno dei grandi problemi del restauro dei suoi quadri è proprio che spesso non si capisce in che modo abbia creato alcuni colori, soprattutto quelli usati per le sfumature più delicate...

L'arrivo a Milano: musicista, ingegnere, e ancora pittore e scultore

Lorenzo dei Medici, duca di Firenze, era colui che manteneva l'equilibrio tra i tanti Stati indipendenti in Italia, spesso in guerra tra loro. Uno dei suoi modi per mantenere i contatti con gli altri duchi e principi era di "prestare" loro dei giovani artisti, che diventavano quasi degli ambasciatori. Leonardo, a circa trent'anni, viene mandato a Milano, una delle poche città europee sopra i 100.000 abitanti.

All'inizio le cose non sono facili, anche perché a Milano non capivano il fiorentino (quello che oggi è l'italiano). Ma successivamente la genialità di Leonardo trova lo spazio che le serve: viene incaricato di rifare le difese militari, di costruire nuovi canali per i trasporti e l'irrigazione, di progettare un porto *a Milano*, a 300 chilometri dal mare, di costruire palazzi, di fare ritratti e quadri, di fare una monumento in bronzo per il duca Sforza – ma anche di fare le scene per il teatro e per le feste di corte, dove spesso partecipava come ballerino e come musicista...

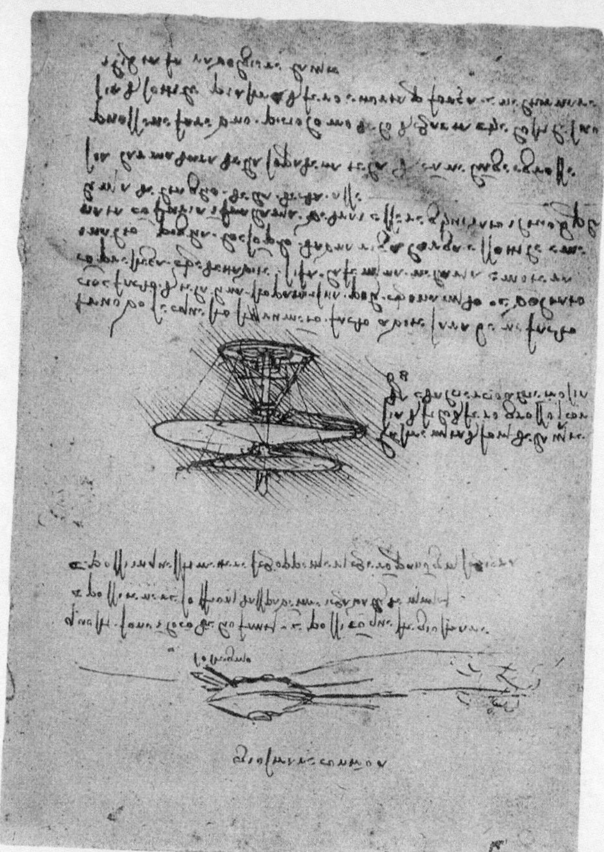

Leonardo quarantenne: l'inventore, lo studioso del corpo umano

In questi anni milanesi Leonardo riprende i suoi studi di anatomia, comprando cadaveri per capire come funziona il corpo umano.

Nel 1499 i Francesi conquistano il ducato di Milano e Leonardo deve fuggire: è ospite di alcuni duchi, poi va a Venezia, nella Repubblica Serenissima, dove lavora come ingegnere militare; poi va a Roma, torna a Firenze, e infine va a Urbino dove lavora con Cesare Borgia, per il quale inventa un nuovo tipo di polvere da sparo che dà più forza ai cannoni. Questo continuo viaggiare lo affatica: è un uomo di ormai cinquant'anni, e in quegli anni significa che è ormai anziano. Inoltre in Italia è arrivato un altro genio, di vent'anni più giovane: Michelangelo. Tra i due non ci sarà mai amicizia, anzi...

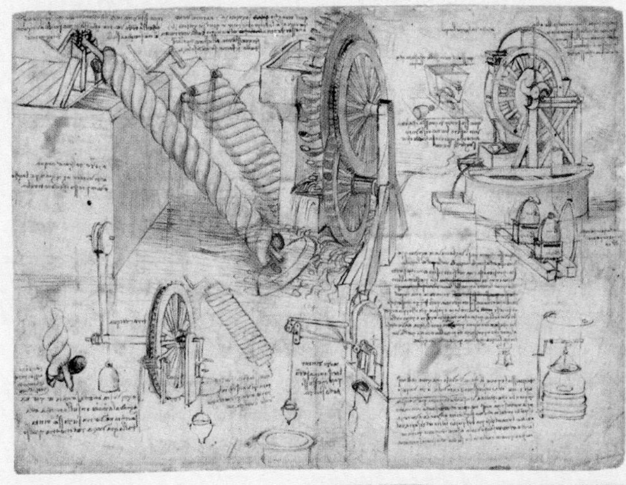

Gli ultimi anni, lo studio del volo, le macchine volanti, l'energia solare

Intorno ai cinquant'anni Leonardo dipinge il ritratto di Monna Lisa, il quadro più famoso del mondo, e negli anni seguenti lo porta con sé in ogni viaggio. In questi anni studia il volo degli uccelli, e comincia a progettare macchine volanti – una follia, per quei tempi! Così come è folle un progetto che fa a Roma per riscaldare l'acqua con l'energia solare.

I Francesi, ormai padroni di Milano, studiano quello che Leonardo aveva costruito come ingegnere, pittore, architetto e gli chiedono di tornare al Nord: Leonardo va a Milano e ci rimane fino ai sessant'anni, quando la guerra tra Francesi e Lombardi lo spinge a viaggiare ancora, Stato dopo Stato! A sessantacinque anni fa un viaggio ancora più difficile: va in Francia, su invito del re Francesco I, che gli dà una ricca pensione.

Vive sereno, continua a dipingere, a costruire e a studiare in pace. L'ultima cosa che scrive nei suoi quaderni di geometria è del giugno 1518: «eccetera, perché la minestra si fredda». Anche i geni dell'umanità amano la minestra calda... Muore un anno dopo.

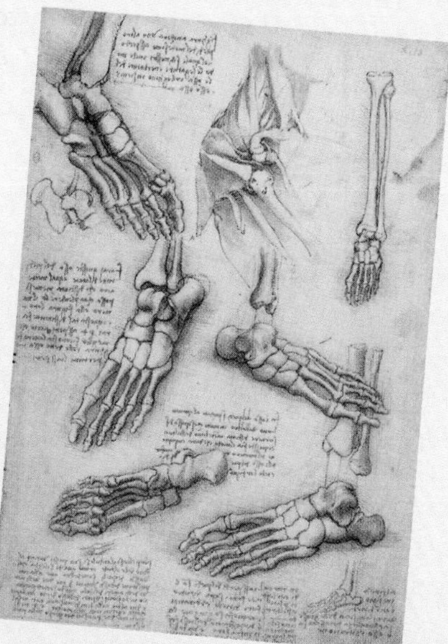

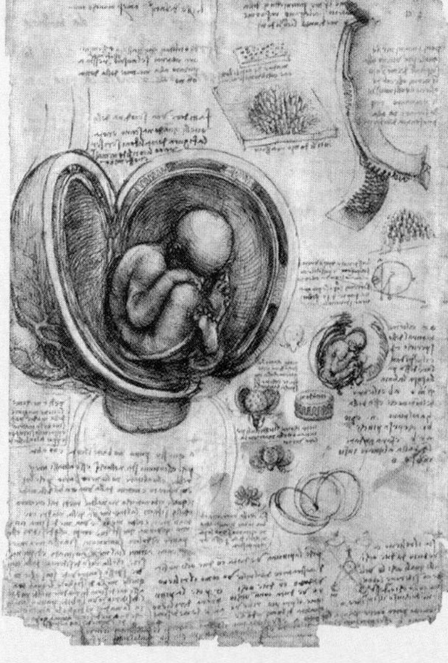

Palestra di italiano

1 Riscrivi le frasi in corsivo usando *ne*.

a. Questo caffè è molto buono. *Vuoi un po' di caffè?* → Ne vuoi un po'?
b. Trovare degli alberghi liberi è difficile. Prenota presto *se vuoi trovare un albergo libero.* → ....
c. Hai comprato una guida della Sardegna. *Se non hai nessuna guida*, prendi questa. → ....
d. Se sei stanco *puoi andare via da qui.* → ....
e. Luigi è rimasto senza soldi, *devo dare un po' di soldi a lui.* → ....
f. Sono senza vino: quando vieni *porta a me un po' di vino.* → ....

2 Dopo un esercizio di lingua, facciamo un po' di palestra culturale.

Quelli che vedi nelle immagini sono i cinque compositori più rappresentati nel mondo.

a. Vicino a ogni immagine scrivi:
- i loro nomi propri
- le date della loro vita (mentre le scrivi, pronuncia gli anni ad alta voce):
  1756-1791 • 1792-1868 • 1813-1883 • 1813-1901 • 1858-1924
- almeno due titoli di opera per ogni compositore

b. Confrontati con i compagni per verificare la correttezza delle informazioni che hai inserito. Infine, lo studente che ha ricordato più titoli di opere diventa il vostro direttore d'orchestra!

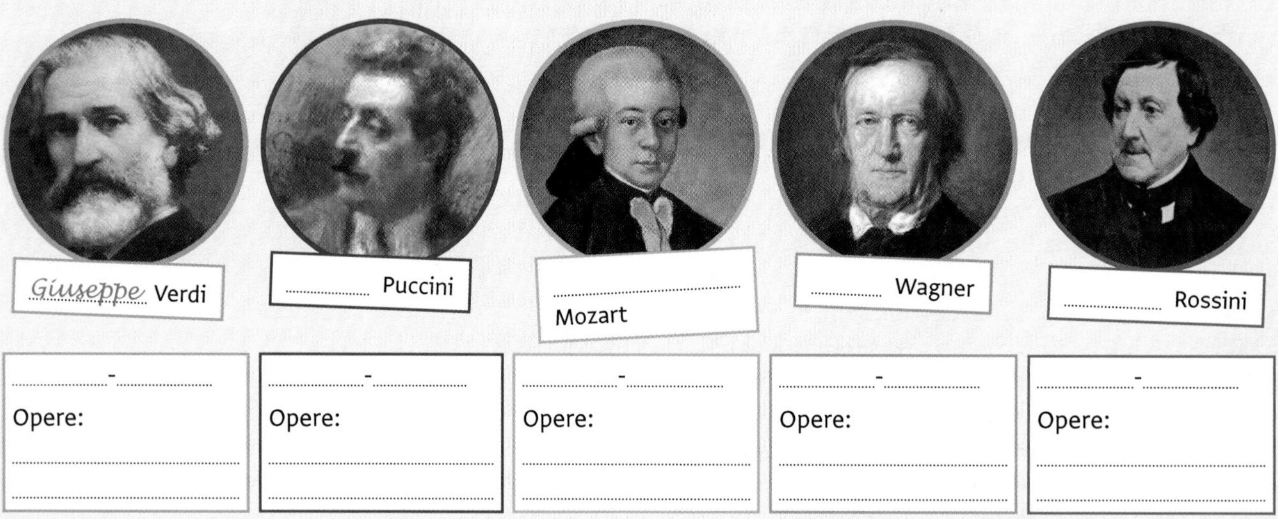

Parlare nei modi di dire

- **parla arabo / ostrogoto / turco**: parla in modo ○ chiaro ○ incomprensibile
- **mi pare di parlare a un sordo / al muro / al vento**: mi sembra di parlare a una persona che ○ vuole ○ non vuole ascoltarmi
- **è uno che parla solo perché ha la lingua in bocca / solo per dar aria ai denti**: è uno che ○ ha molto ○ non ha niente di interessante o di importante da dire
- **è uno che parla dietro le spalle**: è una persona di cui ○ ci si può fidare ○ non ci si può fidare
- **parlare a nuora perché suocera intenda**: *intendere* vuol dire "capire", quindi questo modo di dire significa che si parla a una persona (*nuora*), ma il discorso è diretto a un'altra persona (*suocera*), alla quale non possiamo parlare direttamente perché è una persona anziana, è importante ecc.

3 Adesso facciamo esercizio ma anche un po' di riflessione.

a. Completa le frasi inserendo *affinché* o *nonostante* e il verbo nella forma corretta.

1. Devi stare attento ai congiuntivi, ...nonostante... tu (*essere*) ...sia... già alla fine del B1: li sbagliano anche molti italiani, ... (*loro, essere*) .... dei madrelingua!
2. Dopo che hai scritto un testo, è meglio rileggerlo, ... tu (*essere*) .... certo che è corretto. Comunque, a fine B1, dovresti essere in grado di sentire se una frase funziona oppure no: devi fare molte attività di ascolto .... questa capacità (*svilupparsi*) ....
3. .... tu (*studiare*) .... italiano in Australia, basta navigare su YouTube per trovare testi autentici in italiano.

b. Nei casi in cui hai usato *affinché*, che è una congiunzione piuttosto formale, puoi usare *perché* + congiuntivo.

1. Dopo che hai scritto un testo, è meglio rileggerlo, ... tu (*essere*) .... certo che è corretto.
2. Devi fare molte attività di ascolto .... questa capacità (*svilupparsi*) ....

c. Ancora più semplice e informale è l'uso di *per* (che è la preposizione più comune per indicare uno scopo) + infinito.

1. Dopo che hai scritto un testo, è meglio rileggerlo, ... (*essere*) .... certi che è corretto.
2. Devi fare molte attività di ascolto .... (*sviluppare*) .... questa capacità.
3. Basta navigare su YouTube .... (*trovare*) .... testi orali in italiano.

4 Trova l'intruso, cioè l'elemento che non c'entra con il resto del gruppo.

a. spaghetti • carote • maccheroni • fusilli • penne
b. spaghetti • carote • piselli • spinaci • pomodori
c. salame • mortadella • prosciutto • salsiccia • parmigiano
d. parmigiano • mozzarella • ragù • gorgonzola • pecorino
e. caffè • cappuccino • tè • birra • caffelatte
f. grappa • prosecco • birra • barolo • latte

Ne nei modi di dire

NON NE POSSO PIÙ DELLA VITA IN CITTÀ, VOGLIO ANDARMENE DA QUI, NON VOGLIO TORNARMENE IN CITTÀ, NON SO COSA FARMENE DELLA VITA MODERNA!

Ne è usato in molti modi di dire, come quelli che vedi nei fumetti e che hai trovato nelle descrizioni dell'AUDIO 42:

- **non poterne più**: Se non .... delle grandi città, vieni qui.
- **andarsene via**: Se ti siedi sull'erba nei grandi parchi delle ville palladiane non vorrai più ....
- **tornarsene**: Perché .... nel caos del Ventunesimo secolo?
- **farsene**: Qui non sai che cosa .... dell'aria condizionata.

In alcuni casi *ne* non si riferisce a qualcosa appena detto, ma alla situazione in cui ci si trova, come nella foto a destra. Attento, però: la forma *averne le palle piene* è molto, molto volgare. La trovi qui nel libro perché forse, parlando con degli italiani, ti capiterà di sentirla.

NON NE POSSO PIÙ, NE HO LE PALLE PIENE!

5 **Usa il futuro + *anche* per prendere le distanze da qualcuno.**

a. Forse è vero che lui mi ama, ma non ci credo. → *Sarà anche vero che lui mi ama, ma non ci credo.*
b. Forse ha molti soldi, ma a me non piace. → ....
c. Ci sono molte donne che lo vorrebbero, ma a me non interessa. → ....
d. Suppongo sia molto affascinante, ma se lo ascolti parlare per un'ora è un disastro. → ....

6 **Indica qual è lo scopo di queste frasi: imporre / dire che cosa fare (I), convincere / consigliare (C) o spiegare (S).**

a. È meglio stare attenta, se esci con un ragazzo ricchissimo, Ⓘ Ⓒ Ⓢ
b. può avere il portafogli pieno ma la testa vuota: Ⓘ Ⓒ Ⓢ
c. per favore, ricorda queste mie parole, se ne trovi uno! Ⓘ Ⓒ Ⓢ
d. Stai attenta a non basarti solo sulle cose che si vedono, Ⓘ Ⓒ Ⓢ
e. perché spesso quello che non si vede è più importante: Ⓘ Ⓒ Ⓢ
f. spero che tu mi creda, è importante, davvero, Ⓘ Ⓒ Ⓢ
g. perché sai che io penso sempre e solo al tuo bene. Ⓘ Ⓒ Ⓢ

7 **Crea quanti più aggettivi puoi con questi suffissi. Poi confronta la tua lista con la classe.**

a. -ale *abituale*
b. -ico ....
c. -oso ....
d. -ivo ....
e. -ese ....
f. -ino ....
g. -ano ....

8 **Crea i nomi che derivano da *gatto* usando *-ino*, *-accio*, *-uccio*, *-one*.**

....

9 **Quanti nomi di mestiere ricordi con questi suffissi? Scrivili e poi confronta la tua lista con la classe.**

a. -iere *cameriere*
b. -ista ....
c. -aio ....
d. -ico ....
e. -ore/oressa ....
f. -tore/trice ....
g. -ante ....

10 **Quanti nomi puoi creare con questi suffissi? Scrivili e poi confronta la tua lista con la classe.**

a. -ità capacità
b. -anza
c. -enza
d. -ezza

11 **I nomi degli abitanti delle città e delle nazioni sono terribili! Scrivi tutti quelli che ricordi basandoti sui vari esempi.**

Milano

milan*ese*,

Venezia

venezi*ano*

Firenze

fiorent*ino*

12 **Nelle frasi sottolinea le forme del passato remoto (attento, in un caso non c'è) che ti sono state anticipate in P28.**

a. Negli anni Sessanta arrivavano sempre più inglesi; una volta arrivò anche Laurence Olivier.
b. Molti giovani andavano a Milano o a Torino a lavorare, ma Bernardo continuò a fare il muratore nel suo Paese.
c. Negli anni Dieci del Duemila hanno cominciato ad arrivare i russi.
d. Quando arrivarono gli inglesi, nessuno pensò che in pochi anni il Chianti sarebbe diventato Chiantishire.

13 **Il futuro può indicare azioni che avverranno, ma serve anche per esprimere delle ipotesi o per dire delle cose su cui non si è totalmente sicuri. Sottolinea nelle frasi il secondo tipo di futuro, quello ipotetico.**

a. Saranno quarant'anni che gli inglesi hanno conquistato il Chianti, ma tra poco tempo saranno una minoranza, perché stanno arrivando nord-europei e russi.
b. Dici che sono vecchio? Sarà anche vero, ma il fatto che io sia vecchio non significa che non capisca come si evolvono le cose: arriveranno sempre più stranieri, vedrai, e i nostri figli non troveranno più una casa in cui vivere!
c. Quando sono arrivati i primi russi? Sarà stato il 2000 o 2005, non prima.

14 **Usa *mica* al posto di *non*, prima del verbo, oppure per rafforzare il *non* dopo il verbo, come nell'esempio.**

a. *Non* mi piace il vino. → *Mica mi piace il vino. / Non mi piace mica il vino.*
b. *Non* ci vado. →
c. *Non* amo Paolo. →
d. *Non* suona bene. →

15 **I verbi irregolari sono spesso simili tra loro e formano una "famiglia". Scrivi questi verbi nella famiglia corretta.**

RICORDA CHE ONLINE TROVI L'ELENCO DEI PRINCIPALI VERBI IRREGOLARI ITALIANI. LÌ TROVI ANCHE LE PRINCIPALI "FAMIGLIE" DI VERBI IRREGOLARI.

~~aggiungere~~ • ~~ammettere~~ • apprendere • ~~aprire~~ • ~~comporre~~ • ~~comprendere~~ • contenere • coprire • correggere • disporre • leggere • mettere • nascondere • offrire • permettere • prendere • promettere • ~~proteggere~~ • raggiungere • ~~rispondere~~ • scoprire • smettere • sorprendere • spingere • tenere

a. Hanno alcune persone del presente in *-ong-* : *comporre*
b. Hanno il participio passato in *-messo*: *ammettere*
c. Hanno il participio passato in *-erto*: *aprire*
d. Hanno il participio passato in *-nto*: *aggiungere*
e. Hanno il participio passato in *-etto*: *proteggere*
f. Hanno il participio passato in *-osto*: *rispondere*
g. Hanno il participio passato in *-eso*: *comprendere*

16 **Il cruciverba di causa / effetto: inserisci nel cruciverba questi connettori di causa effetto.**

dunque • siccome • poiché • di consegnuenza • quindi • per • visto che • perciò • perché • dato che • gerundio • per cui • da qui

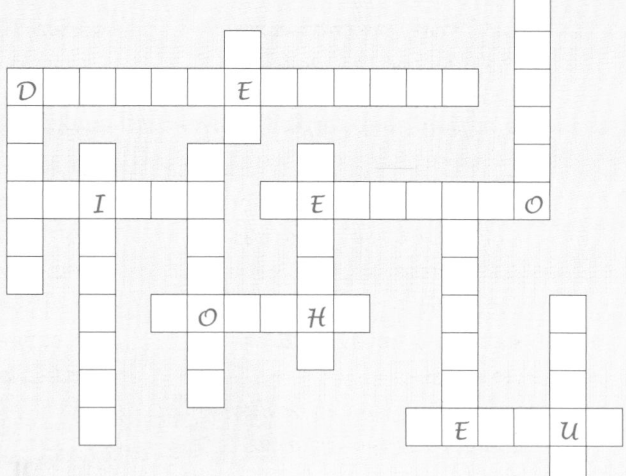

17 **Completa queste frasi, introducendo un cambiamento di opinione dopo *anzi*.**

a. Mi piacerebbe andare al mare, *anzi* ....

b. Questa sera andiamo a mangiare la pizza, *anzi* ....

c. Secondo me è meglio se andiamo al cinema, *anzi* ....

18 **Completa le frasi con queste espressioni.**

a meno che • per forza • visto che • guardare storto

a. ..*Visto che*.. abbiamo tutto il pomeriggio libero, potremmo andare un po' in spiaggia.

b. Per andare al mare serve .... un giornata intera: non basta mezza giornata.

c. Non mi ....: vorrei andare al mare, ma non possiamo farlo in poche ore.

d. .... non ci mettiamo a volare e arriviamo al mare in meno di due ore.

LESSICO RILEVANTE PRESENTATO IN U5

- accorgersi, riempire, svuotare, voltarsi, convenire, evitare, sorprendere, avere luogo
- cifra, quota, tutto incluso, comprendere, vitto, alloggio
- equilibrio, (la) pace, tranquillità, nevrotico, non poterne più, non sapere che cosa farsene
- duomo, (la) cattedrale, affresco, sito, patrimonio dell'umanità, storto, inclinato, pendente
- fingere, far finta, finzione, (la) imitazione, falso
- eccellenza, finitura, cura, sapienza, manualità, materia prima
- abitacolo, tettuccio, accessorio
- fisica, matematica, chimica, biologia, anatomia, elettricità, (il) generatore elettrico, batteria, pila, energia nucleare, energia solare, (le) onde radio
- (il) borsista, bancario, esperto, avvocato

Vai al *Lessico* di U1-U2-U3-U4.

Guarda le sezioni di lessico alla fine delle unità precedenti e sottolinea le parole che ancora non ricordi. Continua a farlo, guardando anche questo riquadro, anche dopo la fine del corso di italiano.

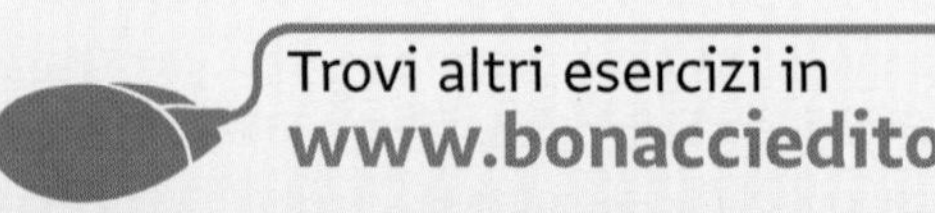
Trovi altri esercizi in
www.bonaccieditore.it

INDICE ANALITICO DELLA GRAMMATICA E DEGLI AMBITI LESSICALI

Referenze fotografiche:

(ove non diversamente indicato, le referenze sono indicate dall'alto verso il basso, da sinistra a destra, in senso orario. *a*= alto; *b*=basso; *c*=centro; *dx*= destra; *s*=sinistra)

P. 9: © wavebreakmedia/Shutterstock.com; p.11: © Syda Productions/Shutterstock.com; p.12: http:/just-startkidsandschools.com; p. 13: © StockLite/Shutterstock.com; p. 14: © Johan Larson/Shutterstock.com; p. 15: www.online-star-news.com, © 2010 Farabolafoto, http:/www.robadadonne.it, http:/wikitesti.com, © C.Savan/Shutterstock.com, © 2010 Photos.com; p. 17: © Africa Studio/Shutterstock.com, © cmgirl/Shutterstock.com, © Robert Kneschke/Shutterstock.com, © Alliance/Shutterstock.com; p. 18: © Dmitry Kalinovsky/Shutterstock.com, © Iakov Filimonov/Shutterstock.com, © vetkit/Shutterstock.com, © harper kt/Shutterstock.com, michele.bellofiore, 2007/flickr.com, © Grekov's/Shutterstock.com; p. 19: © neelsky/Shutterstock.com; p. 20: http:/www.smarknews.it, © lev radin/Shutterstock.com, © Diego Cervo/Shutterstock.com, © Iakov Filimonov/Shutterstock.com, © Raffaello Bencini/Archivi Alinari, Firenze, © imageshunter/Shutterstock.com; p. 21: © Foto Scala, Firenze, http:/www.lionspalermodeivespri.it, © adoc-photos/Corbis; p. 23: www.festivalblogosfere.it, http:/www.esc-plus.com, A.Carotta, 2015, Associated Press, http:/bimag.it, Pottercomuneo, 2015/Wikimedia.com, http:/gds.it, http:/wikitesti.com, http:/gds.it, http:/www.huffingtonpost.it, http:/1080.plus; p. 24: © Rue des Archives/TipsImages; p. 25: Gribaudo, 1995, Ralf Roletschek, 2014/Wikimedia.org; p. 26: http:/tvzap.kataweb.it, J.Burke, 2007, © ssuaphotos/Shutterstock.com, © Adisa/Shutterstock.com, © Tupungato/Shutterstock.com, Taxi Olbia.infotaxi.org, http:/www.fsnews.it, Luigi Chiesa, 2008/wikimedia.org; p. 27: http:/www.asalerno.it, © Monkey Business Images/Shutterstock.com, © Pedro Monteiro/Shutterstock.com; p. 28: © stefanolunardi/Shutterstock.com, Gemenacom/Shutterstock.com, © TK Kurikawa/Shutterstock.com, © TK Pressmaster/Shutterstock.com; p. 29: Luca Fascia, 2009/Wikimedia.org, http:/www.davaz.it, © Lester Balajadia/Shutterstock.com, http:/romamigliore.blog.tiscali.it, M.C. Pavoni/Archivio Loescher, http:/tuttoggi.info, © P.Bona/Shutterstock.com; p. 30: © Antonio Guillem.com; p. 33: © koya979/Shutterstock.com, © Sashkin/Shutterstock.com, © 2010 Photos.com, © Ansis Klucis/Shutterstock.com, © NADKI/Shutterstock.com, © irin-k/Shutterstock.com, © Lucie Lang/Shutterstock.com, © Timothy Geiss/Shutterstock.com, © John Kasawa/Shutterstock.com; p. 34: © Fotoluminate LLC/Shutterstock.com, © Ievgenia Tkach/Shutterstock.com, © KKulikov/Shutterstock.com, © Gandolfo Cannatella/Shutterstock.com, © Vasily Smirnov/Shutterstock.com, © StockLite/Shutterstock.com; p. 35: © Jason Stitt/Shutterstock.com; p. 38: Italia, 1946/PAOLO WILLIAM TAMBURELLA PER SOCIETA' COOPERATIVA ALFA CINEMATOGRAFICA/ENIC - NUOVA ERI, GENERAL VIDEO, SWAN VIDEO, SKEMA, FONIT CETRA VIDEO, AB VIDEO, VIDEOGRAM, MONDADORI VIDEO, DOMOVIDEO, SAN PAOLO AUDIOVISIVI, Italia, 1946/ROBERTO ROSSELLINI PER O.F.I. - ROD – GEIGER/MGM - DOMOVIDEO, MONDADORI VIDEO, VIDEOGRAM, SWAN VIDEO, NUOVA ERI, 20TH CENTURY FOX HOME ENTERTAINMENT; p. 39: ©) RMN-Grand Palais (musée du Louvre) / Michel Urtado- Réunion des Musée Nationaux/ distr. Alinari, Harenberg Vialender Verlag, 2001, © MaPaSa/Shutterstock.com, sanfrancisco.about.com ; p. 44: http:/retailfood.it, © IM_photo/Shutterstock.com, © MiloVad/Shutterstock.com, blog.hemmings.com, © S-F/Shutterstock.com, © LifetimeStock/Shutterstock.com, © wavebreakmedia/Shutterstock.com, © Norman Pogson/Shutterstock.com, © Andrey_Popov/Shutterstock.com, © Iablonskyi Mykola/Shutterstock.com, © Ljupco Smokovski/Shutterstock.com, © Dean Drobot/Shutterstock.com, © Leela Sae-ang/shutterstock.com, © Shaun.P/Shutterstock.com, p. 45: © auremar/Shutterstock.com, © Kurhan/Shutterstock.com, © Kzenon/Shutterstock.com, © 2010 Photos.com, © 2010 Photos.com; p. 46: © Elena Elisseeva/Shutterstock.com, © goodluz/Shutterstock.com, © Curtan/Shutterstock.com, © Goodluz/Shutterstock.com, © Lichtmeister/Shutterstock.com; p. 50: http:/www.firenzepost.it; p. 51: © Helder Almeida/Shutterstock.com; p. 55: Meitu Photos/ http:/202.194.48.102/englishonline/culture/ChinaCulture/ChinaCulture/en_focus/2005-09/29/content_73662.htm, © Andrea Danti/Shutterstock.com, © Luis Molinero/Shutterstock.com, © Christian Kieffer/Shutterstock.com; p. 56: © Syda Productions/Shutterstock.com, © Hong Vo/Shutterstock.com, © Goran Djukanovic/Shutterstock.com, © Feng Yu/Shutterstock.com; p.57: © Phovoir/Shutterstock.com, © StockLite/Shutterstock.com; p. 58: © Ollyy/Shutterstock.com; p. 60: © Image Point Fr/Shutterstock.com, © Image Point Fr/Shutterstock.com, © goodluz/Shutterstock.com, © Monkey Business Images/Shutterstock.com, © goodluz/Shutterstock.com, © Phovoir/Shutterstock.com; p. 61: © Image Point Fr/Shutterstock.com, © Michal Vitek/Shutterstock.com © Image Point Fr/Shutterstock.com, © goodluz/Shutterstock.com, © Monkey Business Images/Shutterstock.com, © goodluz/Shutterstock.com, © Phovoir/Shutterstock.com; p. 62: © Aleksandar Mijatovic/Shutterstock.com, © Minerva Studio/Shutterstock.com; p. 63: © Seregam/Shutterstock.com, Basilica Inferiore di San Francesco, Assisi, Famiglia Leopardi Recanati, Miscellanées, 2012/Flickr.com, Cartier-Bresson/Magnum, © Flip Schulke/Corbis, © Corbis; p. 64; p. 65: http:/www.spoletonline.com, Materialscientist, 2011/Wikipedia.org, http:/www.huffingtonpost.it; p. 66: © wavebreakmedia/Shutterstock.com; p. 67: © Adam Gregor/Shutterstock.com, © Khakimullin Aleksandr/Shutterstock.com, © OPOLJA/Shutterstock.com, © Kzenon/Shutterstock.com; p. 68: © L.Molinero/Shutterstock.com; p. 70: © Dragon Images/Shutterstock.com; p. 71: © Antonio Guillem/Shutterstock.com; p. 72: © Monkey Business Images/Shutterstock.com; p. 74: © holbox/Shutterstock.com, © ollirg/Shutterstock.com, © Nattakit Jeerapatmaitree/Shutterstock.com, © Akhenaton Images/Shutterstock.com; p. 75: © Adriano Castelli/Shutterstock.com, © Alessio Moiola/Shutterstock.com, © Minerva Studio/Shutterstock.com, © Eugenio Marongiu/Shutterstock.com, © Nikirov/Shutterstock.com, © fabiodevilla/Shutterstock.com; p. 76: © Lee Torrens/Shutterstock.com; p. 78: © 1828858957/Shutterstock.com, © Hetman Bohdan/Shutterstock.com, © Rohappy/Shutterstock.com, © Nina Anna/Shutterstock.com, http:/actioncontrelafaim.ca, Studio DK/Idealibri; p. 80: © Vladimir Gjorgiev/Shutterstock.com, © ArtFamil/Shutterstock.com, © Photographee.eu/Shutterstock.com, © Ollyy/Shutterstock.com, © kurhan/Shutterstock.com, © Paul Matthew Photography/Shutterstock.com, © ASDF_MEDIA/Shutterstock.com, p. 81: Olaf Stemme/IPS International; p. 82: © ICPonline.com, 2010, © Andresr/Shutterstock.com, Istockphoto.com, http:/www.felicitapubblica.it; p. 83: © kurhan/Shutterstock.com, © AlikeYou/Shutterstock.com, © Giacomo Pratellesi/Shutterstock.com; p. 84: © Billion Photos/Shutterstock.com, © 2j architecture/Shutterstock.com, © Monkey Business Images/Shutterstock.com, © Antonio Guillem/Shutterstock.com, © Kamira/Shutterstock.com, © F.Boston/Shutterstock.com; p. 85: https:/it.pinterest.com, http:/www.fanpage.it; p. 86: © pogonici/Shutterstock.com; p. 87: © Taeya18/Shutterstock.com; p. 88: © Thinkstock.com; p. 89: © pathdoc/Shutterstock.com, © Hugo Felix/Shutterstock.com, © ICPonline.com, © Kopacz Annamaria/Shutterstock.com; p. 90: © vesna cvorovic/Shutterstock.com, © Julius Elias/Shutterstock.com, © Picsfive/Shutterstock.com, © Linda Vostrovska/Shutterstock.com; p. 91: © vesna cvorovic/Shutterstock.com, © tulpahn/Shutterstock.com, © MaddyZ/Shutterstock.com, © Irina Fischer/Shutterstock.com, © Olga Kovalenko/Shutterstock.com; p. 92: © TunedIn by Westend61/Shutterstock.com; p. 94: Ferdinand Schmutzer/Kienberg-Karli, 2009/Wikipedia.org, http:/oqueemeuenosso.blogspot.com, DcoetzeeBot, 2012/Wikimedia.org, https:/giacomopuccini.wordpress.com, http:/www.museunacional.cat; p. 96: © E.Kryzhanivskyi/Shutterstock.com; p. 98: © file404/Shutterstock.com, © file404/Shutterstock.com; p. 99: http:/us.makemefeed.com, https:/www.studyblue.com, Alvesgaspar, 2015/Wikimedia.org; p. 100: © catwalker/Shutterstock.com, © Rawpixel.com/Shutterstock.com; p. 101: © Thomas Pajot/Shutterstock.com; p. 102: © Algonga/Shutterstock.com, © Algonga/Shutterstock.com; p. 103: http:/www.radioradio.it, https:/riccardodellosbarba.wordpress.com; p. 104: G.dallorto, 2006/Wikimedia.org; p. 105: www.ilgiornale.it, RCS Quotidiani, 2005, © James Wheeler/Shutterstock.com, © Andrey Ukhov/Shutterstock.com; p. 106: Oslo, Munch Museet, Museum of Modern Art, New York, USA/The Bridgeman Art Library/Archivi Alinari, Oslo, Nasjonalgalleriet/Taschen GmbH, 2001, Alte Nationalgalerie, Berlino; p. 107: © Gunnar Assmy/Shutterstock.com, © sheff/Shutterstock.com; p. 108: http:/crimetimepreview.com, http:/crimetimepreview.com; p. 109: © AS Food studio/Shutterstock.com, © Ivan Nakonechnyy/Shutterstock.com, http:/www.ghr.it; p. 111: © chrisdorney/Shutterstock.com, © Yevgen Belich/Shutterstock.com, © Shchipkova Elena/Shutterstock.com, p. 113: © Dmitry Kalinovsky/Shutterstock.com; p. 118: © wavebreakmedia/Shutterstock.com; p. 119: © ppart/Shutterstock.com, © Iakov Filimonov/Shutterstock.com; p. 120: http:/www.reformedescollectivitеslocales.fr ; p. 122: http:/interiorbybertelsen.bloggersdelight.dk, Smeg/http:/case.priceinspector.co.uk, http:/www.casabugatti.it, http:/store.alessi.com, http:/wallpapersafari.com; p. 128: Niki.L, 2015/Wikimedia.org, http:/popoffquotidiano.it; p. 129: https:/federicotulli.com; p. 130: © diz241RQ/Shutterstock.com; p. 132: © 2010 Photos.com, ICPonline.com; p. 133: http:/lindberginnovations.com, Charles Levy/Hohum, 2013/Wikipedia.org, © Yurij/Shutterstock.com, Tentontunic, 2011/Wikimedia.org, www.afacerigdi.ws, © armo.rs/Shutterstock.com; p. 134: © Alex Hinds/Shutterstock.com; p. 137: © BestGreenScreen/Shutterstock.com; p. 141: © Photographee.eu/Shutterstock.com; p. 142: © Johan Larson/Shutterstock.com; p. 143: http:/www.orchestrallife.com, http:/www.feltrinellieditore.it; p. 144: https:/www.bookrepublic.it, http:/1000euroalmese-blog.tumblr.com; p. 146: © Foto Scala, Firenze, © Alessandro14/Shutterstock.com, www.letsbet.ie; p. 147: http:/www.prweb.com, http:/www.klarstein.it, http:/www.supplierdiversityeurope.eu, http:/www.ibenny.it, http:/www.lgblog.it, http:/www.popgadget.net, https:/studentrender.wordpress.com, http:/gd.kidp.or.kr; p. 148: © RAYphotographer/Shutterstock.com, © cunaplus/Shutterstock.com, © Tiko Aramyan/Shutterstock.com; p. 149: Biblioteca Reale, Torino/"Connaissance des Arts", n. 605, maggio 2003; p. 150: Milano, Convento di Santa Maria delle Grazie, dallapozzam@virgilio.it/iStock/2013 Thinkstock, Johann H. ADdicks, 2005/Wikipedia.org, © leoks/Shutterstock.com, © Folco Quilici/Alinari, Firenze, © Giuseppe Guarneri/123RF.com; p. 154: © RMN-Grand Palais (musée du Louvre)/Michel Urtado-- Réunion des Musée Nationaux/ distr. Alinari, © Musée du Louvre, Dist. RMN-Grand Palais/Raphaël Chipau, © Image copyright The Metropolitan Museum of Art/Art Resource/Scala, Firenze; p. 155: Museo del Prado, Madrid, Museo dell'Ermitage, San Pietroburgo/ttps:/torinocult.wordpress.com, RCS Quotidiani S.p.A, 2004/ Skira editore, Milano, 2004, Milano, Museo Teatrale alla Scala/Silvana Editoriale, 1981, Milano, Cybershot800i, 2011/Wikimedia.org, Anagoria, 2014/Wikimedia.org, Pinacoteca di Brera, Milano; p. 156: http:/www.teleambiente.it, © ThaiThu/Shutterstock.com, © Eugenia Lucasenco/Shutterstock.com; p. 157: © Dudarev Mikhail/Shutterstock.com, © Erik Lam/Shutterstock.com, © 2010 photos.com; © Elena Schweitzer/Shuttesrtock.com, © V.Korovin/Shutterstock.com, https:/wallpaperscraft.com, http:/italbio.nl, © Tomo Jesenicnik/Shutterstock.com, © Oleksiy Kyslenko/ Shutterstock.com, © Ruslan Semichev/Shutterstock.com, © bestv/Shutterstock.com, © matin/Shutterstock.com, © Anna Kucherova/Shutterstock, © Artography/Shutterstock.com, © gillmar/Shutterstock.com, Tsekhmister/Shutterstoc.com; p. 159: © DykyoStudio/Thinkstock.com, © elgad/Shutterstock.com; p. 160: Leonard G., 2007/Wikimedia.org, www.lettera43.it, © Stefano Ember/Shutterstock.com; p. 162: © Shaun.P/Shutterstock.com; p. 164: http:/www.scattidigusto.it; p. 166: https:/arte181.wordpress.com, National Maritime Museum, Greenwich, Biblioteca Reale, Torino, Fæ, 2014/Wikimedia.org, InfocollectieAM, 2014/Wikimedia.org; p. 167: Ctac, 2013/Wikimedia.org, © ICPonline, https:/www.mhs.ox.ac.uk, Pieter Kuiper, 2009/Wikipedia.org, http:/www.neldeliriononeromaisola.it, www.europarl.europa.eu, Materialscientist, 2012/Wikimedia.org; p. 168: © gkuna/Shutterstock.com, bongo vongo, 2009/Flickr.com; p.169: © r.classen/Shutterstock.com; p. 170: © Carme Balcells/Shutterstock.com, © irin-k/Shutterstock.com, © Ysbrand Cosijn/Shutterstock.com; p. 172: © Tale/Shutterstock.com, © Carme Balcells/Shutterstock.com, © monticello/Shutterstock.com, © nousefоrname/Shutterstock.com; p. 173: © Milles Studio/Shutterstock.com, © H.Felix/Shutterstock.com; p. 174: © IVASHstudio/Shutterstock.com, © Filipe Frazao/Shutterstock.com; p. 176: © Luckyraccoon/Shutterstock.com; p. 177: © Ana Blazic Pavlovic/Shutterstock.com; p. 178: Marlin/www.cirrusimage.com, Corbis/Sygma; p. 180: © 2010 Photos.com, © 2009 photos.com; p. 181: © Andresr/Shutterstock.com, © ICPonline.com, 2005; p. 184: © RMN-Grand Palais (musée du Louvre)/Michel Urtado-- Réunion des Musée Nationaux/distr. Alinari, © Foto Scala, Firenze; p. 185: Biblioteca Ambrosiana, Milano/Giunti, Firenze, Royal Collection, Windsor; p. 186: RCS Quotidiani S.p.A, 2004/ Skira editore, Milano, 2004, Milano, Museo Teatrale alla Scala/Silvana Editoriale, 1981, Milano,,Cybershot800i, 2011/Wikimedia.org, Anagoria, 2014/Wikimedia.org, Pinacoteca di Brera, Milano; p. 187: © Katie May Boyle/Shutterstock.com, © Wayhomestudio/Shutterstock.com; p. 189: © UMB-O/Shutterstock.com, andrew boatswain/ Flickr.com, © Samot/Shutterstock.com; p. 190: arigi, Musée du Louvre, © Olga Miltsova/Shutterstock.com.